RAYMOND
QUENEAU

par
Emmanuël Souchier

LES CONTEMPORAINS · SEUIL

A Anne-Marie Christin

Sixtus Éditions *et le* CIDRE
ont publié une première version sensiblement différente
des chapitres 1 et 2
de cet ouvrage : « "Je n'aime pas ce qui m'enserre"
ou Raymond Queneau face au surréalisme »
(Petite Bibliothèque quenienne, *n° 5-6, 1991, Limoges.*
© *Éditions du Seuil).*

© OCTOBRE 1991, ÉDITIONS DU SEUIL

ISBN 2-02-012159-X

Avant-propos

La première règle objective est ici d'annoncer le système de lecture, étant entendu qu'il n'en existe pas de neutre[1].

ROLAND BARTHES

La lecture est le fruit d'une histoire plurielle, histoire du lecteur, du texte, de l'œuvre, de sa critique... Mais la lecture critique a ceci de particulier qu'elle se réalise dans l'acte d'écriture. Si l'on admet qu'un texte est fait d'« écritures multiples, issues de plusieurs cultures et qui entrent les unes avec les autres en dialogue, en parodie, en contestation[2] », on conviendra aisément que la lecture critique entre à son tour « en dialogue, en parodie, en contestation » avec les « écritures multiples » des critiques qui la précédèrent. Il convient donc, en premier lieu, de situer ce travail par rapport à l'histoire de la critique quenienne et d'« annoncer le système de lecture » choisi, lui-même inscrit dans la politique définie par l'éditeur pour sa collection.

Jean Queval (1960), Jacques Bens (1962) et Paul Gayot (1967)[3] furent les premiers à rendre compte de l'œuvre et de la vie de Queneau à travers des ouvrages dominés, selon la personnalité de chacun, par l'humanisme, l'encyclopédisme ou la 'pataphysique. En 1962, Claude Simonnet consacre une monographie au *Chiendent* dans laquelle il révèle l'importance de la « poétique du roman ». Un an plus tard, Andrée Bergens fonde toute son incompréhension de l'œuvre dans l'absurde et l'humour; enfin, Renée Baligand élabore la première étude

5

poétique formaliste (1972). Tous ces travaux ont été réalisés du vivant de l'auteur ; par la force des choses, ils ne purent donc offrir une vision globale du parcours intellectuel de Queneau.

Les travaux postérieurs sont sensiblement différents ; les critiques eurent en effet l'occasion de confirmer leurs hypothèses à la lumière des documents laissés par l'auteur après sa mort (1976) ; documents reproduits pour la fondation du Centre de documentation Raymond-Queneau la même année. On me rétorquera, à juste titre, que l'analyse des « dossiers » n'est pas indispensable à la *bonne compréhension* d'une œuvre. Certes, mais face à l'ampleur et à la complexité de la démarche quenienne, leur exploitation permet de lever nombre de malentendus que Queneau ne manqua d'ailleurs pas d'entretenir.

Reste la richesse des lectures qui répondit à cette œuvre foisonnante : Noël Arnaud, chantre de la croisade lancée contre ce que Ionesco appela l'« apolitisme » de Queneau, Alexandre Kojève et Macherey portant le faisceau du projecteur sur l'influence hégélienne, François-Bernard Michel diagnostiquant l'expression asthmique dans les romans, Michał Mrozowicki explorant le passage du surréalisme à la littérature potentielle, Jacques Jouet articulant la « machine littéraire » autour de l'Oulipo...

Ne manque plus à notre tableau que le débat qui anime la critique contemporaine. Les termes en sont simples, mais de leur choix dépend l'acceptation de la complexité de l'œuvre. Car, comme l'écrivait Queneau, « il faut distinguer les attitudes partielles, qui ne voient que le bien et le mal, des attitudes totales qui atteignent le vrai[4] ». On peut schématiquement résumer ce débat à l'acceptation ou au refus de l'expression de la spiritualité et de la métaphysique dans le texte quenien.

Ainsi, André Blavier dénie toute lecture métaphysique au nom de la 'pataphysique et, en moindre mesure, de la rhétorique ou de l'Art[5]. S'agissant de *Morale élémentaire*, la dernière œuvre poétique influencée par la tradition chinoise, Claude Debon prône pour sa part une lecture combinatoire au même déni de la métaphysique. « La pensée chinoise, écrit-elle, n'est pas pour [Queneau] une adhésion à une mystique (qu'elle n'est nullement) mais percée vers la combinatoire qui préside au langage et à la pensée [...]. C'est dans *Morale élémentaire* que cette percée des signes et du sens atteint son sommet – sans que jamais Queneau ait rien visé d'autre » (*Pléiade**, I, p. 1458). Face à ces prises de position, Alain Calame a fondé son analyse sur l'historicité de l'œuvre et sur la prise en compte de la quête spirituelle et métaphysique de l'auteur. Chacun a donc enrichi la connaissance de l'œuvre, mais certains termes du débat sont inconciliables.

Citant Agatha Christie, Queneau disait qu'« on ne peut tout raconter, on procède par sélection... chacun révèle ce qui lui semble important, mais souvent il se trompe » (*NRF*, n° 196, 1969). Le choix est inhérent à l'acte critique. Il convient donc d'identifier les questions qu'on se pose et de choisir les méthodes appropriées à partir desquelles on proposera des thèses. J'ai, pour ma part, choisi l'éclectisme méthodologique, car la scientificité d'une lecture non seulement se définit par la nature de sa méthode, mais consiste aussi à choisir les outils adéquats qui apportent une réponse à une question donnée. Par ailleurs, la pluralité des lectures est féconde en ce qu'elle permet, à partir de questions différentes, d'utiliser des méthodes différentes et donc de mettre en évidence des faits distincts. Enfin, en fondement à la scientificité d'une lecture, il y a une attitude morale, une *éthique* de la critique. Mon attitude morale consiste à ne pas

---

* Pour les abréviations des œuvres citées, se reporter p. 299.

occulter les faits textuels qui ne rentrent pas dans la cohérence que je prétends apporter de l'œuvre.

Et le lecteur, me direz-vous, le lecteur auquel Queneau accorde une si grande importance ? Lui restent « la fourchette et le couteau » : « Je suis un pommier, dit Queneau. Je donne des pommes. A vous de choisir si vous les aimez rondes ou oblongues, sphériques ou piriformes, lisses ou ridées, pommelées, ou bien vertes et pas mûres. Vous ne voudriez tout de même pas que je vous fournisse par-dessus le marché la fourchette et le couteau[6]. » Si par bonheur le critique a livré la bonne fourchette et le bon couteau, le lecteur demeure libre de choisir le texte et la manière de le peler !

Ainsi que l'œuvre, la critique doit donc être replacée dans son histoire. Christopher Shorley[7] a justement noté qu'il n'est pas certain qu'un point de vue défendu par Queneau puisse être pris comme définitif, une déclaration n'être pas en contradiction avec telle autre déclaration antérieure ou posté-rieure. De ce constat liminaire découle le parti pris résolument historiciste de ma démarche. Établir des faits quant aux textes et aux contextes qui les éclairent, tenir compte de l'évolution d'une pensée, conserver une lecture plurielle, élaborer une problé-matique autour de thèmes essentiels ayant marqué la vie et l'œuvre de Queneau, tels sont les principes qui ont présidé à ce travail. Les thèmes prennent alors place dans une histoire dont les revirements, les ruptures, les contradictions n'ont pas été effa-cés, mais mis en évidence afin d'en rendre la com-plexité.

Au lecteur désormais de se mettre en lecture *critique* et *créative…*

Avallon, mars 1991.

1
Figures de l'écrivain

Multiples et cohérentes, bien qu'inclassables, les « figures de l'écrivain » sont, à l'image de l'homme, plurielles. Au cours des décennies 1920-1950, Queneau a posé les fondations et construit les deux tiers de son œuvre écrit. La figure *majeure* de l'écrivain s'est alors constituée à partir du surréalisme. Par amour tout d'abord, par détestation ensuite, par opposition enfin. L'adhésion active au mouvement surréaliste, puis la rupture avec Breton ont marqué un clivage dans la vie personnelle, affective et sociale de l'écrivain qui était encore à naître dans les années 1930. La poétique quenienne s'est élaborée en s'opposant à ce qui devait bientôt devenir une véritable « figure de répulsion ». Aussi m'a-t-il tout d'abord paru important d'accorder à cet épisode la place que la critique ne lui avait pas encore réservée. Certes, les chemins de traverse qu'il nous faudra parfois emprunter sont souvent inattendus, mais y a-t-il une *voie royale* pour la lecture ? Et puis, n'est-ce pas l'un des plaisirs essentiels de la lecture quenienne que d'avoir à découvrir une galaxie au coin d'un poème ?

Au commencement étaient
Les Derniers Jours

Lorsque Vincent Tuquedenne débarqua du train du Havre, il était timide, individualiste-anarchiste et athée. Il ne portait pas de lunettes, bien qu'il fût myope, et laissait croître sa chevelure afin de témoigner de ses opinions. Tout cela lui était venu en lisant des livres, beaucoup de livres, énormément de livres (*Les Derniers Jours*, p. 21).

Ainsi commence l'histoire d'un jeune provincial né au Havre en 1903 et qui débarque à Paris en 1920 ; enfin, pas tout à fait, puisque ce n'est là que le début du troisième chapitre des *Derniers Jours* qui ne devait être lui-même que le troisième roman publié par Queneau (1936). *Le Chiendent* et *Gueule de pierre* (1933 et 1934) le précédèrent, avec en interlude la traduction du *Mystère du train d'or* d'Edgar Wallace signée Jean Raymond, c'est-à-dire Janine et Raymond Queneau (1934). *Les Derniers Jours* sont une réécriture à peine démarquée du journal personnel de Queneau. Les manuscrits révèlent la place que jouèrent la vie privée de l'auteur et le contexte historique, souvent évoqué à travers les faits divers, dans la construction du roman. Les événements relatés n'ont donc pour nous que plus d'intérêt.

Au cours des années 1920-1925, Vincent Tuquedenne – alias Raymond Queneau – s'inscrit à la Sorbonne, prend contact avec le milieu étudiant, s'intéresse au dadaïsme, à la poésie cubiste, s'essaye à l'écriture, à la mathématique, à la philosophie (au point de proposer son propre système philosophique) et tente de régler les problèmes existentiels inhérents à son âge et à sa personnalité inquiète et timide. Reste cette étonnante culture acquise au fil des lectures : « Il ne voyageait pas, mais lisait beaucoup en méprisant cette vie quotidienne et banale dont il ne tentait de sortir que par de puériles tentatives » (*ibid.*, p. 148).

Suivons Vincent et assumons la première contradiction de ce jeune homme qui dit ne pas voyager, en mettant les pas dans ce que Queneau devait considérer plus tard comme le plus long périple qu'il eût jamais effectué, ses errances à travers la ville.

« *Lorsque Vincent Tuquedenne débarqua du train du
Havre, il était timide, individualiste-anarchiste et athée.
Il ne portait pas de lunettes bien qu'il fût myope,
et laissait croître sa chevelure afin de témoigner de
ses opinions. Tout cela lui était venu en lisant des livres,
beaucoup de livres, énormément de livres* »
(Les Derniers Jours, p. 21; photo, 1922).

Première rime d'un parcours qui s'achèvera sur cet autre voyage, autrement complexe il est vrai, que sera *Morale élémentaire*, l'un des chefs-d'œuvre poétiques de ce siècle. Mais n'anticipons pas !

Vincent occupait la plupart de son temps à établir de « longs itinéraires qu'il suivait scrupuleusement. Il allait en long, en large, en rond, en zigzag. Tel jour, il traversait la ville du nord au sud, tel autre il la transperçait de l'est à l'ouest ». Il était curieux de tout ce que la ville lui offrait, curieux de toute réalisation humaine, attendu que, pour Queneau, « l'homme ne s'accomplit que dans la ville » (*Saint-Glinglin*, p. 129). Mais il s'inquiétait déjà « de l'aspect changeant des villes et du devenir de leur configuration ». Il composa même là-dessus un petit poème qui en dit plus qu'un long discours :

> Le Paris que vous aimâtes
> n'est pas celui que nous aimons
> et nous nous dirigeons sans hâte
> vers celui que nous oublierons
>
> Topographies ! Itinéraires !
> Dérives à travers les villes !
> Souvenir des anciens horaires !
> Que la mémoire est difficile !
>
> Et sans un plan sous les yeux
> vous ne nous comprendrez plus
> car tout ceci n'est que jeu
> et l'oubli d'un temps perdu (p. 73).

Ce jeu est une invite à reconstruire la géographie et l'histoire d'une œuvre. C'est donc avec un plan sous les yeux et le « souvenir des anciens horaires » que nous suivrons Queneau dans ses dérives à travers la ville, dérives à travers la vie.

Les joies de « Connaissez-vous Paris ? »

Nos premiers pas, nous les ferons en compagnie de « Connaissez-vous Paris ? », chroniques quotidiennes que l'auteur tint du 23 novembre 1936 au 26 octobre 1938, dans *L'Intransigeant*. « Sous ce titre, écrit-il dans la première livraison, nous publierons chaque jour quelques questions concernant des particularités curieuses de notre ville[8]. » Trois questions quotidiennes auxquelles il répond dans la rubrique des petites annonces. Au total, près de 2 100 anecdotes historiques et littéraires, curiosités topographiques, toponymiques, architecturales ou artistiques... aucun domaine n'échappe aux longues enquêtes qu'il effectue sur le terrain et dans les bibliothèques parisiennes. La Ville se constitue au fil des promenades, elle lui est un livre de lectures ; véritable réservoir de connaissances, il la parcourt et la compulse ainsi qu'une encyclopédie.

En 1940, il évoque ce « périple parisien » dans son *Journal* : « Je "regrette" de n'avoir point tenu un registre (personnel) de mes visites de Paris (1936-1938), de ma psychanalyse (mais moins), de mes recherches s/ les fous (encore moins ; ça je m'en fous). Mon exploration de Paris pour C[onnaissez-]V[ous] P[aris?] a été le seul événement marquant de ce genre *pour moi* – le seul en tout cas qui m'ait fait plaisir ; et j'ai été long à me remettre du choc que me causa la suppression de ma chronique » (p. 134). L'importance de cet épisode est telle qu'il y revient quelques jours plus tard : « C'est au fond la seule chose que j'aie jamais faite qui m'ait fait vraiment *plaisir*. Ce temps-là, je fus heureux. J'aimais ce travail, cet ensemble : les recherches à la B. N., puis les promenades dans Paris, les enquêtes – oui ce fut pour moi un temps heureux – le bonheur. L'un des plus g^ds "chocs" que j'aie éprouvés a été la suppression de cette chronique » (p. 136).

La collaboration à *L'Intransigeant* a été une période heureuse durant laquelle Queneau a pu concilier l'inconciliable : la tradition surréaliste de l'antiopée héritée d'Apollinaire, ses propres préoc-

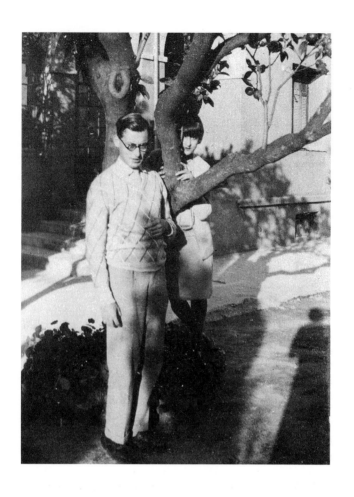

Mai-juin 1928, au Lavandou avec Janine Khan,
sœur de Simone, la première femme d'André Breton.
Raymond Queneau et Janine Khan
se marient le 28 juillet de la même année.

cupations (encyclopédisme, recherches érudites en bibliothèque) et un emploi rémunérateur. Mais la chronique est supprimée en 1938, causant un véritable « choc » que l'on expliquera sans doute par la fédération des intérêts qu'elle représentait pour l'auteur et dont l'aspect cathartique était sans doute essentiel. « Connaissez-vous Paris ? » lui permet de gagner une somme qu'il juge « assez substantielle pour l'époque », il peut ainsi effectuer ce que l'analyse avait rendu intelligible :

> mais le plus important
> c'est que
> je suis incapable de travailler
> bref dans notre société
> je suis un désadapté inadapté
> né-
> vrosé
> un impuissant
> (*Pléiade* I, p. 21-22).

Mais, au fond, en quoi le surréalisme était-il inconciliable avec les recherches menées par Queneau et d'où lui venait ce sentiment d'échec, d'impuissance ? Pour le mieux comprendre, il nous faut revenir en arrière, de quelques années seulement. Nous sommes alors en 1924 ; Queneau prend contact avec la Centrale surréaliste...

L'épopée surréaliste et la crise de 1929

1924-1929, cinq années marquées par la rencontre d'André Breton, l'adhésion, puis la participation au mouvement surréaliste, la poursuite des études de philosophie à la Sorbonne, la recherche d'un travail, le service militaire dans la guerre du Rif au Maroc, le mariage avec Janine Kahn, sœur de la première femme de Breton... une période mouvementée qui s'achève par la brouille avec le « pape du surréalisme ».

Quelques points d'ancrage donc. En 1924, Queneau rencontre Gérard Rosenthal (alias Francis Gérard, l'un des plus proches collaborateurs de Trotski), Michel Leiris, Philippe Soupault et Pierre Naville qui le présentera à André Breton. A la fin de l'année, il fréquente le Bureau central de recherches surréalistes[9]. Début 1925, après le certificat d'histoire générale de la philosophie, il obtient à la Sorbonne ceux de morale et de sociologie et se met en quête de travail. En juin, il participe à la bagarre du Vieux-Colombier qui fit scandale (*Nadeau* I, p. 77 *sq.*).

A partir de janvier, son nom apparaît au bas des tracts, déclarations et manifestes surréalistes : *Déclaration du 27 janvier 1925*[10], manifeste sur *La Révolution d'abord et toujours !*[11], *Hands off love*[12], *Permettez !*[13], etc. Tout cela ne l'empêchera d'ailleurs pas de condamner l'emploi parfois frauduleux de la signature de certains membres du groupe surréaliste lorsqu'il rédigera *Odile*[14].

Sa première contribution à *La Révolution surréaliste* (un récit de rêve) date d'avril 1925. Elle sera suivie d'un « Texte surréaliste » (n° 5), d'un poème (« Le tour de l'ivoire », n° 9-10), et, dans le numéro 11, d'une critique de l'exposition de Chirico[15], numéro où il sera également fait état de sa participation aux séances de recherches sur la sexualité.

Contributions
à « La Révolution surréaliste »

Les publications peu nombreuses parues dans *La Révolution surréaliste* ne rendent pas compte de la production réelle de l'auteur. Les textes inédits présentés dans la *Pléiade* (I, p. 989-1067) révèlent une activité autrement importante qui justifie l'attitude « réservée mais sérieuse » qu'on lui attribuait alors[16]. Au demeurant, on y décèlera les prémices de l'œuvre : thèmes, techniques, jeux qui caractériseront l'art romanesque quenien[17]. On y sera également sensible à la confidence doublée de ce perpétuel jeu de *caché-révélé* qui lui est propre. Ainsi, ces remarques qui s'adressent indirectement au lecteur : « Je t'en ai déjà trop dit pour que tu ne saches maintenant me reconnaître lorsque je passerai près de toi... » Un peu plus loin, alors même que les images associatives développées dans le texte relèvent d'une lecture analytique, cet aveu ironique : « Je n'en avais jamais tant dit » (p. 991), où l'auteur souligne le poids réel des révélations en apparence anodines qu'il vient de faire. Ce procédé, courant dans l'œuvre romanesque, tend à démythifier l'acte d'écriture et le fonctionnement de la « machine littérature ».

Du reste, Queneau accorde une telle importance au premier rêve paru dans *La Révolution surréaliste* qu'il en dépose le manuscrit à la bibliothèque Jacques-Doucet. Également révélatrice, l'anecdote relatée par Sarane Alexandrian[18]. Nous sommes alors en 1927 ; Raymond Queneau adresse, anonymement, un cahier manuscrit de textes automatiques au domicile d'André Breton. Ce dernier manifeste publiquement un très vif intérêt pour ces écrits et projette d'en publier des passages. Mais Breton égare les documents au cours d'un déplacement, perte qui l'affecte au point de la déclarer au commissariat de quartier. Que Raymond Queneau ait tenu rigueur à Breton de cette perte, c'est probable, mais rien ne nous permet de l'affirmer ; en revanche, la reconnaissance publique de Breton, fondée sur une production anonymée, joua sans doute un rôle psychologique important. Certes, Queneau affirmera plus tard qu'il ne se destinait pas encore au métier d'écrivain, mais que dire d'un « père spirituel » qui reconnaît la valeur de son « fils » *ès écritures automatiques* ?

La guerre du Rif

L'école du troufion

[…]

Suis-je encor soldat ou bien suis-je artiste
Suis-je plutôt gai suis-je plutôt triste
Je ne résous pas ces cogitations
Et la nuit s'enroule autour de ce kyste
Qui pousse en mon cœur plein de négations
Le lieutenant hurle : « Un surréaliste ! »

(*Pléiade* I, p. 254).

Le 16 novembre 1925 porte un coup d'arrêt à son activité au sein du groupe surréaliste. Queneau est en effet appelé sous les drapeaux, affecté à Paris (à la caserne de Reuilly), puis dirigé vers le 3ᵉ régiment de zouaves à Constantine. Il n'en reviendra qu'au printemps de 1927. Si les dix-huit mois de service national creusèrent un écart sensible entre Queneau et ses amis de la place Blanche – cette interruption l'ayant « privé d'un aspect important de l'aventure collective du surréalisme : la rencontre de Nadja » (S. Alexandrian, *op. cit.,* p. 425) –, l'expérience de la guerre du Rif devait, quant à elle, l'affecter durablement et réapparaître à plusieurs reprises dans son œuvre après avoir tissé la toile de fond d'*Odile*.

La rue du Château

En mai 1927, il est employé au Comptoir national d'escompte de Paris, rebaptisé « Comptoir des comptes » dans *Le Chiendent* (p. 125). Une période dont il ne garde pas un excellent souvenir : « L'espérance a toujours été une vertu que j'ai pratiquée (excepté au moment du "désespoir" professionnel si j'ose dire. 1927-1928) » (*Journal*, p. 198). Pourtant, à la même époque, il se lie d'amitié avec le groupe de la rue du Château, lieu de la « dissidence » surréaliste où se côtoient les frères Prévert, Yves Tanguy, Marcel Duhamel… (ce dernier, futur directeur de la « Série noire » chez Gallimard, sera traducteur d'anglais, comme Queneau[19]). Environnement propice à l'élaboration des premiers scénarios qui lui permettra d'entrer en contact avec le milieu professionnel du cinéma dans lequel Pierre Prévert évoluait. C'est également rue du Château que se déroule la réunion consacrée à l'« examen du sort réservé à Trotski » ; Queneau en est l'un des principaux organisateurs (11 mars 1929). De cette époque Marcel Duhamel dira : « C'était le bon temps : post-Montparnasse et pré-Saint-Germain. L'époque où nul d'entre nous ne songeait à autre chose qu'à perpétuer un état de liberté éminemment satisfaisant, sans trop s'inquiéter de la croûte... qu'il fallait quand même bien assurer. Ainsi Raymond Queneau, éternel étudiant, occasionnel professeur de français pour touristes-gangsters américains... » (*L'Arc*, p. 75). Autant d'événements dont on percevra l'écho dans *Odile*.

Queneau marque officiellement ses premières distances face à Breton, sinon ses premières oppositions théoriques, au cours des séances de recherches sur la sexualité organisées en janvier 1928 (*La RS*, n° 11). Le 6 juin de l'année suivante, il se fâche avec lui, et c'est en janvier 1930 que paraît le tract, *Un cadavre*, dans lequel figure le texte de Queneau intitulé « Dédé ».

En 1950, au cours de ses conversations avec Georges Ribemont-Dessaignes, l'auteur résume cette époque à sa manière, c'est-à-dire de façon lacunaire : « J'ai connu Breton par l'intermédiaire de Pierre Naville que j'avais rencontré à la Sorbonne. C'était tout de suite après la publication du *Manifeste*, pendant l'hiver 24-25. J'ai fréquenté la Centrale Surréaliste. Après sa fermeture, je n'ai vu le groupe que d'une façon intermittente, je n'étais pas une recrue bien intéressante, et puis j'étais excessivement timide. Ce n'est que lorsque je suis revenu du Maroc (où j'étais zouave...) que j'ai participé réellement aux activités du groupe. Breton

19

s'était intéressé à un texte que je lui avais montré et je m'étais rapidement agrégé à ce qu'on appelait la rue du Château... » (*BCL*, p. 36).

Une période foisonnante
vécue sur le mode de l'échec

Queneau ne sort pas indemne de l'épopée surréaliste ; en 1950, il se souvient avant tout de l'isolement entraîné par la rupture : « hors du groupe, je n'étais guère plus libre que dedans. Au contraire. On se sent coupable et inefficace. C'est ce qui arrive, je crois, à tous ceux qui s'excluent ou sont exclus de groupes fortement constitués ». De cette époque, il ne retient que la démarche encyclopédique : « Je ne savais que faire et je me suis réfugié à la Bibliothèque Nationale et je me suis mis à étudier les fous littéraires » (*BCL*, p. 37). Or le résultat de ces recherches entreprises en 1930 ne sera accepté par aucun éditeur. Queneau adopte alors une forme romanesque et, non sans mal, *Les Enfants du Limon* finissent par être publiés chez Gallimard en 1938.

Les mathématiques offrent un autre « refuge » possible. Mais, dès *Odile* (1937), cette espérance s'achève sur une « découverte négative ». Au terme de son Odyssée, Vincent confie à Odile : « Voilà des années que je m'illusionne sur moi-même et que je vis dans l'erreur. Je croyais que j'étais mathématicien. Je viens de m'apercevoir ces jours-ci que je ne suis même pas un amateur. Je ne suis rien du tout. Je n'y connais rien. Je n'y comprends rien. Je ne sais rien. C'est terrible mais c'est comme ça » (p. 163-164). Même s'il est gage d'un mieux être, le constat final est sévère : « J'avais construit une hutte avec les débris de mon ambition ; il faut que je décampe, le vent l'a dispersée. Je n'ai plus de refuge, je n'en ai jamais eu. La vérité est rude » (p. 165).

Publiquement, Queneau ne retient que ses recherches sur les fous littéraires ; dans ses romans, il évoque les mathématiques ; pourtant, durant toute cette période, il explore bien d'autres domaines. La décennie qui suit la crise de 1929 contient en germe tous les éléments de sa vie et de son œuvre. Ainsi, au sortir du surréalisme, il s'essaye à la peinture après avoir dessiné des pictogrammes. Une nouvelle expérience décevante ; les pictogrammes ne sont publiés qu'en 1946 dans la revue *Messages*; quant à la peinture, bien qu'il ait songé à en faire son métier, il finit par y renoncer.

Dans une note inédite, il écrit : « A plusieurs reprises j'ai tenté / essayé / de sortir de la littérature / par la peinture / par les mathématiques. » (CIDRE, D. 145). Une note paradoxale pour 1932, attendu que l'auteur date son « entrée » en littérature de cette même année, l'associant avec ses « débuts en psychanalyse », alors même qu'il entame sa première période picturale significative (*Pléiade* I, p. LV). S'agissait-il d'*entrer* en littérature ou d'en *sortir* ? L'hésitation est à la mesure du trouble causé par la rupture avec les surréalistes qui a entraîné une période d'instabilité, d'inquiétude.

Phase transitoire, les pictogrammes ont permis d'aborder les rives littéraires et picturales. Après le surréalisme, dit Queneau, « la seule chose que j'ai trouvée à faire, c'était les pictogrammes, c'est-à-dire, au-delà ou en deça, de l'écriture et de la littérature[20] ». Comme si le travail pictographique, au carrefour de la peinture, de l'écriture, de l'encyclopédie et de la combinatoire mathématique, avait permis à Queneau de reprendre *voix* après le silence de la rupture. Comment, dès lors, s'étonner que l'entrée en littérature soit associée à cette autre *voix* qu'est l'analyse, cette autre *voie* qu'est la quête spirituelle ?

Reste que « sortir de la littérature » ne peut avoir le même sens en 1932, 1946-1948 ou en 1951, périodes où la production picturale est la plus importante. En 1932, nous sommes à l'orée de l'œuvre littéraire, il faut faire un choix entre peinture et littérature ; s'extraire de la littérature signifie alors couper les ponts avec le surréalisme[21]. En 1946-1948, le sens est inversé, il s'agit pour Queneau de sortir de sa propre production qui n'a pas trouvé l'écho désiré[22]. Mais n'est-ce pas aussi une tentative pour s'extraire d'un mode d'expression qui n'a pas su répondre à toutes les attentes artistiques, existentielles, historiques ? En 1946-1948, Queneau sort d'une nouvelle traversée asthmatique (1942-1944) ; l'analyse s'est théoriquement achevée en 1939 et, sur le plan historique, la Libération apporte son lot de désenchantements politiques et idéologiques...

La situation sociale n'est guère plus reluisante. Après divers « petits boulots » (employé de banque, professeur, placier en nappes de papier, traducteur...) ou tentatives avortées[23], en 1938, Queneau entre comme lecteur d'anglais à la NRF et devient secrétaire général des Éditions Gallimard en 1941 ; mais cette situation n'offre cependant pas toute la sécurité matérielle désirée.

Au sortir du surréalisme, il semble bien que les horizons queniens aient été vécus sous le mode de l'échec ou de l'incomplétude. Symptomatiques sont alors les *recours* à l'asthme ou l'analyse, les *palliatifs* n'offrant que peu de satisfactions : encyclopédisme, peinture, mathématiques, littérature...

Les raisons de la rupture

A plusieurs reprises, Queneau évoque les raisons de sa rupture avec Breton. Raisons « strictement personnelles » et non « idéologiques » en 1950 (*BCL*, p. 37), uniquement « personnelles » en 1958. « Je me suis fâché avec Breton en 1928, dit-il, époque où beaucoup de gens se fâchaient avec lui » (*Dialogues,*

22

n° 14). Les « motifs » sont toujours « strictement personnels » en 1960, mais, cette fois-ci, ils ne sont pas d'« ordre théorique » (*Tm,* n° 50, p. 9). Une curieuse insistance qui nous incite à renverser les termes de la dénégation.

Arnaud note que l'intérêt premier de telles déclarations est leur caractère mensonger (*Qa,* p. 117). En ce qui concerne l'aspect personnel de la question, rien, *a priori*, ne nous permet de mettre en doute la bonne foi de Queneau. Breton répudia « sa première épouse Simone, sœur de la femme de Queneau, Janine », puis il interdit « à ses amis de revoir Simone » (*Europe,* p. 127). Motif nécessaire et suffisant, on en conviendra, pour entraîner une rupture. Mais la crise avait d'autres racines et, bien qu'il ait joué un rôle important, il est difficile d'admettre que l'ukase familial de Breton en ait été l'unique objet ; de toute évidence, il ne fut qu'un déclencheur.

Restent les allégations queniennes, qui glissent de l'idéologie à la théorie. Une distinction d'importance, puisqu'une théorie « peut à la rigueur être indépendante d'une idéologie, mais le contraire est impossible ». De fait, « abandonner le surréalisme à cause d'un désaccord sur l'automatisme psychique n'a pas la même signification ni les mêmes conséquences qu'une rupture provoquée par un désaccord découlant d'une critique de l'idéologie jugée confuse, insuffisamment fondée sur le matérialisme dialectique et, comme telle, inefficace aux yeux de Queneau dans l'action révolutionnaire ». Le distinguo idéologie-théorie révèle, selon Noël Arnaud, l'évolution politique de Queneau entre les années 1950 et 1960 dont « on datera de 1956 [l']émigration en pays neutre » (*Qa,* p. 117-118).

Cette interprétation, très certainement fondée en 1929 et pour l'époque de *La Critique sociale*, mérite cependant d'être nuancée si l'on tient compte, au moins, du scepticisme politique dont fait preuve

Queneau dans son *Journal* de 1939-1940. De plus, les déclarations de l'auteur datent des années 1950-1960, c'est-à-dire, de la période «rationaliste» (*cf.* A. Calame, *LRQ*, n° 2, p. 120). Il convient donc de donner quelques points de repère, et ce d'autant qu'en mai 1958 Queneau reconnaît qu'il «ne pense pas comme à l'époque où [il était] surréaliste» (*Dialogues*, n° 14). Deux ans plus tard, il réitère sa remarque en précisant : «Ce que j'ai écrit, je ne le vois pas en bloc, je ne le vois qu'au fil du temps, comme je l'ai vécu» (*Tm*, n° 50, p. 9). C'est donc au fil du temps et des événements qu'il convient de juger de l'évolution de son attitude et de sa pensée vis-à-vis du surréalisme, en particulier, et de l'Histoire, en général.

«Ce que j'ai écrit...
je ne le vois qu'au fil du temps.»

Résumer la vie mouvementée d'un «aventurier des idées» comme l'est Vincent Tuquedenne, tracer une série de frontières entre les niveaux politique, philosophique et spirituel, dresser une carte idéologique et théorique de Queneau en se contentant de dates est une entreprise périlleuse, car c'est oublier que notre auteur n'est pas homme de système, encore. moins de parti : «Je ne suis pas philosophe, sans doute car je me méfie comme de la peste des systèmes, de tous les systèmes que le monde dément régulièrement le lendemain[24].» Aussi convient-il de ne prendre ces éléments que pour garder le cap, balises permettant de ne pas naviguer à vue dans l'océan quenien. Je me contenterai donc de faire le point autour de quelques données sensibles[25].

1924-1935 : Une période marxiste
sur fond d'« études traditionnelles »

Le catholicisme de Queneau, auquel il renonce en 1918, a ouvert la voie de la métaphysique orientale découverte à travers les premières lectures de Guénon en 1921. Cette influence ne cessera d'être présente au cours des années « militantes » et « marxistes » du surréalisme (1924-1929) et de *La Critique sociale* (1930-1933). Dès 1925, alors qu'il manifestait un intérêt évident pour la révolution russe, Queneau n'en demeurait pas moins l'un des rares, dans le Bureau de recherches surréalistes, à maîtriser les sujets sur lesquels Breton réclamait une connaissance « obligatoire », au point de faire appel à des personnalités extérieures. Dans le compte rendu de la réunion du 23 janvier 1925, on peut lire : « Au sujet de la Question orientale, Raymond Queneau oppose la "métaphysique" sur laquelle est basée la civilisation orientale à la "philosophie" de l'Occident. La Question juive ne lui semble pas être une question orientale, les juifs étant devenus bien plus des Occidentaux que des Orientaux et étant d'ailleurs exécrés par ceux-ci. Le bolchevisme lui paraît plus intéressant, parce que constituant un "danger" immédiat pour l'Occident[26]. »

Nous savons par ailleurs que le collaborateur de *La Critique sociale* lisait *Le Voile d'Isis* qui deviendra *Études traditionnelles* en 1936. Depuis 1929, René Guénon assumait, de fait, la direction de cette revue dont Queneau attendait impatiemment les articles lorsqu'il était à l'armée (*Journal*, p. 96) ; il « méditait » également « *Les États multiples de l'Être* et *Le Symbolisme de la Croix* », ouvrages du même auteur (*LRQ*, n° 2, p. 118). Or cette période fut ouvertement la plus marquée par l'engagement politique.

En effet, après avoir participé au mouvement surréaliste, et ce de façon active dès son retour du

Sur la route d'Ermenonville, mars-avril 1928.

> *[...]*
> *à partir du désert*
> *on prend sa route*
> *[...]*
> *(Les Ziaux, Pléiade I, p. 48).*

Maroc, Queneau « rejoint l'opposition de gauche du Parti communiste français ». En 1931, il devient membre du Cercle communiste démocratique de Boris Souvarine et collabore à *La Critique sociale*[27]. Dans la « crise de civilisation » que traverse la France de la IIIe République, le « groupe de discussion » rassemblé par Boris Souvarine devait offrir, avec *La Critique sociale*, « un remarquable instrument de réflexion marxiste, d'orientation trotskiste, sur le fascisme et l'échec de la révolution » (Henri Dubief, *Le Déclin de la IIIe République*, Seuil, 1976, p. 63).

Au nombre des collaborateurs de la revue figure Georges Bataille, avec qui Queneau publie « La critique des fondements de la dialectique hégélienne » ; article à propos duquel il écrira en 1963 : « Bien que ni Bataille ni moi-même n'ayons appartenu au parti communiste (à ce que je sache en ce qui concerne Bataille), nous prétendons venir au secours de la dialectique matérialiste sclérosée et nous nous proposons de l'enrichir et de la rénover en l'ensemençant des meilleures graines de la pensée bourgeoise : la psychanalyse (Freud) et la sociologie (Durkheim et Mauss) – on ne connaissait pas encore Lévi-Strauss, bien entendu » (*Critique,* n° 195-196, p. 697).

En 1932, Queneau adhère au Cercle de la Russie neuve, cercle antistalinien, et au Front commun contre le fascisme créé par Gaston Bergery qui se considérait lui-même comme le véritable auteur du Front populaire (H. Dubief, *op. cit.*, p. 162).

Ainsi donc, présence d'un intérêt soutenu pour la « tradition » au cours de cette période militante. Mais ce qui est valable pour la tradition retransmise par Guénon – et plus tard par Brunton – l'est également pour le militantisme et pour l'engagement politique. Ainsi, lorsque Raymond Queneau traverse sa première « crise spirituelle », il n'en demeure pas moins conscient des réalités du monde dans lequel il vit, du déroulement de l'Histoire et du rôle qui lui est imparti. Cependant, son « engagement » ne relève plus du militantisme politique au sens propre du terme ; ce sont les œuvres qu'il nous faut alors interroger, comme prélude à la théorie du « désengagement » de l'homme de lettres qui prendra corps dans les articles de *Volontés* (1937-1940).

1935-1941 : Une crise spirituelle sur fond d'interrogations sociopolitiques

Dans *Les Enfants du Limon*, alors qu'il traversait sa première crise spirituelle, l'auteur illustrait déjà la montée du fascisme italien et mettait en scène la création en France d'un parti fasciste, la NSC – Nation Sans Classes, dirigé par Agnès de Chambernac –, dont l'idéologie n'a rien à envier aux ligues d'extrême droite qui fleurissent dans les années 1930 (*Les Enfants...*, p. 189, 198, etc.). Le domaine de la poésie est également touché, bien qu'en moindre proportion ; voyez « Munich », cette virulente diatribe jetée à la face des jeunesses d'extrême droite au cours de l'année 1937 (*Pléiade* I, p. 762-764) :

> Malheureux étudiant qu'as-tu fait de ta mère
> De cette France qui mit bas tant de héros
> La mépriserais-tu passque Front Populaire
> Ou que tu la trouverais pas trop S. F. I. O.
> [...]
> Maintenant que tu vois martyriser l'Espagne
>   par de maures légions
> tu applaudis bien fort l'Italie et l'Allemagne
>   faut-il être couyon
> [...]

Certes, « Munich » demeure inédit du vivant de l'auteur, mais il n'y a là rien que de normal, car si l'écriture quenienne eut parfois des accents de militantisme indéniables, elle n'en demeure pas moins gouvernée par le principe d'effacement. Reste « A d'Autres », l'un des rares poèmes qui aient résisté à ce principe (1947). Alors qu'il ne connaissait pas encore les inédits queniens, Jean Queval pensait qu'il s'agissait là du « seul texte "engagé" ou "militant" de Raymond Queneau », ajoutant que « ce caractère est contingent, en ce sens qu'il ne s'agit que d'une des pièces du plaidoyer : le plaidoyer pour la tolérance qui sous-tend l'œuvre entière » (*Mercure de France*, janvier 1960).

Mais il n'était point besoin de relire « A d'Autres » ou « Munich », pour mettre en évidence la thématique politique sur laquelle joue l'écriture quenienne. « La politique, écrit Arnaud, infiltre de part en part *Les Enfants du Limon*. Elle ponctue plusieurs séquences de *Chêne et chien*. Elle est la trame d'*Un rude hiver*. Elle enclave *Le Dimanche de la vie* » (*Qa*, p. 140). Aspect paradoxal donc, puisque l'auteur est alors entièrement tourné vers la tradition. Ce paradoxe (qui n'en est pas un si on se donne la peine de distinguer les niveaux politique et métaphysique), on le retrouve dans *Odile*, seul roman polémique que l'auteur ait jamais écrit. L'affirmation platonicienne d'*Odile*, qui surprit plus d'un lecteur, était à prendre au pied de la lettre. Souvenez-vous de cet échange entre Vincent Tuquedenne et Saxel, « une partie de mes idées ne s'accordent pas très bien avec le matérialisme, même dialectique. / – Par exemple en mathématiques ? / – Oui. Je crois toujours à leur objectivité intrinsèque. Je suis plus près de Platon que de Marx. / Diable, fit Saxel distraitement » (p. 94). Platon, l'un des ancêtres de la gnose, devait influencer un gnostique cher à Queneau en la personne de Valentin (*cf.* Serge Hutin, *Les Gnostiques*, p. 85).

La fin de cette année 1937 verra la fondation de *Volontés* (Raymond Queneau, Georges Pelorson, Henry Miller...), revue dans laquelle Queneau défendra une « échelle de valeurs » théoriques et littéraires, non pas « ridicule, risible et ampoulé[e] » comme on a bien voulu le dire[28], mais bien tournée vers l'esprit traditionnel, tel que transmis par René Guénon.

1933-1941: *Hegel et la gnose sur fond d'asthme et de psychanalyse*

De 1933 à 1939, Queneau suit les cours de Koyré et d'Alexandre Kojève sur Hegel à l'École pratique des hautes études, comme « élève assidu », puis comme « élève titulaire », avant d'éditer les cours de Kojève chez Gallimard en 1947 (Auffret, p. 238). A la même époque, Queneau suit les cours de Henri-Charles Puech sur la gnose, le manichéisme et saint Irénée, Puech qui devait dresser un émouvant hommage à Queneau lors de la publication de ses ouvrages[29].

Mais c'est également entre 1932 et 1939 qu'il entreprend une cure analytique ; expérience dont il nous fait part dans *Chêne et chien*, roman en vers publié en 1937. Analyse qu'il reprendra entre 1940-1942[30], car, selon A. Calame, il aurait alors vécu sa « crise spirituelle sous un mode pathologique ». Les crises d'asthme qui le tourmentent durant les années 1930-1938 ne sont certainement pas étrangères au mal-être du moment. Pour le Queneau de cette époque, « l'asthme, c'est le violent rappel de l'existence du Mal », or « sa réflexion sur le Mal devient une réflexion sur Dieu et sa relation à l'homme », ainsi que l'a justement noté F.-B. Michel. Curieusement, dans *Les Enfants du Limon*, dont la période de rédaction correspond à celle que nous parcourons, « la "lecture" de l'asthme est [...] plutôt d'ordre philosophique, sans dimension psychanalytique, alors qu'elle coïncidait avec la première démarche de psychanalyse de Queneau ». Précisons seulement que cette lecture est d'ordre plus métaphysique que philosophique. Avec la réapparition des crises en 1944-1945, la lecture de l'asthme va radicalement changer. Dans *Loin de Rueil*, « si le ton est rabelaisien, la conception de l'asthme est freudienne et la seconde démarche de psychanalyse y est certainement pour quelque chose » (*Le Souffle coupé*, p. 32 à 34).

On réveille
le père

« *On réveille le père* », gouache de Raymond Queneau,
27 x 42,5 cm, s.d.
« *Horreur de la caserne ; et encore, j'ai le bonheur qu'on ne
claironne pas le réveil – la chose qui me donne le plus le
cafard* » (Fontenay-le-Comte, octobre 1939, Journal, p. 74).

La reprise de l'analyse fut sans doute déterminante, ainsi que le pense F.-B. Michel, mais elle était également accompagnée d'un processus de « déconversion » qui devait mener Queneau vers la période centrale de sa vie, située entre 1941 et 1968. L'année 1941 marque en effet une nouvelle rupture, mais avec la spiritualité cette fois-ci. Période qui, selon A. Calame, devait entraîner la « destitution de l'intellect et la réconciliation de Queneau avec une raison dominatrice (et non plus, comme auparavant, illuminée) » (*LRQ,* n° 2, p. 120). Rien d'étonnant donc à ce que la psychanalyse – en tant que science – ait alors pris le pas sur la lecture métaphysique de l'asthme (*cf.* A. Calame, *Tm,* n° 150 +25-28 ; p. 18 et 25).

Cependant, Queneau ne saurait nous laisser errer sur une voie à sens unique. Ainsi, lorsqu'il rédige *Comprendre la folie*, probable introduction à *L'Encyclopédie des sciences inexactes* (1934), ouvrage qui sera finalement transformé en roman *(Les Enfants...),* le ton est à l'engagement, à l'ironie, la plume est virulente et parfois acerbe. Voyez ce passage extrait du fort bel ouvrage de Jacques Jouet qui le publia pour la première fois : « Les socialistes parmi les fous – attention ! l'esprit bourgeois montre son groin. Ah ! ces gens qui réclament la journée de dix heures et le droit de grève, quels toqués ! s'écriait le conservateur des années 1860 – et même après. En 1930, son fils sait que la Russie des soviets est peuplée de déments et de bandits illuminés qui coupent les généraux blancs en petits morceaux et cherchent à ruiner le commerce européen. Bouchons-nous le nez et passons ! » (*Raymond Queneau*, La Manufacture, 1988, p. 153).

Pour autant, dans ce même texte, Queneau n'en fustige pas moins le manque de compréhension et d'ouverture des psychiatres : « Ces grands médecins méprisent profondément ces pauvres diables qui "font" de la démence précoce ou de la manie-mélancolie (comme ils disent) ; ils les méprisent – *parce qu'ils ne pensent pas comme eux* !! » (*ibid.*, p. 159). L'auteur ne cède pas plus aux prétentions des psychiatres face à la métaphysique : « C'est un fait reconnu que les idées dites délirantes dans la démence précoce ont très souvent un contenu métaphysique. La seule conclusion que les psychiatres en ont tirée, c'est un dénigrement de la métaphysique. Comme ça, on est tranquille ! » (*ibid.*, p. 163).

1941-1947 : Une rupture spirituelle sur fond d'engagement politique

Après la crise de 1941, il nous faut changer d'optique et regarder les années de la « drôle de guerre » à la Libération sous un angle nouveau. Ces années sont essentiellement marquées par l'engagement politique et social de l'auteur, et cet engagement est à l'opposé du flirt « avec les idées du maréchal Pétain » que lui attribuent certains[31].

Au demeurant, il suffit de reprendre la biographie de Queneau. Précisons simplement qu'en septembre 1944 il est membre du comité directeur du Comité national des écrivains (C. N. E.) issu de la Résistance, auquel il participe activement. Il en est élu vice-président en février 1946 et n'en démissionne qu'en mai 1947 « par manque de temps ». Ce qui ne l'empêche d'ailleurs pas de signer nombre de pétitions, tracts et déclarations qui marquent son attachement à l'« esprit de Résistance » (Arnaud, *Europe*, p. 128).

En ce qui concerne son activité d'écrivain durant les années d'occupation, un fait saillant se dégage de l'ensemble ; sous un régime éditorial contrôlé par les services du Dr Epding et d'Otto Abetz, Queneau refuse systématiquement toute collaboration à des publications pro-allemandes. L'exemple le plus significatif étant celui de la *Nouvelle Revue française*. On sait en effet que Queneau entre au comité

33

de lecture de la *NRF* comme lecteur d'anglais en 1938. Durant la guerre, il fait partie du contingent du STO, il est donc « affecté sur place » (1943) et travaille chez Gallimard, en zone occupée. Son bureau est situé à quelques pas de celui de Drieu La Rochelle, ce qui nous permet de mieux apprécier cet entretien : « J'ai connu [Drieu La Rochelle] très tard, quand il était ici, dans cette maison. Sous l'Occupation, il m'a demandé de collaborer à la *NRF* qu'il dirigeait alors. Je lui ai dit non. Il a ri : "Est-ce que vous espérez voir un jour les Écossais défiler sur les Champs-Élysées ?" Je lui ai dit oui. J'avais raison. Il y avait même un orchestre d'Écossaises en 1945 sur les Champs-Élysées » (*L'Événement*, p. 25). Dans une lettre adressée à Jean Paulhan datée du 10 novembre 1940, Queneau écrit : « J'ai dit, par ailleurs, à G[aston] G[allimard] – avec des formes d'ailleurs, et des circonlocutions – que je ne tenais pas à collaborer à ladite revue. Disons, p. ex., que je me réserve, que j'attends de voir ce que c'est. Ceci est pour vous, naturellement. En tout cas, je refuse (au moins pour le moment) tout article » (*CRQ,* n° 1, p. 39).

En revanche, l'ensemble de sa production va aux publications émanant de la Résistance. Il participe aux revues *Messages* (Jean Lescure), *Fontaine* (Max-Pol Fouchet), *L'Éternelle Revue* (Paul Eluard) ou bien encore à *Front national* [32]. Un tel choix ne saurait être fortuit.

Appelé comme témoin à décharge au cours du procès de Gaston Gallimard à la Libération, Queneau dira : « Au cours des trois ans et demi d'Occupation, j'ai toujours vu Gaston Gallimard évincer les auteurs collaborateurs, torpiller tous les projets d'origine allemande et par contre éditer courageusement des ouvrages d'auteurs mal vus par les occupants et antinazis notoires » (Pierre Assouline, *Gaston Gallimard*, Seuil, 1985, p. 411). Au cours du même procès, Pierre Brisson – alors directeur du *Figaro* – dira à son tour « l'attachement de Gaston

Gallimard aux meilleurs écrivains de la Résistance clandestine » avant d'évoquer « la remarquable activité antiallemande de ses collaborateurs immédiats comme Jean Paulhan, Queneau, Groethuysen... ». Ajoutons enfin que, dans le rapport envoyé à la Commission consultative de l'édition, Queneau figure nommément dans la liste des « écrivains de la Résistance » (*ibid.*, p. 413 et 416).

Comme on le voit, les choses ne sont pas aussi simples qu'on a bien voulu le laisser croire ; toute interprétation manichéenne du parcours quenien, si elle ne tient compte de l'évolution propre de l'auteur, est condamnée à l'erreur. Jusqu'à présent, la critique a eu du mal à accepter que la recherche spirituelle puisse s'accommoder de l'engagement politique, même si celui-ci devait peu à peu disparaître au profit d'un « scepticisme politique » généralisé, qui fut – entre autres – influencé par *Les Sceptiques grecs* de Brochard et les « Anecdotes » taoïstes de Pyrrhon (*Journal*, p. 50).

« *Parce qu'il ne pense pas comme eux* », aurait dit Queneau.

1947-1968 : Création et mondanités sur fond de « rationalisme »

La période s'étalant de la Libération à 1968 est dominée par le rationalisme et l'esprit scientifique ; elle se résume à trois thèmes essentiels : une activité créatrice polymorphe (peinture, cinéma, chanson, écriture...), une vie sociale intense (Saint-Germain-des-Prés, jurys en tous genres, pétitions politiques...), et un retour à l'écriture à travers l'*Encyclopédie* et l'Oulipo.

L'« explosion créatrice » s'ouvre sur deux années d'intense production picturale (1946-1948). Faute de pouvoir vivre de son écriture, Queneau décide alors de s'adonner à la peinture. Pour ce faire, il

« apprend le dessin selon les méthodes de l'école ABC » et suit « avec conscience et modestie toutes les phases de cet enseignement[33] ». En 1948, des raisons familiales lui font reprendre la plume et, s'il ressort le chevalet en 1951, c'est pour l'abandonner l'année suivante. Dès lors, il ne reviendra à la peinture qu'en amateur et de façon épisodique. Au cours de ces deux décennies, il expose son travail à plusieurs reprises et, en 1949, livre ses deux principaux textes consacrés à la peinture : « Miró ou le poète préhistorique » et « Vlaminck ou le vertige de la matière » (Skira). Si l'œuvre picturale de Queneau n'a pas encore retenu l'attention des critiques, lui s'est en revanche intéressé très tôt à celle d'Arnal, Baj, Biancheri, Chaissac, Chirico, Dubuffet, Halpern, Hélion, Hugnet, Labisse, Lascaux, Miró, Picasso, Prassinos, Vlaminck...

Fait saillant, tous les écrits queniens sur la peinture portent sur la recherche de *soi* à travers le travail de *l'autre*. L'auteur valorise les caractéristiques picturales qu'il met en œuvre dans son activité d'écrivain. Il retient chez Hélion les principes de liberté et de défamiliarisation ; évoque les écrits en néo-français et le classicisme de Dubuffet, insiste sur sa technique et sur son opposition au surréalisme ; Miró lui offre un passage privilégié entre l'écriture chinoise, les pictogrammes et la poésie, il y retrouve également la pudeur et l'universalité d'une écriture personnelle ; à travers l'œuvre de Vlaminck sont convoquées sciences et métaphysique avec, en contrepoint, l'image du peintre-balayeur. Le parti pris quenien fait fi de la mode, ses choix en peinture sont déterminés par l'intérêt de l'œuvre, le plaisir et l'amitié. Reste le lien entre l'écrit et la peinture qui hante sa démarche et qu'il salue chez Vlaminck, « le peintre le plus professionnellement écrivain », Dubuffet qui « écrit fichtrement bien » ou Miró « dont la peinture est un langage ». Dans *Les Fleurs bleues*, Queneau se fait l'écho du célèbre « et moi aussi je suis peintre »

*Avec Jean Dubuffet au cours d'un banquet
du Collège de 'Pataphysique,1960.*

« *Vous êtes des très rares qui avez pris l'idée que
la cocasserie pouvait être un levier à faire basculer
les bases de l'édifice, et qu'il y a dans la cocasserie
de la foudre* » *(Jean Dubuffet, lettre à R. Queneau, 1962,*
Prospectus et tous écrits suivants, *vol. II,
Gallimard, 1967, p. 372).*

d'Apollinaire, écho qui s'accorde à cette autre affirmation faite à propos du travail de Miró: « Je ne fais aucune différence entre peinture et poésie » (*BCL*, p. 315-316).

Mais la peinture, pas plus que la poésie, ne devait remplir l'escarcelle. La situation financière étant « désastreuse », ainsi qu'il le constate en 1951, stimulé par l'euphorie de Saint-Germain-des-Prés, Queneau se lance dans l'aventure cinématographique[34]. En 1947, il fonde la société de films Arquevit avec Boris Vian et Michel Arnaud avec lesquels il rédige le scénario *Zoneilles* ; en 1953, il propose ses talents de scénariste à René Clément pour *Monsieur Ripois* ; il double *La Strada* de Fellini (1955), les *Sourires d'une nuit d'été* (1956) et l'*Amère Victoire* de Nicholas Ray (1957); compose les chansons de *Gervaise* de René Clément (1955); écrit les dialogues de *La Mort en ce jardin* de Buñuel (1955), d'*Un couple* de Mocky (1960); réalise des courts-métrages : *Arithmétique* avec Pierre Kast (1951), *Champs-Élysées* (1955), *Bang bang* (1957), l'*Emploi du temps* (1967); réalise et interprète *Le Lendemain* (1950); écrit *Le Chant du styrène* d'Alain Resnais; joue le rôle de Clemenceau dans le *Landru* de Chabrol (1962)... Nommé à la Commission consultative du cinéma en 1960, il n'est finalement pas un aspect du septième art qui ait échappé à cet amateur qui fréquentait les salles obscures depuis sa plus tendre enfance en compagnie de son père. Mais c'est à travers les romans que le cinéma prend tout son sens. L'écriture quenienne hérite de procédés cinématographiques (plans, travelling, feed back...) et, par un juste retour, les techniques filmiques y sont dénotées avec humour comme dans *Loin de Rueil* : « On les voit qui déboulent des pentes, à pic parce qu'on a mis l'objectif de travers, sans le dire » (p. 40). Il n'est pas une œuvre où le cinéma ne soit évoqué; il joue un rôle prépondérant dans *Les Temps mêlés*

(1941) et envahit *Loin de Rueil,* tourné sur fond cinématographique.

On prêtera donc une grande attention aux procédés d'écriture mis en scène par l'auteur, en gardant à l'esprit que le cinéma présente au moins deux caractéristiques essentielles. La première tient à son origine populaire. Né « dans les kermesses » et « en dehors des milieux "intellectuels" », cet art qui « a vécu dans les faubourgs et s'est épanoui sans l'aide des gens cultivés » répond à sa façon aux préoccupations soulevées par le « néo-français ». Il s'inscrit de ce fait dans la démarche générale du « donner à lire » cher au Queneau de cette époque[35]. La seconde se fait l'écho de cette autre préoccupation centrale qu'est le *temps.* « Le temps est *mon* problème », écrit-il dans son *Journal,* ajoutant aussitôt : « Celui du cycle, de l'histoire, de la répétition... » (p. 134). Pour la présentation du court-métrage *Emploi du temps,* dont le principe d'écriture pastiche les *Exercices de style,* Queneau propose plusieurs versions d'un même « incident quelconque de la vie » en vitesse accélérée, suspendue, ralentie... « On peut ainsi disposer du temps, dit-il, mieux encore le mettre en morceaux, mêler ces morceaux et, si l'on veut, revenir en arrière. Le temps peut ainsi devenir rythme, et il est même possible de rendre simultanés deux moments différents. » L'une des raisons probables de sa fascination pour le cinéma a sans doute été la possible maîtrise du temps. Cet art lui permettait d'exprimer, de sublimer « *son* problème ». En outre, la poétique cinématographique s'apparente à l'*Art poétique* du roman qui s'élabore lui aussi autour du rythme et de la répétition (*cf.* chap. 3). Dès lors, on saisit l'importance qu'il convient d'accorder au cinéma dans la lecture des œuvres queniennes.

Au contrecoup de la Libération devait répondre la période animée de Saint-Germain-des-Prés durant laquelle cinéma et peinture prennent essor.

De gauche à droite : Tyree Gleen, Teddy Taylor,
Raymond Queneau, Michèle Vian, Jean-Paul Sartre,
Jean-Baptiste Pontalis, Boris Vian, Marie Olivier,
Léo Sauvage et Jean d'Halluin
à Saint-Germain-des-Prés, aux Lorientais, en 1946.

« Les maquis, la Libération, les contacts avec
les Américains, le retour à l'état dit de paix ont fait
disparaître le zazou […]. Le jazz est resté le symbole
de l'affirmation de cette jeunesse. […] C'est aux
Lorientais, rue des Carmes, dans une cave, la première,
que Luter et son orchestre officiaient ; bien que je n'aie
que peu de goût pour les expressions religieuses, on était
bien forcé de penser à des termes de cet ordre : seuls
les "initiés" fréquentaient ces nouvelles "catacombes"
où souvent se produisaient de véritables
"extases collectives" » (1949, BCL, p. 154-155).

Paradoxalement, en 1949, Queneau constate que « la peinture a perdu pour le moment sa qualité d'aimant ». Le relais est alors assuré par le jazz « resté le symbole de l'affirmation de cette jeunesse » à la fête de laquelle il contribue amplement en compagnie de ses amis Prévert, Sartre, Vian... Prévert et Sartre sont pour Queneau « les deux Maîtres de la Jeunesse des années 1940-1950 [...] à cause de la large diffusion de l'un [...] et de l'influence en profondeur de l'autre ». Comme « moralistes », ils répondent aux aspirations de la génération d'après-guerre. Mais Queneau devait lui aussi marquer la période existentialiste : « Beau comme nous l'avons connu. Fort, puissant, debout contre le vent de la bêtise », dira Juliette Gréco[36]. En 1947, il écoute Claude Luter au Lorientais et inaugure le Catalan puis le Club de Saint-Germain-des-Prés ; en 1948, il accueille Duke Ellington ; en 1949, Yves Robert met en scène les *Exercices de style* à la Rose rouge et Juliette Gréco chante « Si tu t'imagines », chanson la plus populaire de l'année...

Parallèlement, Queneau entretient une vie sociale intense, participe à la vie politique ainsi qu'à de nombreux jurys avant d'être élu à l'Académie Goncourt en 1951 : Grand Prix de la Libération (1945), prix Sainte-Beuve (1947), prix du Club français du livre, prix Saint-Vincent à Aoste (1949), festival de Cannes (1952), etc. Il est membre de la Société mathématique de France en 1948 et entre au Collège de 'Pataphysique en 1950... Bref, ses activités se déploient dans tous les domaines, comme pour juguler l'angoisse que trahissent poèmes et romans de cette époque. Mais les années 1950-1960 sont également marquées par une série de ruptures qui révèlent et marquent l'évolution de l'auteur : démission de la vice-présidence du C. N. E. et mort de son père en 1947, abandon de la peinture comme activité majeure en 1952, démission de tous les jurys à l'exception du Goncourt et du prix du Tabou en 1959, effacement de la vie publique à partir de 1960. Cette période sera finalement marquée par un « retour à l'écriture » à travers l'*Encyclopédie* et l'Oulipo sur lesquels nous aurons tout loisir de revenir (*cf.* chap. 5).

1968-1976 : La quête métaphysique et l'« Instant fatal »

Contrairement aux apparences, la démarche métaphysique précédant les années 1947-1968 n'impliquait pas un renoncement à l'esprit scientifique. Queneau fit siennes les leçons de Brunton pour qui l'intérêt et la force d'attraction qu'exerce l'enseignement de son « maître » le Maharichi sont dus au fait « qu'il s'inspire à la fois de motifs désintéressés et d'un esprit pratique qui, à y regarder de plus près, est parfaitement scientifique » (*L'Inde secrète*, p. 303).

Inversement, au cours de la double décennie rationaliste, les préoccupations métaphysiques demeurent, bien que fort discrètes, ainsi dans l'essai consacré à Vlaminck. Nouvel équilibre de tendances que l'on a l'habitude d'opposer. Mais le véritable retour à la métaphysique se fera à partir de 1968, au point d'infléchir le cours rédactionnel de la trilogie *Courir les rues*, *Battre la campagne*, *Fendre les flots* dans le dernier recueil poétique publié en 1969. Nous analyserons cette période plus en détail à travers *Le Voyage en Grèce* et *Morale élémentaire* (*cf.* chap. 2 et 5). Rappelons simplement les quelques événements majeurs qui devaient précéder l'« Instant fatal ». Cette dernière période est essentiellement marquée par une relecture massive de Guénon, la réinsertion des mathématiques dans les sphères de la métaphysique[37], une santé défaillante et la mort de sa femme Janine (1972), qui devait l'affecter durablement.

On aura donc soin, au cours de notre lecture, de distinguer les différentes périodes que nous venons

de mentionner : marxisme et « études traditionnelles » (1924-1935), spiritualité et interrogations
sociopolitiques (1935-1941), études hégéliennes et
gnostiques, asthme et psychanalyse (1933-1941),
rupture spirituelle et engagement politique (1941-
1947), explosion créatrice et rationalisme (1947-
1968), quête métaphysique enfin (1968-1976),
sachant – finalement – qu'il nous faudra « les recueillir en les bien ordonnant ».

Aparté sur les lectures guénoniennes

Arnaud affirme qu'il y eut deux périodes principales où l'influence du « syncrétisme religieux
transcendantal[38] » de René Guénon s'exerça sur
Raymond Queneau, et qu'il s'y exerça « puissam-
ment, et presque en dehors de tout autre ». Il date
ces deux périodes « entre 1937 et 1940-1941, et de
1958-1960 à sa mort » (*Tm* 150+33/36, p. 298). Précisons cependant que les pratiques religieuses, les
préoccupations d'ordre spirituel, puis métaphysique, ainsi que les lectures de Guénon débordent
largement ces deux époques.

En avril 1968, à la question d'Emmanuel d'Astier : « Dieu a-t-il représenté quelque chose pour
vous ? », il répond : « J'ai été catholique pratiquant
jusqu'à 15, 16 ans. C'est la lecture de Léon Bloy qui
m'a éloigné du catholicisme[39]. » En août 1918, il
note : « Crise religieuse ; je renonce au catholicisme. » Et si, en avril 1920, il se déclare athée au
« grand scandale » de ses parents, l'année suivante,
il étudie Leibniz et Guénon et consigne dans son
Journal en date du 5 décembre 1921 : « Guénon m'a
profondément *étonné*. » (*Pléiade* I, p. XLVI-XLVIII).
Du conte *Destinée*, rédigé en 1922, A. Calame a
proposé une lecture à la lumière de l'*Introduction
Générale à l'Étude des Doctrines Hindoues* de Guénon parue en 1921. « Selon toute vraisemblance,

écrit-il, c'est Guénon qu'y désigne la phrase suivante : *des entretiens avec un métaphysicien énigmatique lui suggèrent des possibilités ne lui paraissant pas dénombrables* (Guénon parlait, de son côté, des *possibilités illimitées* de la métaphysique...) » (*LRQ*, n° 2, p. 113).

En 1925, Queneau lit *L'Homme et son Devenir selon le Vêdânta*, l'un des ouvrages théoriques fondamentaux de René Guénon. Au cours du mois de décembre 1926, alors qu'il se trouve au Maroc, il rédige un *Essai mort*, texte marqué par la métaphysique hindoue : « Le seul but que l'on doit s'appliquer à poursuivre c'est la réalisation durant la 3e période de sa vie de toutes les possibilités d'ordre individuel comprises dans le moi, en attendant la réalisation des possibilités d'ordre universel qui se doivent accomplir dans la 4e période. » Extrait d'autant plus intéressant que l'auteur décrit ses propres possibilités avec une lucidité qui lui est coutumière : « Or – en moi, je crois devoir remarquer deux sortes de possibilités d'ordre individuel. / 1° / des possibilités d'ordre poétique et révolutionnaire / 2° / des possibilités d'ordre érudit et critique » (*Pléiade* I, p. LII).

L'année 1935 marque le début d'une période mystique qui durera jusqu'en 1941. A son origine, la lecture de *L'Inde secrète* de Paul Brunton[40]. Le 3 janvier 1939, Queneau note dans son *Journal* : « Le savoir, certes, de Guénon (comme "critique", sa ressemblance avec Souvarine), une base solide. Mais on ne peut, profane, que l'assimiler rationnellement. Brunton autorisa ma méditation (c'était en 1935...) » (p. 114). A. Calame explique que l'influence de Brunton, chez Queneau, est « de nature plus identificatoire encore que doctrinale ». En effet, « Guénon faisait de l'Inde le lieu métaphysique majeur, le plus proche de la Tradition primordiale, mais le définissait en même temps comme interdit à l'Occidental, à cause du système des castes qui empêchait que l'on devienne hindou, si on ne l'était de naissance ». Or, l'expérience de Brunton « levait l'interdit sur l'Inde, et prouvait, pour un Occidental même non "initié" (à l'encontre de l'enseignement guénonien) l'accessibilité de la vérité métaphysique[41] ». Ce qui n'empêchera pas Queneau de reconnaître en Guénon l'« initiateur » de son propre parcours. Le 19 juillet 1940, il écrit qu'il est « entré sur la voie spirituelle durant l'été 1935 » et ajoute : « Je suis parti avec de bons principes, je crois – grâce à Guénon : pas d'exotisme visionnaire, point de désirs du fantastique, et autres vanités » qui seront autant de reproches adressés aux « sectes », dont celle d'Anglarès – alias Breton – sera le parangon dans *Odile*. Et Queneau de préciser : « "Cela" se passe dans la pointe de l'esprit. Je n'en puis rien dire » (*Journal*, p. 207).

De 1942 à 1968, s'écoulent près de trois décennies de « sommeil ». Si l'on en croit sa biographie, avril 1968 marque un retour à la spiritualité, ponctué de nombreuses lectures ou relectures de Guénon. D'après Claude Debon, à cette période – sur laquelle Queneau écrira : « Vingt-huit ans ! / ou la vie d'un joueur » – « va succéder un projet de vie délibérément tournée vers la spiritualité. » (*Pléiade* I, p. 1409). On comprend dès lors que la lecture des ouvrages de cette ultime période, du *Vol d'Icare* à *Morale élémentaire*, ne puisse, elle non plus, se cantonner à une seule analyse formelle. Au demeurant, le parcours des dossiers de l'Œuvre poétique et plus particulièrement de *Fendre les flots* et *Morale élémentaire* devrait suffire à nous en convaincre.

« On s'aperçoit alors, écrit A. Calame, que les choses sont à la fois plus compliquées et plus simples qu'il n'y paraît, et que bien des confusions [...] peuvent être dissipées avec un peu de méthode et d'intérêt pour des sujets qui ont, tout de même, passionné Queneau des années durant. Est-il nécessaire de dire que Guénon est l'auteur qu'il a le plus pratiqué dans toute son existence, et qu'il devient de plus en plus étrange que l'on puisse prétendre à la connaissance de Queneau sans en avoir lu une seule ligne. Qu'un tel attachement rebute les philosophes, on le conçoit, mais cela ne devrait pas porter préjudice à l'exégèse de Queneau » (*PBQ*, n° 2, p. 42). Au fond, il ne s'agit là que du respect de la « personne intellectuelle » de Queneau, qui était lui-même fort respectueux de la pensée d'autrui. N'écrivait-il pas, dans les *Parerga* du *Chiendent*, « c'est pas q'soye d'accord avec ce philosophe mais c'est instructif » (*Europe*, p. 45) ?

L'« étonnement » du Queneau des années 1920, vis-à-vis de Guénon, sera très vite suivi par une véritable boulimie de lecture. Entre 1922 et 1933, il lit onze ouvrages de Guénon, et tous le sont à plusieurs reprises. La palme revient à *L'Erreur spirite* lue à dix-sept reprises entre 1923 et 1974. Florence Géhéniau a dénombré pas moins de 184 lectures des œuvres guénoniennes dans les listes dressées par l'auteur[42]. Après un tel relevé, parler de l'influence de l'œuvre guénonienne chez Queneau relève de la litote. Il n'est que de reprendre *Odile* pour s'en persuader.

Odile : catharsis et révélation

Odile est un roman qui a peu retenu l'attention de la critique ; on sera pourtant sensible aux thèmes principaux qui y sont relatés : l'épopée surréaliste, l'épisode marocain de la guerre du Rif et les découvertes de l'amour, du mariage et de l'écriture. Il serait cependant erroné d'accréditer l'idée d'une relation purement autobiographique de ces événements qui marquèrent en profondeur la vie de l'auteur. Il s'agit d'une fiction, et chacun sait que l'écriture transcende la « petite » et la « grande Histoire » chères à Queneau.

Noël Arnaud s'est attaché à rétablir la chronologie de certains faits[43] ; il recommande, à juste titre, de ne pas lire «*Odile* comme un extrait des Mémoires de Raymond Queneau ni comme un chapitre d'une histoire du surréalisme». Restent néanmoins quelques clés historiques pour ouvrir ce roman aux multiples serrures. Et N. Arnaud de dévoiler l'identité des divers personnages d'*Odile* : Raymond Queneau, André Breton, Louis Aragon, Benjamin Péret, Paul Eluard et Tristan Tzara prenant les masques de Roland Travy, Anglarès, Saxel, Vachol, Chènevis et Édouard Salton[44]. De fait, « *Odile* est bien un roman, mais un roman polémique » (*Qa,* p. 121-122). Voici l'une des « pelures de l'oignon » enfin dévoilée (*LVG*, p. 137), mais il en est d'autres, car, comme l'a signalé A. Calame, « *Odile* suppose *[aussi]* une expérience métaphysique » (*Tm,* 150+26/28, p. 25).

« *Je ne raconte pas des histoires à tort et à travers* »

De fait, avant d'évoquer et de transmuer les divers niveaux de son histoire dans *Odile*, l'auteur réclame notre attention : « L'intérêt de tout ceci n'est que médiocre ; mais enfin, le prologue de ce récit ; et puis, je sais ce que je fais. Je ne raconte pas des histoires à tort et à travers. Donc, c'est ainsi qu'on se lavait les pieds » (p. 9).

Le prologue, espace privilégié du texte, est pourvu d'une sorte de pédiluve, mais pourquoi, diable, se laver les pieds ? La réponse est simple : « Lorsque cette histoire commence […]. Des flaques d'eau reflètent les derniers nuages. La boue glue sous les clous de mes brodequins. Je suis sale et mal vêtu, militaire au retour de quatre mois de colonne » (p. 7). Avant de commencer l'histoire, Queneau se plie au rite de purification : « On devait traverser à gué une rivière pour aller chercher la soupe[45] » (p. 9). La traversée du gué relève de la symbolique du « passage des eaux » et plus généralement de la navigation – qui annonce *Les Fleurs bleues*, *Fendre les flots* et *Morale élémentaire*[46]. Rite de passage et de purification ; pour naître au récit, Roland Travy doit se défaire de la saleté et de la boue de l'Histoire ; ainsi pourra-t-il commencer son Odyssée.

Odile est une Iliade doublée d'un périple odysséen ; « toute grande œuvre est soit une Iliade soit une Odyssée[47] », dira Queneau (*BCL*, p. 116). Texte en apparence circulaire, car ponctué de deux naissances qui riment entre elles, ce roman s'inscrit également dans la progression historique et linéaire en retraçant, à un premier niveau, l'histoire partielle et partiale du mouvement surréaliste, et, à un second, l'évolution spirituelle de Roland Travy[48]. Dès lors, du cercle et de la droite, c'est à l'image de la spirale que nous songerons ; car la spirale implique « évolution » et traduit un « progrès ». Mais l'évolution et le progrès, permis par la droite, sont ici tournés vers les profondeurs du *moi* ; ascèse qui permettra d'échapper aux cercles de l'Histoire[49].

La re-naissance du narrateur

Au début d'*Odile*, le narrateur naît « à vingt et un ans [Queneau est né un 21 février], les pieds dans la boue, des mares autour de [lui] et, au-dessus, des nuages vaincus naviguant vers leur fin » (p. 7). Image symbolique de l'« homme véritable » qui est, selon la tradition extrême-orientale, « le médiateur entre le Ciel et la Terre », troisième terme, « centré », de la « Grande Triade[50] ». En réalité, Roland a besoin de se laver avant d'entrer en récit – ou en Sagesse –, car il n'est que le reflet impropre de l'homme véritable, quant à lui symbolisé par l'image tutélaire de l'« Arabe immobile [qui] regarde la campagne et le ciel, poète, philosophe, noble[51] ».

Le rôle de ce personnage, qui rythme le texte, est avant tout maïeutique – d'où la métaphore de la naissance. On peut également évoquer l'« initiateur » qui permet au narrateur de *voir*, c'est-à-dire de *savoir*, ce qu'il est incapable de découvrir, en lui-même et par lui-même : « Il y a un Arabe qui est seul et qui regarde ce que je ne sais pas voir » (p. 175 ; *cf.* chap. 5).

Lorsqu'il rédige le prologue d'*Odile*, Queneau sait effectivement « ce qu'il fait », car à ce premier « passage des eaux » correspond un second ; rime de situation. Au terme de ce qu'il est convenu d'appeler son « périple en pays surréaliste », Roland annonce à son ami Vincent son intention de se rendre en Grèce pour les vacances. Il évoque alors le Maroc où commença « cette histoire » : « Il y a quelque chose là-bas qui m'a frappé, je veux dire : qui m'a donné un coup, quelque chose que je n'ai pas compris, quelque chose qui ne s'est pas développé mais qui subsiste en moi comme une veilleuse qu'aucun souffle ne saurait éteindre. » Une petite lumière, en somme, qui gît au fond de l'« être », mais qui est encore à naître et qui correspond à la « potentialité humaine[52] ». Plus juste encore l'image gnostique selon laquelle « l'homme participe à la fois du monde inférieur et de la nature supérieure : il est une étincelle lumineuse emprisonnée dans la chair[53] ». Et Roland ajoute : « Ma vie a commencé là-bas. Je suis né avec des brodequins aux pieds et une chéchia sur la boule » (p. 174), avant de reprendre, à quelques mots près, l'une des phrases initiales du roman[54].

Entre le début de l'histoire et cet instant où, aux « portes de la fin », il revit le même épisode, Roland n'a pas su *voir* ce qu'était sa vie : « Si j'avais continué cela aurait tourné au roman d'amour : le beau dénouement ! » (p. 177). En d'autres termes, s'il était resté enfermé dans l'« épisode surréaliste »,

Avec Pierre Unik, 1928.
Pierre Unik sera l'un des membres du groupe surréaliste
qui, en compagnie de Queneau, s'opposera aux théories
défendues par Breton lors des séances de recherches
sur la sexualité (27-31 janvier 1928).

que bornent symboliquement la double naissance et la double évocation du Maroc, il aurait fait une fiction, un roman de cet amour qu'il acceptera par la suite. Le voyage en Grèce lui ouvre les yeux, il sait dès lors distinguer l'écriture de la vie.

Pour parvenir à la lumière, il lui aura fallu traverser l'Europe, errance labyrinthique qui se fera — dans la plus pure tradition initiatique — de poses, « enjambements » et « traversées » (p. 181). Lorsque, en compagnie de Vincent, Roland déclare enfin : « Nos yeux s'ouvrent », ce qu'ils découvrent alors, à travers le théâtre grec, c'est un « Centre du Monde », c'est-à-dire un certain état de leur Être auquel ils n'avaient encore jamais eu accès. La « veilleuse » marocaine s'est révélée à la lumière de la Grèce, sous un « ciel que rien ne tache » (p. 181).

Le théâtre grec
au « Centre du Monde »

Le théâtre grec évoqué par Queneau est à ce point semblable aux descriptions des « Centres du Monde » de Guénon qu'il est difficile de n'y pas voir une influence directe ; l'auteur reprendra d'ailleurs cette description dans les articles de *Volontés* dont on sait la filiation guénonienne. Pour Roland Travy, « la scène prolongée par les montagnes se situe très exactement à l'horizon : au-delà il n'y a plus que le ciel, le ciel que rien ne tache, pas plus que l'œuvre de l'homme ne gâche la nature. Rien ne décline ici, rien ne dégrade, rien ne déchoit. Devant cette harmonie qui se propageait en vastes ondes je n'aperçus plus ni limites ni contradictions » (p. 181). Selon Guénon, le Centre du Monde est également lumière, rayonnement, harmonie, unification des contraires, résolution des oppositions... le temps n'est plus, il est éternité. En outre, étant « l'*alpha* et l'*omega* », il est « par excellence un symbole du Verbe ». Or, où mieux que dans le théâtre grec ce

51

symbole du Verbe pouvait-il se dire, se proclamer, avant d'annoncer la promesse de l'œuvre… écrite, cette fois-ci[55] ?

La description de Roland marque la fin d'un cycle et le nécessaire recommencement d'un autre[56]. Or, dans *Odile*, la fin de ce cycle englobe très précisément l'épisode surréaliste. Le cycle nouveau sera salué par la re-connaissance de l'amour et de l'œuvre, tous deux nettement distingués – comme Queneau aura soin de distinguer, dans sa critique contre Breton, l'œuvre de l'homme, l'attitude face à la vie des conceptions littéraires.

C'est aussi le cycle d'une enfance qui s'achève ; à la question de Vincent : « Alors, vous avez grandi ? », « Exactement », répond Roland Travy (p. 158), avant de donner sa propre définition de l'inspiration, du travail et de l'écriture, qui s'oppose en tous points à celle des surréalistes. « Mon enfance prolongée me formait une vieillesse et c'est cela que je prenais pour une liberté. Liens rompus, illusions dissipées, je ne craignais plus l'emprise de la maladie, je ne redoutais plus d'être "normal" : je savais que de là je pouvais atteindre plus haut » (p. 184).

Une fois la clairvoyance acquise, reste l'inquiétude face à la vie et l'amour qu'il faut désormais affronter (p. 185).

> Car si tout est fini
> tout aussi recommence
>
> (Les Enfants…, p. 97).

« Cette fin n'est autre qu'un recommencement »

La plus juste image que nous puissions donner de ce cycle qui s'achève est sans doute le poème final de *Fendre les flots* qui permet d'accéder au cycle suivant. Or, celui-ci recommence nécessairement :

> J'écrirai le mot fin comme arrivé au port
> cette fin n'est autre qu'un recommencement

Dans l'espace de quelques jours, le jeune ~~perché~~ apprend :

1° que mademoiselle Considérable, qui le dédaigne, livre son corps aux ~~caresses~~ (obscènes) du vieux Z.

2° que ~~la fortune de son père (et toit est uniquement basée sur la rapine et le vol ensuite, également~~

3° ~~que c'est lui, ce vieux bandit,~~

⟶ ne doit sa fortune qu'à l'exploita. d'un ouvrier ~~albanais (étrange~~

découvre = |——
apprend = |——
comprend = |——

Manuscrit préparatoire du Chiendent *(CDRQ, D. 42).*

> je ne laisse pas mes poèmes à leur sort
> je vais les recueillir en les bien ordonnant
> *(Pléiade* I, p. 607).

Le fait que *Fendre les flots* annonce le retour d'une période mystique accompagnée de nombreuses relectures de Guénon nous incite à lire le texte, *aussi*, d'un point de vue métaphysique. Il n'est que de reprendre *L'Homme et son Devenir selon le Vêdantâ* où Guénon a très clairement exposé les modalités de changement d'état de l'Être, « espace », pour ainsi dire, où « la mort à un état [est] en même temps la naissance dans un autre. En d'autres termes, c'est la même modification qui est mort ou naissance suivant l'état ou le cycle d'existence par rapport auquel on le considère, puisque c'est proprement le point commun aux deux états, ou le passage de l'un à l'autre » (p. 139).

« Notons, écrit Claude Debon, le paradoxe final : le poète annonce un commencement, alors que son livre est achevé. Le lecteur est renvoyé au début de *Fendre les flots*, en un cycle sans fin. » *(Pléiade* I, p. 1451). Dès lors qu'il est dans la nature même du cycle finissant d'être *aussi* un cycle commençant, à ce niveau d'interprétation, l'aspect ludique du cycle sans fin perd son caractère paradoxal. Au demeurant, si on parle pour l'être d'un « passage à un état supérieur », il n'est pas certain que ce cycle soit sans fin ; en considérant l'« évolution » au sens où l'entendait Guénon, bien entendu *(L'Homme et son Devenir...,* p. 141 *sq.).*

Lorsque Queneau achève son recueil en se donnant la peine de préciser : « Je ne laisse pas mes poèmes à leur sort / je vais les recueillir en les bien ordonnant[57] », il réitère l'« annonce faite au lecteur » dans le prologue d'*Odile*. Il ne laisse pas plus ses « poèmes à leur sort » qu'il ne racontait « des histoires à tort et à travers ». En 1938 ou en 1968, le procédé est identique. Outre l'importance qu'il accorde à la construction de ses écrits, Queneau ne conçoit son travail qu'en relation avec l'Autre qu'est le lecteur. Malgré sa modestie et la discrétion de ses interventions, Queneau *toujours* signale son parcours.

Ainsi des côtes de Céphalonie à Marseille (*Odile*, p. 184-185), la phase ultime d'acceptation du cycle achevé s'est-elle faite après une nouvelle « traversée des eaux » : « Je ne pouvais plus refuser un amour mais affirmer le mien » (p. 185). Rime aquatique de « purification » et de « passage », cette Odyssée méditerranéenne – inscrite dans l'Iliade de Roland – ferme une autre boucle, aux résonances biographiques celle-ci : du départ symbolique du Havre (ville natale de l'auteur) au port de Marseille, avec ce décalage géographique qui englobe l'espace vécu et central dans le roman : Paris[58]. Enfer et centre qu'il faudra affronter – sorti de la sphère surréaliste, cette fois – avec une double promesse, gage d'un acquis spirituel : l'œuvre à venir et l'amour accepté ; premiers feux d'une vie qui commence à prendre conscience d'elle-même.

Le « lettré », le « savant »
et le « sage »

« Il me sembla qu'à côté de moi venait se placer cet Arabe que j'avais rencontré un jour, là-bas vers l'Occident, sur la route qui va de Bou Jeloud à Bab Fetouh » (p. 181). Ainsi l'« Arabe immobile » d'*Odile* enseigne-t-il la voie de la connaissance.

Les trois qualificatifs de « poète », « philosophe » et « noble » que Queneau attribue à cet Arabe correspondent aux trois degrés de la hiérarchie confucianiste, « qui sont dans l'ordre ascendant le "lettré" *(cheu)*, le "savant" *(hien)* et le "sage" *(cheng)* » (Guénon, *La Grande Triade*, p. 155). On peut d'ailleurs se demander dans quelle mesure Queneau n'a pas été sensible aux dimensions phonétique et graphique des termes chinois – *cheu / hien / cheng* –

55

qui composent virtuellement les deux faces de son nom : *chêne* et *chien*. Nous savons par ailleurs que Guénon se convertit à l'islam pour lever l'interdit des castes hindoues[59]. Initiateur, Guénon n'est-il pas alors à l'image cet « Arabe immobile » ? Hypothèse non dénuée d'intérêt si nous sortons des sphères du roman. Reste cette note du 26 juillet 1940 consignée dans le *Journal* : « Mais décidément ma sensibilité religieuse (il est vrai qu'on s'en fout de ma sensibilité religieuse) n'est point chrétienne. Je suis musulman » (p. 185).

Quoi qu'il en soit, d'après Guénon, l'immobilité est une des caractéristiques essentielles du Centre autour duquel se meut la circonférence. De plus, la sagesse confucianiste n'est que la première étape de la voie taoïste, représentée, dans l'ordre ascendant, par l'« homme sage », l'« homme doué » et l'« homme de la voie » (*La Grande Triade*, p. 154). Si donc, après la scène du théâtre, il « semble » à Roland que l'Arabe est à côté de lui, c'est qu'il entrevoit, pour le moins, les étapes qui lui restent à franchir. Sur ce point, le texte est sibyllin : « Mon histoire finit là. Après cela j'ai continué à vivre : naturellement ; ou plutôt j'ai commencé ; ou bien encore : j'ai recommencé. Ainsi par exemple je finis par me lever du siège où je me suis assis et nous continuons notre ascension » (p. 181-182). Par ailleurs, Roland envisage clairement l'accession à un autre état de l'Être : « Sans doute mourrai-je comme je suis né, mais est-il possible que je meure à *cette* vie-*là* ? » (c'est Queneau qui souligne, p. 174). Arrivé au terme du cycle, Roland dira : « je savais que de là je pouvais atteindre plus haut » (p. 184). En d'autres termes, de la sagesse confucianiste, accéder à la voie taoïste. Quelques années plus tard, la réaction se tempère : « S'élever. S'élever toujours. / Et puis : ce qui est en haut est comme ce qui est en bas. Au centre, le transcendant. Ainsi : ne pas faire le malin » (*Journal*, p. 40).

Pour Roland Travy, la promesse première sera donc celle d'un écrivain « libre », c'est-à-dire libéré de l'entrave que représentent les théories et les pratiques littéraires du groupe d'Anglarès. « J'emportais avec moi la promesse d'une signification : œuvre commencée dans l'île » (p. 184). Plusieurs strates possibles de cette œuvre : *Odile*, qui est à la fois roman pour l'auteur et amour pour le personnage principal, mais aussi *Le Chiendent* dont on sait que les débuts de rédaction remontent au voyage en Grèce de 1932 (on se souviendra alors d'Agrostis et de ses avatars graminés, Miss Weeds, Gramigni[60]...) et, plus généralement, pour Queneau, acquisition d'une *connaissance*. Dès lors, on comprend que la Grèce soit, ici et comme dans *Le Voyage en Grèce*, « un symbole de l'Orient – signe et promesse d'une réalité plus haute » (A. Calame, *PBQ,* n° 2, p. 5).

De retour de Grèce, Queneau écrit : « Les mots manquent pour décrire l'impression inoubliable qu'a faite sur moi l'Acropole. Une vie d'homme ne suffit pas à effacer une telle impression[61]. » En 1934, à la question : « Qu'attendiez-vous de la Grèce ? » il répond : « Je n'en attendais rien ; j'en suis revenu autre » (*Le Voyage en Grèce*, p. 55). Autre, à son retour de Grèce, Roland Travy devait l'être, lui aussi, car la promesse qu'il ramenait de l'« île » était un roman, genre littéraire banni par André Breton dans le premier *Manifeste du surréalisme*. De plus, *Odile* devait ouvrir les voies de la métaphysique, mais, sur ce point, Queneau s'était contenté de structurer ses indices sans les révéler nommément[62].

Le surréalisme, une « attitude face à la vie »

« Le surréalisme, c'était, affirme Queneau en 1960, l'extrémité de toute chose, c'était pas seulement la fin de la littérature », il y avait la « théorie de l'écriture automatique », mais avant tout une « attitude » et cette attitude, « c'était l'anti-comportement-littéraire, [...] l'anti-"manière des poètes symbolistes" » (*Tm,* n° 50, p. 9). Il est donc nécessaire d'envisager le surréalisme en tenant compte de l'attitude face à la vie et des conceptions littéraires. Ce faisant, nous ne pouvons oublier qu'« il faut toujours couper sans pitié les multiples cordons ombilicaux qui rattachent l'œuvre d'art au monde des hommes qui souffrent et qui meurent », comme il est dit dans l'hommage à Miró, or « jusqu'à nouvel ordre, ajoute Queneau, le surréalisme, malgré ses efforts (parfois presque réussis), n'est pas cet ordre » (*BCL,* 1949, p. 308).

« *Révolutionner la Morale* »

> Il urgerait [...] d'expliquer nettement le but du Bureau [de recherches surréalistes] – pourquoi « nous fondons » des espérances sur le surréalisme pour rénover et même révolutionner la MORALE » (*Archives,* I, p. 41).

En 1951, Queneau est d'une très grande sévérité à l'égard de Breton « amateur de moralistes, moraliste lui-même, mais conservant de ses origines symbolistes un "raffinement" et un "goût" qui ne lui permettaient d'atteindre que quelques jeunes bourgeois bien disposés ». Résultat contradictoire au vu de la révolution prônée dans les *Manifestes.* « Extrémiste, [Breton] voulait changer radicalement la vie. Il avait découvert un style de vie, mais si difficile, si particulier, si irréel et surréel, que la pratique s'en montra rare et délicate, aléatoire, occasionnelle. » Et Queneau de dresser la liste des suicidés : Vaché, Rigaud, Crevel ; précisant, quant à Artaud, qu'il « vivait guetté par les psychiatres ». Or pour Breton, point de rigueur, car « l'"idéal" supportait des concessions, des atténuations de rigueur, des compromis : ce que les dissidents [lui] reprocheront précisément plus tard ». Ainsi, dans le groupe, « chacun en jugeait à sa façon, et ce sont ces appréciations diverses sur les conduites qui provoquaient scissions, exclusions, excommunications » (*BCL*, p. 251).

En 1967, les termes sont les mêmes lorsque Queneau écrit que « sans Breton, le surréalisme, à supposer même qu'il ait existé, n'aurait été qu'une école littéraire. Avec lui, ce fut un mode de vie. Comme vie, cela impliquait contradictions, heurts, humeurs, déchirements » (*NRF*, p. 604-605). Les années ont passé, le jugement demeure. Dans *Odile*, Roland Travy disait : « Plus j'y réfléchissais, plus je trouvais étrange la passion qu'[Anglarès] apportait à ces sortes d'entreprises : unions, réunions, agitations, manifestations, congratulations, contestations, altercations, dissolutions. » Reste la sagesse du narrateur : « puisque ça l'amusait il était bien libre, cet homme ; après tout je n'y voyais aucun inconvénient » (*Odile*, p. 136).

« *Philosophes et Voyous* »

> Commettent-ils une saloperie, c'est par humour, et du moment que c'est par humour il n'y a plus qu'à s'incliner. Commettent-ils une lâcheté, c'est aussi par humour. Ne commettent-ils rien du tout, c'est toujours par humour (*LVG*, p. 82).

Autre pièce à verser au dossier de l'attitude des surréalistes face à la vie, l'essai *Philosophes et Voyous* paru dans *Les Temps modernes* en 1951 et dont la rédaction est antérieure puisque annoncée pour 1947[63].

Établissant un parallèle entre philosophes et voyous, Queneau évoque « le problème affreusement délicat du surréalisme – lorsque scandaleux et virulent ». « Délicat » à n'en pas douter puisqu'« on n'a pas été sans remarquer […] que le surréalisme sous cet aspect, au moins en paroles, n'était pas sans rapport avec l'activité nazie ». On ne saurait être plus clair, mais ces affirmations méritent quelques précisions. La première est que le texte demeure inédit du vivant de l'auteur ; la deuxième tient compte de l'attitude de Queneau qui, comme l'écrit Jean-Charles Chabanne, balance « entre le désir de régler des comptes et celui d'éviter, dans le contexte de l'après-guerre, peu de temps après les déchirements de l'épuration, de nouveaux procès » (p. 59). La troisième est cet incessant ballet rhétorique qui cherche à « désamorcer la charge polémique des interrogations soulevées ». En dernière précision, j'ajouterai qu'il y va de l'esprit d'équité de la recherche quenienne.

Prenant appui sur d'autres analyses, Queneau souligne qu'« on a déjà relevé [...] que Breton avait dit que l'acte surréaliste le plus valable était de descendre dans la rue et de tirer des coups de feu dans tous les sens sur les gens. Acte SS, il faut bien le reconnaître, maintenant que nous avons une expérience historique un peu ravivée ». Ce faisant, l'auteur s'empresse de préciser : « Et ceci depuis que j'ai commencé à écrire cet article, donc ce n'est pas subjectif entièrement, et depuis j'ai repris des relations fort amicales avec Breton, et me suis déclaré plein de reconnaissance pour le surréalisme et que ceci soit bien dit qu'il n'y a là aucune intention polémique, mais recherche. » Chabanne note à juste titre que « l'urgence du propos passe avant la qualité littéraire », néanmoins, le message est limpide. Or, il me semble que la distinction entre « intention polémique » et « recherche », en parfaite adéquation avec les exigences morales et avec la rigueur scientifique dont l'auteur fait preuve par ailleurs, ne soit pas un argument de pure rhétorique.

Au demeurant, il ne s'épargnera pas lui-même lorsqu'il dressera la liste de quelques « voyouteries surréalistes » auxquelles il participa : « Il nous paraissait extrêmement recommandable – pourquoi le cacher ? – de bousculer les mutilés, de cracher sur les bébés, quant aux femmes enceintes et aux curés[64]... » Face à cela, l'attitude quenienne, qui tend à faire la part des choses en évitant de masquer les événements jugés par la suite inopportuns, est révélatrice d'un esprit qui cherche avant tout la vérité ; « esprit farouche » qui ne s'accommode guère des travestissements historiques.

Toutefois, le problème demeure : « Surréalistes et hitlériens étaient tous deux des voyous », et la question reste posée : « Entre les manifestations des camelots du roy[65] » et les manifestations « des surréalistes, quelle différence ? » Une distinction tout de même, qui réside dans le « sérieux » de l'attitude des manifestants.

Il n'empêche, dans la partie inédite du texte, Queneau désigne clairement ceux qui s'opposeront aux *Vertus démocratiques* auxquelles il s'attachera, à savoir, dans un ordre d'importance décroissant, « les nazis et autres fascistes, les bourgeois et les petits-bourgeois, les voyous (surtout les bourgeois un peu voyous, y compris les intellectuels), les surréalistes » (Chabanne, p. 60).

Rappelons qu'il ne s'agit là que de l'attitude des surréalistes face à la vie et non de la pratique littéraire. Mais si cette attitude est stigmatisée (en 1958 comme en 1967), c'est qu'elle trouve sa justification dans l'importance qu'il convient d'accorder au rôle de l'homme de lettres dans l'Histoire.

En dépit des critiques, « reste la fantaisie, le caprice, l'invention, la découverte, l'aventure intellectuelle, l'aventure morale : ce qui a fait sortir le surréalisme des voies de la méthode ». Cet extrait de l'hommage collectif à Breton réalisé par la *NRF* en 1967 est à lire entre les lignes. « L'aventure intellectuelle, l'aventure morale », on a vu ce que Queneau pouvait en penser, quant au fait de « sortir des voies de la méthode », c'est un des points d'opposition théorique majeurs. Et si l'histoire du surréalisme reste à écrire, il faudra tenir compte de cette opposition qui fut loin d'être passagère. Le seul aspect qui trouve grâce à ses yeux est la « "décision olympienne", divine de Breton », qui consista à réhabiliter des auteurs « honnis ou ignorés », mais, là encore, Queneau trouve à redire.

Sur la liste des « auteurs à ne pas lire » publiée par les surréalistes en 1931 (*Nadeau* II, p. 180), figurent un certain nombre d'auteurs que Queneau retiendra pour sa *Bibliothèque idéale* (Gallimard, 1956), parmi lesquels Platon, Rabelais, Montaigne, Molière, Proust... Au nombre des proscrits, figure également Jacob[66]; dans *Les Derniers Jours*, Queneau écrit : « Tenez, ce que vous devriez lire, c'est *Le Cornet à dés*. C'est épatant. Toute la poésie moderne sort de Max Jacob et d'Apollinaire » (p. 98). Mais il est vrai que, pour la *Bibliothèque idéale*, Breton devait aussi changer d'avis...

Pour cet « hommage » à Breton, Queneau reprend le titre d'un article paru dans le n° 11-12 de *Littérature* : « Erutarettil ». Inverse de « Littérature », ce titre est à prendre au pied de la lettre ; Queneau signifiant ainsi qu'en 1967 le surréalisme est toujours, à ses yeux, l'envers de toute littérature (*NRF*, p. 604-605).

« Ce n'est pas du point de vue littéraire que le surréalisme m'intéressait, mais comme mode de vie. C'était la révolte complète. A ce moment-là, je ne voulais pas devenir écrivain. Pour moi, le surréalisme représentait tout. » Cette déclaration de 1958 est éclairante, en ceci qu'elle exprime les attentes réelles de Queneau vis-à-vis du surréalisme, expliquant ainsi l'ampleur de la déception qui fut à la hauteur des espérances déçues.

Reste que, contrairement aux allégations ou aux désirs du premier *Manifeste* (*cf.* p. 34), « les surréalistes ont tous fait de la littérature, Breton le premier, ce qui prouve que l'expression littéraire était plus forte que la recherche d'une morale » (*Dialogues,* n° 14). En d'autres termes, c'est l'échec sur tous les plans : politique, moral et littéraire, puisque Queneau s'attaque également aux fondements théoriques et idéologiques de l'activité littéraire surréaliste.

Coye-la-Forêt, 1938.
De gauche à droite : Gaston-Louis Roux
(allongé sur l'arbre), Janine (de dos) et Jean-Marie
Queneau, Michel Collinet, Louise et Michel Leiris
(avec Smoke), Raymond Queneau.

Avant de clore ce chapitre sur l'une des premières marques d'opposition politique et morale de Queneau face à Breton, rappelons que, dès 1937, l'auteur se met en devoir de rédiger un traité moral des *Vertus démocratiques*. La question ne le laissa donc pas indifférent, et force est de constater que l'opposition morale n'y relève pas non plus de pures arguties rhétoriques.

La faille morale de 1928

L'opposition de Queneau à Breton ne remonte pas à la rupture de 1929 ; dès 1928, de façon ouverte et officielle, il marquait déjà une distance morale appréciable. Au cours des soirées de « Recherches sur la sexualité », les surréalistes abordent la « part d'objectivité », les « déterminations individuelles » et le « degré de conscience[67] ». La lecture du compte rendu de ces séances révèle l'intransigeance de Breton, Péret et Unik alors que Queneau, Prévert ou Aragon font preuve de tolérance face à ce qu'il est alors convenu d'appeler, dans la terminologie freudienne, « vices », « déviances » et autres phénomènes « pathologiques » attachés à la sexualité.

Au cours de la discussion, Queneau « constate qu'il existe chez les surréalistes un singulier préjugé contre la pédérastie ». Breton tranche alors : « J'accuse les pédérastes de proposer à la tolérance humaine un déficit mental qui tend à s'ériger en système et à paralyser toutes les entreprises que je respecte. » Lors de la deuxième séance, Queneau défend les « conditions sentimentales » entre hommes qu'il trouve « aussi acceptables » qu'entre hommes et femmes. Ce à quoi Breton rétorque : « Je m'oppose absolument à ce que la discussion se poursuive sur ce sujet. Si elle doit tourner à la réclame pédérastique, je l'abandonne immédiatement. » Puis, sans tenir compte des remarques d'Aragon, il clôt le débat en ces termes : « Veut-on que j'abandonne la discussion ? Je veux bien faire acte d'obscurantisme en pareil domaine. » Xavière Gauthier note à juste titre que « la moindre des choses est qu'Aragon fasse remarquer le "tour réactionnel" que prend la discussion. Il aurait d'ailleurs pu ajouter, sans abuser de l'interprétation psychanalytique, qu'une attitude de défense aussi agressive risquait fort de dissimuler un assez grand intérêt » (*Surréalisme et Sexualité*, Gallimard, 1971, p. 232).

Ma première remarque est d'ordre moral et a trait à la tolérance quenienne, qui s'oppose à l'intransigeance de Breton. La seconde est d'ordre théorique. En effet, pour les surréalistes, le problème sexuel est un problème moteur de la révolution sociale, la liberté sexuelle passant par la révolution sociale. Pour eux, « la révolution sexuelle est première et dernière. La démarche des marxistes révolutionnaires est radicalement opposée : le problème sexuel est mineur, accessoire, et surtout *subordonné à la révolution sociale* » (*ibid*.., p. 38). Queneau est plus proche de la démarche marxiste. A cette différence près qu'il n'évacue pas pour autant la révolution sexuelle ; de plus, il justifiera plus tard à la fois l'homosexualité et l'onanisme, autre pomme de discorde avec Breton. « Esprit farouche », à nouveau, qui s'accommode mal des systèmes.

Dans *Une histoire modèle*, les « troubles amoureux » n'apparaissent qu'en cas de crise économique (« Le déséquilibre semble d'origine nutritif »). L'« amour » est donc tributaire de la « faim » et ne peut être directement considéré comme le moteur d'une transformation sociale. « Ce n'est que lorsque la crise économique survient que les troubles amoureux apparaissent. Ainsi le double sens de la pomme » (p. 36). Par ailleurs, ces troubles amoureux peuvent être résolus – hormis la nécessaire reproduction du groupe – de façon « désintéressée ». Au niveau théorique, c'est la thèse marxiste qui prévaut pour « l'enlèvement des Sabines », à ceci près qu'elle comporte une clause morale qui n'était guère en odeur de sainteté dans l'orthodoxie marxiste :

> Si un groupe pour solution adopte l'exclusion d'un groupe de mâles, celui-ci est naturellement voué à la disparition ou à la guerre. Cependant, on peut se demander si ce n'est pas plus pour obtenir des esclaves travaillant pour eux que ce groupe pratiquera l'enlèvement des femmes (et cela suppose une époque où le travail est connu) que pour satisfaire des désirs sexuels qui peuvent être soulagés par l'homosexualité (p. 69).

Par ailleurs, dans les rapports définis par Queneau entre la quantité de nourriture disponible et le nombre des membres du groupe sur le territoire à un temps donné, compte tenu des lois de croissance du groupe, l'auteur fait intervenir deux notions fondamentales, que sont le « vice » et le « travail », afin que le groupe puisse atteindre des « formes d'équilibre assez durables ». C'est le temps d'« Onan et Sodome » :

> Au cours de la deuxième phase, intervient un nouvel élément qui modifie les lois de croissance du groupe. C'est le « vice », c'est-à-dire la dissociation entre la sexualité et la reproductivité. Cela n'est possible pour l'homme que s'il peut prévoir ; donc au moment où il conçoit l'utilité du stockage et où il commence à travailler ; au moment où il féconde la nature, il recherche pour lui la stérilité. De l'une et de l'autre activité (travail utile et sexualité désintéressée), il tire de grands plaisirs qui compensent la perte du bonheur primitif. Le groupe atteint ainsi des formes d'équilibre assez durables (p. 97).

Nous reviendrons sur la notion de travail, contentons-nous pour l'instant de relever les différences d'appréciations de Breton et de Queneau lorsqu'il est question d'onanisme. Breton affirme qu'il est pour lui une « compensation légitime à certaines tristesses de la vie ». L'opinion de Queneau est pour le moins distincte : « Je ne vois pas de compensations ni de consolations dans l'onanisme. L'onanisme est aussi légitime en soi et absolument que la pédérastie. » On comprend dès lors qu'*Onan et Sodome* soient les deux pôles d'une « sexualité désintéressée ».

En d'autres termes, il appert que Breton et Queneau s'opposent au point de vue *moral* et *réactionnel* – Breton réagissant viscéralement, Queneau proposant, quant à lui, une *morale* réfléchie de la tolérance. De plus, les deux écrivains s'affrontent sur un plan idéologique plus vaste, celui de l'Histoire et de l'action révolutionnaire, à propos desquelles ils adoptent des positions diamétralement opposées. Or, ce n'est pas le champ idéologique qui fera l'objet de la fracassante rupture de 1929, mais bien celui amorcé au cours des soirées de « Recherches sur la sexualité ». La raison de cela, peut-être faut-il la voir dans la tournure affective que prirent les événements. Pour Queneau, l'enjeu premier était d'ordre psychologique, même si la théorie devait prendre le relais peu de temps après dans *Volontés*.

De Bébé Toutout
à « Dédé » Breton

En deçà du « réquisitoire métaphysique » que Queneau dresse contre le surréalisme dans *Odile*[68] et au-delà de la simple querelle anecdotique de « Dédé » publiée dans le *Cadavre*, l'image satanique, l'image solaire de l'inversion et celle du chien qui traverse toute l'œuvre sont associées dans les premiers textes queniens à cette autre inversion (au sens psychanalytique) qu'est l'homosexualité[69]. Il n'y a donc rien d'étonnant à ce que l'acte écrit qui devait entériner la rupture de 1929 se soit cristallisé autour de l'ensemble de ces données. Mais de quoi s'agit-il au juste ?

Rappelons tout d'abord la proximité rédactionnelle des textes sur lesquels nous nous appuyons. « Dédé » ouvre le feu en 1930. *Le Symbolisme du Soleil* et l'inédit « Le Père et le Fils [70] » font partie du même projet d'*Encyclopédie des sciences inexactes* qui devait se transformer en roman : *Les Enfants du Limon* rédigé de 1930 à 1938. *Le Chiendent* paraît, quant à lui, en 1933, *Les Derniers Jours* en 1936 et *Chêne et chien* la même année qu'*Odile*, c'est-à-dire en 1937. Tous ces textes se sont opposés au surréalisme sur un mode qui leur était propre. Ce sont donc quelque huit années (1930-1938) pendant lesquelles l'auteur s'acharnera sur l'image d'un « père » qui devait occuper une place affective, mais également sociale et littéraire, par trop envahissante. Toutes proportions gardées, Queneau se trouve dans une situation comparable à celle de Baudelaire, qui dut se frayer un chemin littéraire spécifique à travers un siècle entièrement dominé par l'écriture romantique et le gigantisme hugolien. Mais ni Hugo ni les romantiques ne révolutionnèrent l'écriture poétique contemporaine, quant à Baudelaire...

L'image diabolique

> *Le duc d'Auge.* – ... Je m'en méfie comme du diable.
> *Le maître queux.* – Hou hou, messire, n'invoquez point cette vilaine bête (*Les Fleurs bleues*, p. 65).

Dans *Les Enfants du Limon*, Purpulan avoue être le « fils spirituel » de Bébé Toutout, personnage qui hantait *Le Chiendent*. L'un comme l'autre sont des « diables ». Diable, mais « dans quel sens ? » demandera Ast à propos de Purpulan. « Dans le seul. Dans le vrai et l'unique », lui répondra Chambernac avant d'ajouter : « il m'a servi pendant quatre ans puis après il a empoisonné ma femme, il m'a jeté dans la débauche, le désespoir et la misère. [...] Il est pédéraste, vous savez » (*Les Enfants...*, p. 303). Mais l'ancien *maître* de l'*esclave* qu'était alors Purpulan eut lui aussi une tentative homosexuelle malheureuse (p. 14-15). Or, ce même Chambernac dira de Purpulan : « C'était mon esclave. [...] Il avait signé un pacte avec moi » (p. 303). Et avec qui signe-t-on un pacte, si ce n'est avec le diable lui-même ? De Purpulan ou de Chambernac, qui donc est le diable ?

L'identité du diable, nous la retrouvons dans un texte de Freud dont Queneau prit connaissance au cours de ses recherches sur les fous littéraires, « Une névrose démoniaque au XVIIe siècle[71] ». Ce texte, ainsi que le *Faust* de Goethe, éclaire en partie les termes de notre interrogation. Freud y expose une névrose qui, à l'époque, se présentait « sous un vêtement démonologique » alors que, de nos jours, elle revêtirait une « allure hypocondriaque » (p. 211). Le sujet, qui est peintre, signe un pacte avec le diable, car « il a perdu, de par la mort de son père, toute envie et capacité de travail » (p. 223). Mais pourquoi un diable et, qui plus est, un diable accompagné d'un chien noir ? Parce qu'il « est pour lui un substitut du père », dira Freud (p. 225), avant de se lancer dans l'exégèse des rapports Dieu-diable comme image et « substitut du père ». Freud remarque qu'il n'y a « rien d'extraordinaire à ce qu'à la suite de la mort de son père un homme souffre d'une dépression mélancolique et d'une inhibition au travail. Nous en conclurons qu'il éprouvait pour ce père un amour particulièrement fort et nous nous rappellerons combien souvent une mélancolie profonde se manifeste comme mode névrotique du deuil » (p. 229).

D'« allure hypocondriaque », Roland Travy *(Odile),* Vincent Tuquedenne *(Les Derniers Jours)* et le narrateur d'*Odile* le sont. Peintre, Queneau hésita à l'être, à deux reprises au moins. Chambernac parvient pour sa part à se délivrer de l'emprise du diable Purpulan (« Délivrance » est le mot final des *Enfants du Limon*). Quant aux symptômes de « dépression mélancolique avec inhibition au travail », c'est ce dont se plaint Queneau lui-même après sa rupture avec Breton : « j'étais quelqu'un de perdu, puisque j'étais en face d'une négation totale ; il n'y avait plus ni littérature ni l'anti-littérature qu'était le surréalisme » (*Tm*, n° 50, p. 9-10. *Cf. BCL*, p. 37). Et lorsqu'il va se coucher « sur un divan près de Passy » (*Pléiade* I, p. 21), c'est pour se débarrasser « d'une malencontreuse tendance à mal gérer [ses] affaires » (*CRQ*, n° 6, p. 5), car, « le plus important, poursuit-il, c'est que / je suis incapable de travailler » (*Pléiade* I, p. 21-22). *Chêne et chien* et *Odile* établiront clairement les raisons de cette « tendance ».

En effet, pour son analyse, le narrateur de *Chêne et chien* commence « naturellement »

> par des histoires assez récentes
> qu'[il] croi[t] assez importantes
> par exemple qu'[il] vien[t] de [se] fâcher avec [s]on ami
>   Untel
> pour des raisons confidentielles (p. 21).

On doute de l'identité d'Untel ? Qu'à cela ne tienne, Queneau indique une autre piste intertextuelle :

> Je raconte un rêve :
> un homme une femme
> se promènent près d'une rivière,
> un crocodile derrière
> eux
> les suit comme un chien.
> Ce crocodile c'est moi-même
> qui suis docile comme un chien
> car quelque étrange magicien
> m'a réduit à cette ombre extrême,
> quelque étrange maléfacteur,
> un jeteur de sorts, un damneur,
> un ensemenceur d'anathèmes (p. 22).

Le portrait se précise et prend toute sa force lorsqu'on se souvient que le pavillon d'Anglarès est défini comme un « repaire de cartomancienne ou de devin birman » et que la première rencontre entre Travy et Anglarès se fait autour de l'événement « caillou-crocodile » ; crocodile qui sera dès lors l'« animal totémique » d'Anglarès (*Odile*, p. 39-40). Animal auquel le narrateur de *Chêne et chien* donne peu après une nouvelle dimension :

> Le crocodile est mon enfance
> nue
> mon père agonisant gorgé de maladies (p. 22).

Parlant de Vlaminck, Queneau établit plus clairement encore l'association du diable et de Breton autour des cartes : « Il n'y a pas d'Avenir, prédisons-le ! et défions-nous du Démon qui nous disperse les cartes. Ceci nous mène loin de Vlaminck – beaucoup plus près de Breton, chez qui j'ai vu Derain "manipuler" le tarot[72]. »

Et Queneau ne résiste pas au calembour : « Le crocodile croque Odile » (p. 42). Mais s'agit-il seulement d'un calembour ? Car le danger de voir disparaître l'amour naissant d'Odile dans la gueule d'un « père » de pierre semble bien réel.

Un père à « Gueule de pierre »

Avec *Gueule de pierre* paru en 1934, Queneau fait appel à la toute jeune science ethnologique en retransmettant fidèlement les leçons de l'« Essai sur le don » de Marcel Mauss, comme le fera plus tard Georges Bataille dans *La Part maudite* (1949)[73]. Mais Queneau remanie son œuvre et la refond avec *Les Temps mêlés* (1941) dans *Saint-Glinglin* en 1948. Il s'éloigne ainsi de la leçon d'origine en lui donnant une tournure moins scolaire et plus personnalisée. Fait important, ce travail réalisé à partir d'un savoir scientifique d'actualité doit également être lu à la lumière de saint Irénée et des gnostiques ; lecture qui remettait alors en cause le statut du savoir scientifique. Mais on aura soin, à nouveau, de distinguer les époques de rédaction; car si les états successifs du texte « semblent bien calqués sur les préoccupations du moment de l'auteur, jusqu'à des références autobiographiques précises[74] », ils rendent nécessairement compte de l'évolution intellectuelle et spirituelle de l'auteur. Ainsi, nombre d'indices spirituels ou empruntés à la gnose qui figuraient dans *Gueule de pierre* ont disparu de *Saint-Glinglin* ou ont été remplacés. Queneau ayant pris soin d'effacer, pour la version définitive, « les traces de la crise spirituelle des années 1936-1940 » (A. Calame, *Écrits d'ailleurs*, p. 153). Les termes « divin » et « athéisme » deviennent, par exemple, « humain » et « inhumain », substitutions non négligeables, comme on le voit.

Dans *Gueule de pierre*, la démarche quenienne est elle-même plongée en abyme dans le texte. Selon Donna Clare Tyman, « aux yeux de Paul, qui déteste la vie rurale, la Ville Natale est un royaume de lumière perpétuelle à cause de la Science ». Or, « cette Science ne signifie pas la technologie, c'est la Sagesse Divine qui descend des Cieux et remonte vers le Plérôme », la vraie « plénitude[75] ». La science moderne, représentée par le personnage de Dussouchel[76], n'est pas considérée comme la science gnostique, raison pour laquelle Dussouchel se « languit dans la Ville Natale, loin du vrai royaume de la lumière électrique ». En effet, la ville natale n'est pas le vrai Plérôme, elle n'en est pour ainsi dire que l'image, à l'instar du Dodécaèdre du *Timée* que Platon définit comme l'« épure de l'Univers ». « Sans faire allusion au gnosticisme, écrit Donna Clare Tyman, le lecteur prend *Saint-Glinglin* pour un conte assez superficiel. Mais plus on pénètre dans l'héritage intellectuel de Pierre Kougard, plus on est convaincu que l'humour, la légèreté queniens masquent un pessimisme foncier. Car Queneau, lui aussi, est le créateur qui travaille une matière imparfaite :

Le mal est donc présent il faut bien s'y habituer
J'aurai même à parfaire une œuvre fort inepte
Me voici diable... je ne croyais pas tant faire[77].

De retour au diable, sous l'identité même du narrateur, reprenons notre image lithique en rappelant la présence du versant satanique de la double identité quenienne (chêne et *chien*) dans le nom de Bébé *Toutout*. Évoquant *Totem et Tabou*, A. Calame confirme la relation du « Père-pierre » qui fait « à son fils et serviteur, littéralement une *Gueule de pierre* », traitant ses fils de « larves aux mâchoires coupantes ». Image qui évoque le « caillou-crocodile » totémique d'Anglarès dans *Odile* et qui annonce, bien avant la rupture avec Breton, « la haine du père, caractéristique de Pierre Kougard-Nabonide, conformément au propos de Sigmund Freud sur l'inconscient dominé par la haine du père ». Or, ces relations parentales représentent les « aspects simultanés (et successifs) d'une [même] personnalité » (*Écrits d'ailleurs*, p. 162).

De même, dans la trame serrée des relations qu'entretiennent l'auteur et les personnages des *Enfants du Limon*, Purpulan et Chambernac apparaissent comme les faces d'une même personnalité qui les transcende et dont on recherchera l'origine dans l'intérêt qu'ils portent à l'écriture : l'auteur[78]. Queneau met en scène une « identité qui s'émiette » (*Pléiade* I, p. 1110), analogue à celle de *Chêne et chien*: « Chêne et chien voilà mes deux noms » (p. 31), la face canine homosexuelle assumant la dimension satanique et cloaquale du janus « chien démon »-chêne[79].

De *Saint-Glinglin* à *Odile*, en passant par *Les Enfants du Limon* et *Chêne et chien*, l'image du « père-pierre », sous tous ses avatars, prend une signification déterminante au regard de la biographie. Cependant, une lecture « analytique » non distanciée (et qui, en outre, ne tiendrait pas compte de l'historicité des textes) risquerait de se heurter aux procédés créatifs que Raymond Queneau met en œuvre dans son travail romanesque, à savoir : la liaison entre les sources référentielles (ethnologie, sociologie, histoire des religions, psychanalyse, travaux de recherche sur les fous littéraires...), le principe de condensation appliqué aux différentes figures, avec jeux de rimes et variations (personnages, situations...), l'interprétation des éléments à des fins purement personnelles (identification, résistance, rejet) ou fictionnelles (« déterminisme littéraire » des personnages et des situations), etc. En effet, la connaissance qu'a Queneau de la psychanalyse, connaissance intellectuelle, puis « appliquée » (à partir de 1933), nous interdit de lire les réseaux d'associations sous un angle purement analytique. Nous devons, *au moins*, intégrer ces procédés dans la palette créatrice de l'auteur et les analyser comme techniques du roman.

Il n'empêche, les rapports – complexes – de Queneau à ses personnages doivent *également* être analysés au regard de la biographie, de l'Histoire et du monde. « Une note relative à *Odile* met expressément en parallèle création romanesque et réalisme mathématique (il s'agit de décrire un monde et non de l'inventer) » (*Écrits d'ailleurs*, p. 164).

L'exorcisme scatologique

Il est un « père spirituel », André Breton, le « pape du surréalisme », qui partage avec son homologue romanesque Bébé Toutout d'autres caractéristiques. Voici Purpulan, dressant, sur fond d'homosexualité et dans un poème scatologique, le portrait de Bébé Toutout, son « père spirituel » à lui (*Les Enfants...,* p. 33) :

> Bébé Toutout n'a qu'unn culotte
> s'il shi dedans le voilà propre
> [...]
> Bébé Toutout n'a qu'un veston
> sous les bras la sueur fait des ronds
> [...]

*Janine et Raymond Queneau, André Breton, à la sortie
de la première du film* Help *des Beatles, en 1960.*

« *Je ne sens pas et je ne pense pas comme à l'époque
où j'étais surréaliste. Je suis complètement détaché
du surréalisme dans ce que je fais, mais je pense
qu'il représentait quelque chose de très important
et de très grave. On juge les gens en disant : ils ont renié
leur jeunesse, mais il y a aussi l'inverse : les gens
qui refusent de reconnaître ce qu'ils ont fait
dans leur jeunesse* » (Dialogues, *n° 14, mai 1958*).

Bébé Toutout n'a qu'un calçon
La merde en brunit tout le fond
[...]
Bébé Toutout n'a qu'unn seule âme
Oh ce qu'elle est noire madame
                    Madame
Bébé Toutout n'a qu'unn seull queue
Il en use du mieux qu'il peut
Avec quatre homms et lcaporal
il se régale il se régale

Voici maintenant Raymond Queneau dressant à son tour le portrait charge de son père spirituel – André Breton – dans le poème non moins scatologique intitulé « Dédé » (*Pléiade* I, p. 711) :

Dédé

André Breton
le doigt dans le trou du cul
signa un pacte avec le diable
le doigt dans le trou du cul
le diable lui fit faire un beau complet veston
dans la toute délicieuse étoffe véritablement sucrée
du cinéma parlant
le doigt dans le trou du cul
Et très content de lui le pohète
construisait une petite barricade de fleurs
le doigt dans le trou du cul
Mais fatigué de transporter des roses
il suppliait l'air morose
« Uranus ! Uranus !
Prête ton anus. »

Moralité

Non ! non ! la poésie n'est pas morte ! Les chants désespérés sont toujours les plus beaux et ousqu'y a de la gêne y a pas d'humour pour les petits oiseaux.

« On doit concéder aux avocats de l'"uranisme", disait Freud, que certains des hommes les plus éminents ont été des invertis et peut-être même des invertis complets » (*Trois Essais...,* p. 22). Et Freud d'ajouter : « Ce qu'il y a de plus élevé et ce qu'il y a de plus bas, dans la sexualité, montrent partout les plus intimes rapports (*Du ciel – à travers le monde – jusqu'à l'enfer*) » (p. 49).

Lorsqu'il choisit ce terrain rhétorique, à n'en pas douter, Queneau s'adressait à l'homme – André Breton[80]; cependant, au paroxysme de la crise, restent l'humour et la poésie. Et comment pouvait-il en être autrement, pour un poète qui, le premier dans l'histoire littéraire, fit chanter la « rime sodomite » (*Pléiade* I, p. 312)?

Ajoutons enfin que le leitmotiv de ce poème reprend celui de l'« Épitaphe pour un monument aux morts à la guerre » de Péret publié dans *La Révolution surréaliste* (n° 12) et qu'il fait référence au *Cadavre* rédigé à l'occasion de la mort d'Anatole France, premier pamphlet collectif des surréalistes (*Nadeau* II, p. 11 *sq.*). Comme si, afin de mettre un terme à leur participation au mouvement, les cosignataires du deuxième *Cadavre* avaient clos leur périple dans un mouvement circulaire, figure quenienne par excellence. La boucle est bouclée; au *Cadavre* d'Anatole France correspond celui d'André Breton; entre les deux, un monument aux morts : le surréalisme. Deuil à partir duquel il faudra reconstruire. Car, comme le dit Freud, *« il[s] éprouvai[en]t pour ce père un amour particulièrement fort… »*

Dans « Le Père et le Fils », Queneau parle de ce qu'il appelle le « complexe mission ». « A partir du complexe d'Œdipe », écrit Claude Debon, Queneau « décrivait les composantes de la relation entre le père et le fils : opposition, identification, sentiment de culpabilité, complexe de castration, homosexualité ». En travaillant sur le « symbolisme du Soleil », l'auteur « découvrait, au-delà du symbolisme paternel et phallique, un symbolisme plus archaïque, "coprologique", sadique et anal, qui faisait régresser la figure divine du soleil-père vers une image "satanique et immonde", celle d'un père diabolique » (*Pléiade* I, p. 1111). A. Calame signalait déjà l'image d'« archidémon » d'Anglarès dans *Odile*, rappelant la « persistance d'un thème homosexuel » dans l'œuvre de Queneau, « qui paraît traduire parodi-

UN CADAVRE

Il ne faut plus que mort cet homme fasse de la poussière.

André BRETON (*Un Cadavre, 1924.*)

PAPOLOGIE D'ANDRÉ BRETON

AUTO-PROPHÉTIE

MORT D'UN MONSIEUR

Un cadavre, tract collectif rédigé en réplique
au Second Manifeste d'André Breton par Ribemont-
Dessaignes, Prévert, Queneau, Vitrac, Leiris, Limbour,
Boiffard, Desnos, Morise, Baron, Carpentier
et Bataille (15 janvier 1930).

quement les investigations infantiles sur la différence, ou la non-différence des sexes[81] ».

Selon André Thirion, le *Cadavre* « est un exorcisme suivant un rite et dans les termes fangeux que seul Bataille pouvait imaginer ». Exorcisme michalien, il l'est à n'en pas douter, mais la « fange » n'était pas le propre de Bataille. Plus juste, me semble-t-il, le jugement qu'il porte sur Prévert et Queneau : « En 1929 on ne connaissait rien de Prévert et à peu près rien de Queneau. Pour ceux-ci, il leur fallait *sortir* [du surréalisme] pour être en mesure de produire » (*Révolutionnaire sans révolution*, p. 210). Afin d'accéder à l'identité différenciée et à l'autonomie créatrice, au-delà de la parodie, il y a la rupture réelle, le meurtre symbolique du père diabolique et « dévoreur ». Une façon de « vieillir », d'être père à son tour, au sens propre du terme (naissance de son fils Jean-Marie en 1934), mais également symbolique : « Mes fils à moi, ce sont les fous littéraires », écrira Queneau en 1931. Grandir, enfin, c'est déterminer sa propre voie littéraire ; ainsi, *Le Chiendent*, pierre fondatrice de l'édifice.

En 1944, « au premier étage du Flore, Sartre demanda à Queneau ce qui lui restait du surréalisme : "L'impression d'avoir eu une jeunesse", nous dit-il ». Et Simone de Beauvoir d'ajouter : « Sa réponse nous frappa, et nous l'enviâmes[82]. »

Le règlement de compte avec Breton s'étale sur de nombreuses années, car le contentieux est lourd. A en juger par la phase de repli qui s'ensuit, la rupture est difficile à assumer (*BCL,* p. 37). Rite de passage, promesse d'une « Délivrance » psychologique et sociale : rupture avec Breton et l'enfance que symbolise la phase vécue dans la « secte » d'Anglarès[83] ; Délivrance littéraire : rupture avec le surréalisme ; Délivrance analytique : tentative d'adieu ou d'effacement du versant satanique de la figure polymorphe « Bébé Toutout / Purpulan / Chambernac », « Le chien », phase maléfique de l'identité, « redescend aux Enfers », l'arbre peut alors grandir, « Le chêne se lève – enfin ! » (*Pléiade* I, p. 32) ; Délivrance métaphysique enfin, selon la tradition orientale « qui aspire à la Délivrance », justement[84]. La leçon d'*Odile* est donc claire ; pour Roland, il s'agit bien de se dégager de l'« obstination puérile et démoniaque qui ne se justifiait plus que par d'infimes raisons ou déraisons » (p. 183). Ainsi *Les Enfants du Limon* peuvent-ils achever leur cycle sur une re-naissance : « Dans un bassin saignait la délivrance » (p. 316).

Raymond Queneau vu par Gabriel Paris.

2
Statut de l'écriture

A partir du surréalisme, et au-delà de ce qu'il devait représenter, Queneau va fonder une « éthique de l'écriture », une morale pour l'écrivain. Face au débat sur l'« engagement » qui mobilisa la classe intellectuelle et marqua notre siècle, Queneau tient un langage de *classique*. Pour autant, le poète n'exclut pas l'engagement, dont il nous reste à définir la nature. Le discours, bien que nuancé, est dynamique, il évolue et se refuse au monolithisme. De là les incompréhensions nées de lectures sans doute trop rapides, qui omirent de replacer le parcours de l'œuvre dans son histoire. Il y a chez Queneau deux poétiques distinctes qui traduisent des ruptures essentielles. Reste néanmoins la continuité de la démarche qui fonde les linéaments idéologiques d'un art romanesque.

« Le langage doit transformer le comportement »

S'adressant à Noël Arnaud dans le *Bulletin international du surréalisme révolutionnaire* (janvier 1948), Queneau reconnaît que « le surréalisme a permis une nouvelle conception de la poésie » en en dévoilant le « caractère confondant ». Cependant, il n'attribue pas la même fonction à l'écriture et au langage. Pour lui, le « lyrisme » des surréalistes « exprime le comportement, mais ne le change

81

pas » ; or, justement, « le langage doit transformer le comportement ». Et pour ce faire, le poète doit œuvrer au sein du langage : « Le rôle de la poésie, pour moi, aujourd'hui est plutôt de changer le langage que d'exprimer des sentiments. »

Cette idée qui traverse le recueil *Bâtons, chiffres et lettres,* et s'inscrit par là même dans toute la problématique du « néo-français », marque formellement la distance qui sépare l'écriture quenienne – héritière de Joyce – de celle d'un Breton, plus proche poétiquement de Mallarmé[85]. Pour Mallarmé, en effet, « l'œuvre pure implique la disparition élocutoire du poëte, qui cède l'initiative aux mots, par le heurt de leur inégalité mobilisés[86] ». Pour Breton, « c'est du rapprochement en quelque sorte fortuit des deux termes qu'a jailli une lumière particulière, *lumière de l'image*, à laquelle nous nous montrons infiniment sensibles[87] ». Breton file à son tour la métaphore lumineuse de Mallarmé ; unique distinguo, il ne pouvait admettre la « disparition élocutoire du poëte ». Queneau, en revanche, admet, à sa manière, cette disparition ; de là le rôle prépondérant qu'il accorde au lecteur dans le processus de signification du texte littéraire. C. Simonnet signale un principe analogue à propos des *Enfants du Limon* dans lequel Queneau apparaît comme personnage, ce qui « fait de lui un enfant du Limon, puisque héritier de Chambernac, ce qui peut être interprété comme un mode original de disparition élocutoire du poëte venant renforcer l'objectivité de l'œuvre : le livre existe seul, écrit par un de ses personnages[88] ».

Queneau ne rapproche ni ne heurte les mots, il œuvre en eux, en leur signification, en leur rapport à l'oral, à l'histoire, à l'étymologie... Situé au cœur du langage, il le transforme et transforme par là même son rapport au monde, d'où les variations joyciennes sur l'*existence* qui, selon le sens qu'elles prennent au fil de *Saint-Glinglin*, s'approprient

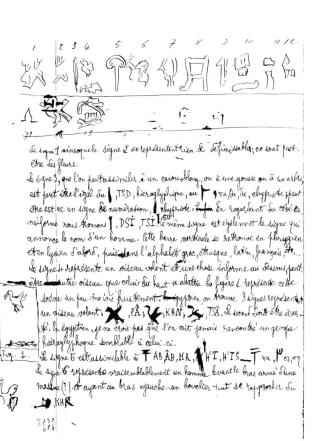

Texte de jeunesse, notes prises sur les hiéroglyphes
(CDRQ, classeur 146).

Tu connais tous les pharaons
de la très vénérable Égypte ;
tu veux déchiffrer le hittite,
mon fils, tu n'es qu'un cornichon.

Je vois que tu transcris les noms
et les œuvres des géomètres
anciens tels que cet Archimède,
mon fils, tu as perdu la raison.
(Chêne et chien, Pléiade I, p. 20.)

toutes les valeurs d'une existence sceptique. Ogresse *(ogresistence)* qui, de l'œuf *(eggsistence)* aux fonds marins primordiaux *(aiguesistence, alguesistence)*, passe par l'âcreté *(âcresistence)*, l'aigreur *(aigresistence)* ou la haine *(hainesistence)* de la vie, traduisant la dureté phonétique du mot lui-même *(eksistence)* dont la transcription faisait partie, dès cette période, du vocabulaire des traductions françaises de Heidegger.

Queneau ordonne son univers à partir du langage et en justifie ainsi la fonction poétique. *Alice en France* est un bel exemple d'exploitation d'expressions figées extraites du langage courant et sur lesquelles repose le récit *(Contes et propos)*. Prise au pied de la lettre, la langue engendre une série de situations en apparence absurdes dont la légitimité réside en sa fonction créatrice. L'écriture établit un rapport au monde qui lui est propre, signifiant sa spécificité démarquée des codes conventionnels. Code spécifique, elle fonde un univers autonome. Œuvrant au sein du langage, Queneau transforme le rapport de l'homme au monde et, de ce fait, influe sur son comportement. En ce sens, il est *engagé* dans la langue.

Les deux « poétiques » de l'œuvre quenienne

Avant d'aborder les lignes directrices de la poétique et de l'art romanesque queniens, qui s'élaborent au détriment des conceptions littéraires surréalistes, il est nécessaire, puisque nous reposerons notre lecture sur les essais théoriques de l'auteur, d'en signaler les constantes et différences. La critique a d'ordinaire considéré l'œuvre théorique d'un point de vue monolithique, ce que Raymond Queneau ne pouvait que déplorer : « Moi ce que j'ai écrit je ne le vois pas en bloc, je ne le vois qu'au fil du temps, comme je l'ai vécu ».

De fait, il existe bel et bien une bipartition théorique et poétique fondamentale dans l'œuvre de Queneau. Nous pouvons schématiquement la résumer à l'opposition de deux recueils d'articles ; *Bâtons, chiffres et lettres*, d'une part, et *Le Voyage en Grèce*, de l'autre. Ainsi, on comprend mieux ce qui est longtemps apparu comme contradictoire aux yeux de la critique. Il semblait en effet difficile d'accepter la coexistence de deux poétiques distinctes dans une même œuvre, pourtant...

Les fondements de cette distinction sont intimement liés à l'évolution intellectuelle de l'auteur et reposent sur son parcours personnel ; on commence de ce fait « à discerner chez Queneau un rapport plus profond, plus complexe aussi qu'on ne le soupçonnait, à l'autobiographie, débouchant à plus ou moins longue échéance sur une notion très élargie du domaine poétique[89] ». Quelques repères chronologiques nous seront donc nécessaires, d'autant que l'auteur précise systématiquement la date d'origine des textes qu'il recueille en volume, nous incitant par là même à prêter attention à leur historicité.

« Bâtons, chiffres et lettres »

La première édition de *Bâtons, chiffres et lettres* a paru en 1950. Reprise en 1965, elle subit un certain nombre de modifications signalées par l'auteur, dont la plus notable est le transfert de la partie « Maths » dans *Bords* (1963) et son remplacement par l'exposé relatif à la littérature potentielle (1964).

Le recueil s'articule en six chapitres principaux : le premier groupe six articles consacrés au « néofrançais », un entretien radiodiffusé et « Technique du roman ». Le deuxième rassemble les « préfaces » (Flaubert, Faulkner, Hugo, Queval). Le troisième, « Lectures pour un front », reprend un ensemble de chroniques – parfois tronquées – parues dans *Front national* en 1944-1945 ; suivent les « Hommages » (Proust, Picasso, Joyce, Prévert, *Fantomas*, Defontenay), les « Graphies » (*Pictogrammes*, Cirier, *What a life !*, Miró) et la littérature potentielle.

Sur les cinquante-trois contributions que réunit *Bâtons, chiffres et lettres*, quarante-sept s'étalent sur les années 1941-1964, c'est-à-dire tout au long de la période « rationaliste » (1941-1968) située entre les deux « crises spirituelles ». Les six contributions restantes sont antérieures et datent, quant à elles, de 1928, 1930, 1937 et 1938.

« Écrit en 1937 » est aggloméré à l'ensemble des textes consacrés au néo-français ; les « Graphies » rendent compte principalement des travaux de recherche effectués à la Bibliothèque nationale et nous avons vu les rapports que pouvaient entretenir les « Pictogrammes » et la peinture. Enfin, dans la partie théorique consacrée à la littérature et aux pratiques créatives, l'auteur met l'accent sur la construction et sur l'architecture romanesques. Ses modèles en la matière sont Joyce et Faulkner ; Queneau réservant un statut privilégié à Proust, auquel il consacre un article particulier. Chacune de ces six contributions évacue soigneusement toute problématique susceptible d'aiguiller le lecteur vers les préoccupations spirituelles rencontrées par Queneau durant ces années.

Les chroniques de *Front national* situées au cœur de l'ouvrage sont exemplaires en ce sens qu'elles dévoilent l'« engagement » politique et littéraire de l'auteur à la Libération. Cependant, Queneau prend soin de les bien dater. De plus, il leur attribue un titre générique – « Lectures pour un front » – qui, jouant sur le nom du journal les ayant accueillies, leur donne un caractère événementiel et les enclôt dans une chronologie relevant désormais de l'Histoire. Cet engagement doit donc être lu à la lumière des événements qui lui ont donné naissance et ne saurait être étendu – politiquement, s'entend – aux années de guerre froide.

La préface à *Rendez-vous de juillet* de Jean Queval établit pour sa part une « jonction idéologique »

Michel Collinet (beau-frère de Janine),
Janine et Raymond Queneau, Varengeville, 1938.

entre la période de la guerre et celle de Saint-Germain-des-Prés, glissant symboliquement de l'affrontement politique aux caves existentialistes. Reste la « Conversation avec Georges Ribemont-Dessaignes », la contribution sans doute la plus révélatrice de l'esprit dominant *Bâtons, chiffres et lettres*. Invité à retracer son parcours personnel, Queneau y fait abstraction de ses engagements militants et de toute préoccupation autre que littéraire. Le processus de désengagement politique est en route. A partir de 1960, l'auteur ne s'exprimera publiquement sur la chose politique qu'en de très rares occasions, et, lorsqu'il le fera, ce sera pour s'en effacer.

En 1968, à la question d'Emmanuel D'Astier : « Avez-vous de l'aversion pour la politique ? » il répondra : « De l'éloignement » avant d'ajouter : « Tout ce qui est politique doit être repensé. Je m'estime en marge ou au-dessus[90]. » A cette époque, le point de non-retour est passé ; Queneau a définitivement pris congé de l'action politique. Mais, en 1960, il annonçait déjà clairement ses positions. Au cours de la Décade de Cerisy, un peu contraint, il prend la parole et répond très brièvement à quelques questions. La mode critique étant alors dominée par les lectures freudiennes et marxistes, Queneau est invité à revenir sur ses positions politiques : « Il y a la possibilité d'une mise en question de l'idée de gauche en général. Est-ce que ça n'est pas une idée qui dès maintenant est absolument périmée, et que croire qu'il faut être de gauche, c'est peut-être ne pas se rendre compte qu'à l'heure actuelle, avec toutes sortes de développements scientifiques et démographiques, tout est absolument changé. » Puis il ajoute : « c'est par modestie qu'on peut se taire sur les problèmes politiques si on n'a rien à en dire. Moi, je pense personnellement n'avoir rien à en dire de valable, j'aime mieux me taire ; ça ne veut pas dire qu'on les ignore. »

A la fin de son intervention, il fera allusion au principe de *renoncement* hérité de Pyrrhon et à celui du *non-agir*, exposé par Lao Tseu dans le *Tao-tê-king*. Mais il le fera sans signaler ses sources, mieux encore, il les cachera sous le voile pudique de la 'pataphysique. Ses hésitations rhétoriques sont sur ce point révélatrices. Mais là n'est pas l'essentiel, car pour le Queneau de 1960, « penser que c'est un tort pour un intellectuel de ne pas être dans l'action, à l'heure actuelle, c'est supposer qu'il faut agir pour agir d'une façon désordonnée et ne pas se rendre compte qu'en fait tout est remis en question, d'une façon radicale à mon avis. L'autocritique des mouvements a été tellement efficace que je crois justement qu'elle permet la liberté [...] de l'intelligence et [...] de l'esprit [...] sur le plan, disons, de la 'pataphysique. Il n'y a pas à avoir de culpabilité à ce point de vue-là pour, disons, pour celui qui a envie de vivre en dehors, en apparence, du monde social ; parce qu'en plus de ça, je pense que, quoi qu'on fasse, ça peut avoir une efficacité réelle sans que ce soit de l'agitation politique » (*Tm,* n° 50, p. 9-12).

En termes guénoniens, la « liberté de l'intelligence et de l'esprit » place nécessairement l'être qui participe de l'Universel, « en marge ou au-dessus » de la « raison politique ». Rappelons en outre que la philosophie de Pyrrhon « est celle de la résignation, ou plutôt du renoncement absolu » et que Pyrrhon « joint, selon Brochard, la sagesse grecque à l'indifférence orientale ». Précisons enfin que Queneau juge l'ouvrage de Brochard, dont il apprécie tout particulièrement les « "Anecdotes" taoïstes sur Pyrrhon », comme l'« un des livres les plus importants » pour lui[91]. Quant au *Tao,* souvenons-nous que Lao Tseu y professe la théorie du *wou wei,* c'est-à-dire la théorie du « non-agir ». Et Lao Tseu de préciser qu'« il n'est rien qui ne s'arrange par la pratique du non-agir[92] ». Ces questions mériteraient un développement plus ample, attendu qu'elles ont déterminé le profil de certains personnages queniens, songez, par exemple, à Valentin Brû (*Le Dimanche de la vie*) ou à Jacques L'Aumône (*Loin de Rueil*).

Uniques concessions à la crise spirituelle de 1935-1941, dans l'ensemble du recueil *Bâtons, chiffres et lettres*, l'article consacré à Proust (« La Symphonie inachevée » publié dans la revue *Volontés* en 1938) et « Technique du roman » (*Volontés*, 1937) qui a souvent été cité sans que la référence guénonienne ait été évoquée. Il s'agit pourtant bien d'un point de vue « traditionnel ». Queneau écrit qu'il « n'y a plus de règles depuis qu'elles ont survécu à la valeur ». Cette phrase, en termes traditionnels, fait littérairement allusion au surréalisme et plus généralement à la querelle des romantiques et des classiques. « Mais, ajoute Queneau, les formes subsistent éternellement », vision traditionnelle, corroborée par la fin du texte, où l'emploi du vocabulaire et des majuscules était un indice qui aurait dû éveiller l'attention du lecteur : « Il y a des formes du roman qui imposent à la matière proposée toutes les vertus du Nombre et, naissant de l'expression même et des divers aspects du récit, connaturelle à l'idée directrice, fille et mère de tous les éléments qu'elle polarise, se développe une structure qui transmet aux œuvres les derniers reflets de la Lumière Universelle et les derniers échos de l'Harmonie des Mondes[93]. »

Reste que si, pour « Technique du roman », Queneau place son discours dans une perspective plus vaste que celle dessinée dans l'ensemble du recueil, il le fait dans le cadre de la construction et de l'architecture romanesques auxquelles il consacre l'essentiel de ses interventions ayant trait à la théorie littéraire. Cette concession à la « tradition » marque simplement une continuité, certes atténuée et comme mise en sourdine, mais présente tout de même au cœur des années « rationalistes ». Cependant, cet article « considéré à tort comme une charte de *toute* l'écriture quenienne, alors qu'il ne visait au départ que ses premières œuvres "individuelles" » sera révisé à l'aune du *Voyage en Grèce* qui marquera la « différenciation majeure, celle de l'intellect et de la raison » et ouvrira la voie de l'Individuel vers l'Universel[94].

L'esprit rationnel dominant *Bâtons, chiffres et lettres* aura conduit la critique à interpréter les travaux oulipiens qui y figurent dans une perspective purement rhétorique, ce qui semble être une vision restreinte de la démarche quenienne.

Quoi qu'il en soit, en 1964, Queneau expose les travaux de l'Oulipo sous un angle correspondant à la plus parfaite orthodoxie oulipienne, si tant est qu'il s'agisse d'orthodoxie. Il est donc important de relever l'évolution du recueil et de signaler qu'entre 1950 et 1965 la seule transformation notable ait eu trait à l'insertion de l'Oulipo. *Bords* offrant le pendant encyclopédique et mathématique à *Bâtons, chiffres et lettres*. Autre aspect déterminant, au sein d'une époque en évolution, mais non brisée par une cassure fondamentale, le changement d'attitude politique marquée par un progressif désengagement qui s'opérera au profit de l'écriture et de l'« engagement » oulipien ; l'Oulipo devant être le dernier cénacle auquel Queneau participa fidèlement jusqu'à la fin de sa vie.

Nous pouvons donc schématiquement résumer *Bâtons, chiffres et lettres* à l'exposé de trois types de préoccupations essentielles : le renouveau du langage littéraire (le néo-français), l'importance de la construction dans *L'Art poétique* romanesque et l'attrait de l'auteur pour les « graphies », mode intermédiaire entre l'écriture et la peinture. Au niveau politique, le recueil évoque une période militante très active, que l'auteur prend soin d'enclore au creux de l'Histoire, comme pour en marquer le caractère contingent (« Lectures pour un front »). L'ensemble de l'ouvrage traduisant un progressif « désengagement » opéré au profit de l'activité littéraire et plus particulièrement de l'Oulipo. Enfin, les « traces » spirituelles inhérentes à « Technique du roman » montrent, d'une part, une permanence larvée de la spiritualité au cours de la période rationaliste et, d'autre part, qu'une technique du roman très rigoureuse s'accommode fort bien de préoccupations métaphysiques. Nous verrons d'ailleurs que le classicisme revendiqué par Queneau cachait en réalité une conception beaucoup plus vaste de l'activité artistique.

« Le Voyage en Grèce »

Publié en 1973, *Le Voyage en Grèce* reprend un ensemble d'articles dont la rédaction s'étale entre les années 1930 et 1970. L'auteur collationne ses contributions à *La Critique sociale, Cahiers du Sud, Le Voyage en Grèce, La Bête noire, La NRF, Volontés, Europe* et *L'Express*. Mais, fidèle à ses préceptes, il va « les recueillir en les bien ordonnant », et cet ordonnancement sera prétexte à une remise en question fondamentale exposée, bien que de façon allusive, dans la préface qui offre le mode d'emploi du recueil. Alain Calame ayant consacré tout un article à ce sujet, je me contenterai d'en rappeler les points jugés pour nous essentiels[95].

En premier lieu, l'équilibre même du volume : « La partition très inégale du recueil en marque, d'emblée, les valeurs relatives : les 150 pages de la seconde partie écrasent les 35 de la première » (p. 2). Cette première partie qui servira de « repoussoir » (*LVG*, p. 12), reprend essentiellement les articles de *La Critique sociale* dont Queneau dira « les opinions qu'ils expriment et les thèses qu'ils soutiennent (car ils soutiennent des thèses) ne [sont] plus maintenant partagées ou approuvées par leur auteur » (*ibid.*, p. 9). On ne saurait être plus clair. La seconde, qui joue le rôle de « commentaire » (*ibid.*, p. 12), comprend presque toutes les contributions à *Volontés* et renoue par là même avec la première crise spirituelle des années 1935-1941. Enfin, Queneau ajoute deux appendices, l'un signalant l'identité erronée d'un auteur mentionné dans

Bâtons, chiffres et lettres, l'autre proposant deux *errata*. Le premier *erratum* module l'influence jouée par le *Discours de la méthode* dans la genèse du *Chiendent* : « J'avais emporté avec moi quatre livres : le *Discours de la méthode* de René Descartes, le *Traité du désespoir* de Kierkegaard (qui venait de paraître), *Sanctuary* de Faulkner (encore inconnu et non traduit) et *An Experiment with Time* de Dunne. C'est ce dernier livre que, sur le conseil de Jolas, j'avais l'intention de traduire » (*ibid.,* p. 220). Le second *erratum* marque un tournant décisif dans la poétique quenienne, puisqu'il annonce « la déroute » du néo-français (*ibid.,* p. 225). Ce faisant, Queneau remet en cause toute la première partie du précédent recueil théorique (*BCL*, p. 9-95).

En second lieu, la disparité chronologique. En effet, « on relève le même trou chronologique (1940-1969) que dans la notule autobiographique », rédigée à la troisième personne et «jointe à la réédition de *Chêne et chien*, en 1969. Il correspond aux discontinuités de la vie spirituelle de Queneau, que l'analyse des œuvres corrobore d'ailleurs sans peine » (p. 2-3). Les propos de Calame ont été depuis confirmés par les avant-textes des *Œuvres poétiques* parus dans la Pléiade. Autre anomalie, lorsque Queneau est amené à évoquer sa participation au mouvement surréaliste, il le fait de façon allusive, ironique, et sans jamais le désigner nommément : «*La Critique sociale* étant [...] l'organe du Cercle communiste démocratique dirigé par Boris Souvarine et auquel avaient adhéré un certain nombre d'écrivains au sortir d'un mouvement littéraire qui commençait à faire un peu de bruit et, chose curieuse, qui s'en étaient éloignés ou en avaient été exclus pour apolitisme » (*LVG*, p. 10).

Queneau désigne ainsi une série de cercles qui vont successivement et symboliquement englober le surréalisme, puis le Cercle communiste démocratique qui avait offert une réponse – sur le plan politique – à l'enfermement du précédent[96]. Or en 1973, l'auteur juge que ses collaborations à *La Critique sociale* font preuve d'une écriture «juvénile, bien légère, pour ne pas dire irréfléchie». Dans le cercle de Souvarine, Queneau rencontre les mêmes difficultés que Roland Travy dans la «secte» d'Anglarès (*Odile*). Il faut donc, à nouveau, quitter le *cercle* pour *grandir*. Mais ça n'est pas tout, car, après l'échappée littéraire, puis l'échappée politique, la science elle-même sera enfermée dans le cycle infernal du cercle : «Le compte rendu sur Vernadsky contient en germe la théorie circulaire de la classification des sciences que j'ai exposée dans *Les Grands Courants de la Pensée mathématique* et qui est recueillie dans *Bords*.» Queneau est alors confronté à une impasse. Comment en sortir, se demande-t-il, «le Parthénon s'offrait pour cela et la précaution de toute première urgence et de toute première nécessité s'imposait : déceler l'aspect *mondain* de la chose (non pas du Parthénon! bien sûr, mais de l'impasse...)» (*LVG*, p. 11). En d'autres termes, sortir du surréalisme et de ses «séquelles» (le terme est de Queneau), c'est-à-dire du cercle de Souvarine. Dans l'ordre de l'Universel, l'aspect *mondain* s'oppose au *supra-mondain*. Pour fonder la littérature, il faut donc s'extraire du *monde*.

Cette évolution intellectuelle, Queneau la traduira littérairement à travers la construction de son recueil dont chaque élément a été placé avec précision. La première partie retrace les «cercles» de *La Critique sociale*, la seconde ouvre sur la poétique de *Volontés* ; entre les deux, *Le Voyage en Grèce* ; enfin, pour clore le volume, l'appendice correctif. Mais on prêtera également attention à cette remarque de l'auteur qui décentre la construction, établie à partir de la chronologie, au profit de la signification de l'ouvrage : «Je dois avouer ici que je n'ai pensé à procurer ce recueil que pour les deux articles : "La Mode intellectuelle" et"L'Air et la

Portugal, 1929.

« *Dans ce pays-là – comme ailleurs – le Portugal – et je peux me permettre d'en parler – j'y suis allé – une motte – de religieuse – ou pas – pour être nonne pas moins velue – eh – une motte – au Portugal – et religieuse – au Portugal – et religieuse – appelle (tou-*

jours) – le picorage.
Colombe ou pigeon, les ovaires peuvent très bien ne pas connaître grand-chose à la zoologie. Mais cela n'enlève rien au talent

épistolaire »

(« *Monument pour une religieuse portugaise* »,
Pléiade I, p. 190).

Chanson", les comptes rendus du début servant de repoussoir, les articles suivants de commentaires » (*ibid*., p. 12).

Ainsi que l'explique A. Calame, « la conversion métaphysique de 1935 transformera en droite verticale, selon un schéma des plus traditionnels » (p. 9) l'image symbolique des cycles et des cercles, dont les « portes se sont refermées » (*LVG*, p. 11).

La Bête noire, revue dans laquelle a paru « La Mode intellectuelle » avait été fondée en vue de « combattre l'hydre du confusionnisme » que représentait alors le surréalisme. On y retrouve les signatures de Leiris, Queneau, Vitrac, Baron, Artaud, Allendy... Masson en parlera en termes très durs dans sa correspondance, regrettant que ses amis Queneau et Leiris participent à ce « petit journal *dérisoire* ». « Voilà deux fois, écrit-il à Michel Leiris en 1935, que les anciens amis de Breton, appauvris de quelques revues, essayent de faire quelque chose. Après les ordures du *Cadavre*, les insanités de la *Bête noire*. Résultat navrant[97]. »

Dérisoire aux yeux de Masson, cette revue permit tout de même à Queneau d'exposer les deux idées primordiales qu'il devait commenter plus tard dans *Volontés*. A la suite de Guénon, l'auteur s'insurge tout d'abord contre la mode intellectuelle occidentale qui s'oppose à l'invariable tradition orientale : « L'histoire de la culture occidentale ne se présente plus, ni comme une évolution continue, une série de progrès, ni comme un processus dialectique, une lutte de tendances aboutissant à des formes de plus en plus hautes, mais elle apparaît comme une incohérente succession d'engouements » (*ibid*., p. 60). Par la suite, Queneau critique l'emploi du mot *poésie* magnifié par les surréalistes et que ces derniers opposent au terme générique de *littérature* qu'ils décochent comme la pire des injures. « Mais les mots ont été estropiés, écrit-il, mutilés pour désigner des choses qui ne le sont pas moins. On profite du grand nom de "Poésie" pour refiler du toc philosophico-scientifico-occulto-marxiste » (*ibid.*, p. 64-65). Puis il dénonce l'attitude des surréalistes, en exposant certains arguments développés dans *Odile* quelques années plus tard : « pourquoi, sous prétexte de purifier les mœurs, a-t-on multiplié les intrigues et les combines ? Le bel avantage que d'avoir remplacé le cénacle par la secte ! » (*LVG*, p. 66).

Surréalisme, politique, science... Afin de s'extraire de ces cercles tant de fois répétés, Queneau pose l'image du Parthénon, symbole de l'Orient, comme le fut le théâtre grec, espace lumineux de la *révélation* où Roland Travy s'ouvrit à la voie métaphysique[98].

Reste le contenu des articles de *Volontés* recueillis dans l'imposante seconde partie du *Voyage en Grèce*. Dans sa préface, Queneau les résumera d'une « double affirmation : toute littérature *fondée* doit être dite classique, ou bien encore : toute littérature digne de ce nom se refuse au relâchement : automatisme scribal, laisser-aller inconstructif, etc. » (*LVG*, p. 11). Ce résumé est d'autant plus important qu'il situe le classicisme dans le cadre de la « tradition », de l'*Universel*.

A la question « Qu'est-ce que l'art ? » Queneau répond : « L'art, la poésie, la littérature est ce qui exprime (les réalités naturelles (cosmiques, universelles) et les réalités sociales (anthropologiques, humaines)) et ce qui transforme (les réalités naturelles et les réalités sociales) » (*ibid.*, p. 94-95). Cette double affirmation, inscrite dans une démarche métaphysique, ne nie pas la part sociale ; de plus, elle pose l'activité littéraire et artistique comme moteur de la transformation du « social » et du « naturel ». D'où le rôle du travail et de la littérature que l'on retrouvera dans *Une histoire modèle*.

Par ailleurs, dans la préface rédigée en 1973, il reprend les thèses ourdies contre les théories surréalistes et qu'il avait exposées dans « Qu'est-ce que l'art ? » dès 1938. Les termes n'y sont guère plus aimables. Dans *Volontés*, Queneau écrivait alors : « Une autre bien fausse idée qui a également cours actuellement, c'est l'équivalence que l'on établit entre inspiration, exploration du subconscient et libération, entre hasard, automatisme et liberté. Or, *cette* inspiration qui consiste à obéir aveuglément à toute impulsion est en réalité un esclavage. Le classique qui écrit sa tragédie en observant un certain nombre de règles qu'il connaît est plus libre que le poète qui écrit ce qui lui passe par la tête et qui est l'esclave d'autres règles qu'il ignore » (*ibid.*, p. 94). C'est, à quelques mots près, le discours que tiendra Vincent à Roland Travy dans *Odile* (p. 158-159). La discussion entre les deux amis (dans lesquels il n'est pas exagéré de voir deux faces d'un même *personnage* qui les transcende – Raymond Queneau) se situe juste après la confession de Roland à Vincent ; il a effectivement « grandi » (*Odile*, p. 158).

Certains ont affirmé que la sagesse des années de « fin de vie » avait apporté un apaisement dans la querelle qui devait opposer Queneau à Breton ; c'était oublier que le surréalisme s'inscrit dans les « sphères infernales », qu'il participe du « caractère "satanique" » de la psychanalyse sur laquelle il s'appuie et que Guénon compare aux « sacrements du diable ». Le Queneau des dernières années devait en effet rejeter la psychanalyse, en termes guénoniens, comme « souillure ineffaçable[99] ».

Il est donc pour nous essentiel de voir que *Le Voyage en Grèce* établit un pont symbolique et poétique entre les deux périodes mystiques de 1935-1941 et 1968-1973, laissant entre les deux arches le gouffre rationaliste (« La mode étant ce qu'elle est, arrivé à la septentaine, on en a vu des *ismes* passer sous les ponts[100] »). Mais, si *Le Voyage en Grèce* rend *Bâtons, chiffres et lettres* caduc, il ne le fait que pour la période finale de la vie de l'auteur. Du reste, Queneau écrira : « nul doute que maintenant [en 1973] je ne constituerais plus ce recueil [*Bâtons, chiffres et lettres*] de la même façon » (*LVG*, p. 10). La critique doit donc interroger l'œuvre de Queneau en tenant compte de l'historicité des deux recueils.

Si la polémique concernant l'attitude des surréalistes « face à la vie » paraît s'estomper au fil des années, la critique des fondements idéologiques et littéraires du surréalisme perdurera au-delà de ce que Queneau a bien voulu affirmer en public. Des articles de *Volontés* parus dans les années 1930 et groupés dans *Le Voyage en Grèce* en 1973, en passant par la préface aux *Œuvres complètes* de Pierre Mac Orlan qui date de 1969, on est surpris par la continuité de l'attitude quenienne. Breton y demeure en effet le « point de répulsion » privilégié à partir duquel s'organise l'« art romanesque » de Queneau.

Fondements idéologiques d'un art romanesque

En 1953, au cœur même de la période rationaliste, dans un article consacré à James, Gide, Proust, Kafka et Gertrude Stein, Queneau expose ce que nous pouvons considérer comme les fondements idéologiques de son art romanesque. Intitulé « Quelques maîtres du XXᵉ siècle » – maîtres dont il se réclame –, l'article a paru dans le troisième volume des *Écrivains célèbres* (*EC*, 3), collection que l'auteur dirigeait alors chez Mazenod (1951-1953). Ce texte peu connu sera pour nous prétexte à aborder quelques aspects essentiels de l'art du roman exposés par ailleurs dans *Bâtons, chiffres et lettres*, *Le Voyage en Grèce* et les *Entretiens avec Georges Charbonnier*. Où il sera alors question d'éthique, puis de technique.

Flaubert et
la « pratique du doute méthodique »

Queneau dresse tout d'abord un constat d'histoire et de littérature ; selon lui, au sortir des années 1900, après deux siècles d'une « brillante carrière », le roman marque « quelques signes de lassitude ». Alors qu'en France Valéry commence à s'inquiéter de son déclin, se gaussant de la célèbre formule « la marquise sortit à cinq heures », les écrivains anglo-saxons se sont déjà sérieusement interrogés sur « l'art du roman et la survivance du genre[101] ».

Parmi eux, Henry James fut « le premier à se poser des questions techniques qui mettaient en cause l'existence même du roman ». Certes, des romanciers eurent avant lui des « préoccupations de métier », mais celles-ci étaient uniquement d'ordre « artisanal ». Bien qu'il fût l'instigateur d'une véritable réflexion sur le roman, l'auteur de *The Turn of the Screw* devait reconnaître une dette envers Flaubert. Queneau écrit en effet que le premier à avoir « pratiqué le doute méthodique à l'égard de son art même fut Flaubert », avant d'ajouter : « Et il a été effectivement le maître – et le maître aimé – non seulement de James, mais aussi de Proust, de Stein, de Joyce. » Seule la modestie interdisait à Queneau d'ajouter son nom à cette liste prestigieuse, car il n'eut probablement pas, lui non plus, de maître plus aimé que Flaubert, alors même qu'il *pratiquait*, lui aussi, *le doute méthodique à l'égard de son art*.

Cette phrase héritée de Descartes mérite attention, car elle offre un résumé saisissant de l'attitude quenienne vis-à-vis du roman, de l'écriture et, plus généralement, du savoir et de la connaissance. On la rapprochera de cet autre passage de *L'Inde secrète* de Paul Brunton qui explique, pour partie, l'intérêt que Raymond Queneau porta à cet auteur : « Je recherchai dans un invraisemblable amas de

De gauche à droite : Pierre Seghers, Cyril Connoly,
Pierre Emmanuel, Anne Bédouin,
Raymond et Janine Queneau, André Frénaud en 1946.

grossières prétentions et de fables invérifiables tout ce qui portait la marque de la vérité et résistait à l'épreuve de l'investigation. Je me rends cependant compte que je n'y serais jamais parvenu si je n'avais possédé dans mon complexe d'Occidental ces deux éléments si souvent en conflit : le scepticisme scientifique et une sensibilité réceptive toujours en éveil[102]. »

Référence quenienne par excellence (voir les trois préfaces que l'auteur consacra à *Bouvard et Pécuchet*), point d'ancrage essentiel du discours théorique, Flaubert est également source d'interrogations pour les écrivains anglo-saxons qui marquèrent le XXe siècle. Se situant dans la mouvance de ceux qui permirent au roman déliquescent de reprendre force et vigueur, il est significatif que Queneau ait à nouveau pris Flaubert comme modèle et Breton comme « point de répulsion » (*EC*, 3, p. 230). Mais quelles sont donc les valeurs du roman que défendent ces maîtres du XXe, qui se réclament de Flaubert, et en quoi Breton devait-il s'y opposer ?

L'écrivain « désengagé »

Parlant de James, Queneau note que « nul n'a été moins engagé que lui », alors même qu'il sut trouver « des sujets particulièrement valables pour ce siècle ». Effet paradoxal d'une recherche qui devait aboutir « à la notion de "roman pur" », selon l'expression de Régis Michaud (*EC*, 3, p. 228).

Si James « s'éleva avec force – et dans la meilleure tradition flaubertienne – contre l'obligation que l'on voulait imposer au romancier de démontrer une thèse ou de défendre une morale », il n'en reste pas moins vrai, pour Queneau, « que le roman même "pur" ne peut être abstrait tout à fait du "sujet", surtout à l'époque de James » (*ibid.*).

Le débat est donc ouvert entre une littérature militante, de « situations », et une littérature telle que la conçoit James pour qui « seules comptent les questions de technique », au dire de Queneau[103]. Il serait toutefois illusoire de vouloir situer Queneau dans l'un ou l'autre camp ; la réalité est autrement complexe et mérite qu'on s'y attarde tant soit peu.

En janvier 1945, dans une chronique de *Front national* (n° 133), Queneau s'étonne de « deux bien grands mystères de la poésie » qu'il décèle dans les poèmes clandestins d'Eluard. Cet étonnement est dû au fait, d'une part, que la poésie puisse atteindre « l'extrême simplicité comme chez Villon et La Fontaine, et, d'autre part, qu'elle puisse s'engager et transcrire l'activité des immondes » ; entendez par là l'activité des nazis ou des collaborateurs. Que la poésie ait la possibilité d'être engagée lui semble un « bien grand mystère », pourtant, c'est le même Queneau qui écrivit les poèmes *Munich* et *A d'Autres*.

Dans le « plaidoyer pour la tolérance », dont parlait Jean Queval, le cri, la thèse morale ou politique n'ont pas droit de cité, du moins, pas à l'état brut ; ils subissent l'alchimie créatrice, doivent se plier aux lois de la technique ou, plus exactement, édicter de nouvelles lois formelles – si ce n'est y participer. Or l'une des failles de la « littérature engagée » est d'avoir justement misé sur le discours, au détriment de la forme, en niant, de surcroît, les rapports dialectiques qu'ils entretiennent nécessairement.

« Il y a des œuvres littéraires, dit Queneau, qui, de toute évidence, ont une influence sur l'action », même si ces « œuvres très détachées d'un engagement quelconque », comme celles de Tolstoï ou Dostoïevski, n'ont pas nécessairement « une volonté de communiquer quelque chose qui s'impose au lecteur, une volonté, disons, de propagande, ou d'exposition ». Ce n'est donc pas l'intention première de l'auteur qui détermine la valeur de l'œuvre et de l'action qu'elle pourra entraîner, si elle doit en entraîner une. Donnant à nouveau Flaubert en exemple, il constate simplement que certaines œuvres ont parfois eu une « très grosse influence et des conséquences non voulues par leur auteur » (*Entretiens...*, p. 41).

Lorsque, au XVIIIᵉ siècle, « la littérature apparaît avec une mission qui n'est plus uniquement laudative, mais aussi critique », lorsque « Voltaire, Diderot, Montesquieu, Rousseau ont mot à dire sur la pression morale – religieuse d'abord, politique ensuite », le romancier acquiert une fonction sociale qui lui était jusqu'alors interdite (*Fn,* n° 363). Queneau note cependant que « cette œuvre collective, visant un public de plus en plus large, a eu comme conséquence, en apparence accessoire, un certain mépris des pressions formelles » (*ibid.*). Cette conséquence, jugée accessoire par certains, est pour lui déterminante.

En littérature, « il n'y a pas de différence de fond et de forme »

Au vu de l'Histoire, la levée des barrières formelles ne pouvait être une réponse à l'engagement de l'écrivain dans le débat social. Cette ascension de l'homme de lettres dans les sphères dirigeantes de la société – pour peu qu'il s'agisse d'ascension – et la conséquence qu'elle entraîna au niveau de son activité furent à l'origine de « la belle théorie de l'art pour l'art », laquelle ne devait s'affirmer qu'au cours du XIXᵉ siècle. Notons au passage que les qualificatifs employés dessinent la courbe des choix queniens : la théorie de l'art pour l'art lui est *belle*, la littérature politique et de propagande étant *honnie* « dans le monde occidental ».

Dès lors, deux visions extrêmes et apparemment contradictoires se sont opposées, celle de la littérature politique et de propagande et celle de l'art pour l'art. Chacune défendant, pour l'écrivain, ses propres modalités d'adhésion à la chose sociale, chacune prônant sa propre vision de l'œuvre. Toile idéologique inévitablement tissée sur une trame de fond et de forme, d'engagement et de désengagement.

Mais le débat fond-forme n'a pas lieu d'être chez Queneau, pour la simple raison « qu'il n'y a pas, pour lui, de différence de fond et de forme dès qu'on se place dans le domaine propre de la littérature ». De fait, des « recherches en apparence purement formelles ont des conséquences dans la vie extérieure courante, et des conséquences objectives » (*Entretiens...*, p. 43). La question mérite donc une approche différente.

« *Je n'aime pas ce qui m'enserre* »

Reste le problème de l'engagement. En bon philosophe et en bon Normand, Queneau choisit de ne pas choisir[104]. Mais entendons-nous bien, il choisit de ne pas choisir entre la littérature politique et de propagande et la théorie de l'art pour l'art. Ce qui ne veut pas dire pour autant qu'il nie les bienfaits ou les errements de l'une et de l'autre. En d'autres termes, il se refuse à tout esprit de système.

Cette « normanditude » ne cessera de le hanter : « Quand j'énonce une assertion, dit-il à Georges Charbonnier, je m'aperçois tout de suite que l'assertion contraire est tout aussi intéressante, à un point où cela devient presque superstitieux chez moi. » Un peu plus tard, il avouera son « faible pour Trouillogan, dans Rabelais », car ce personnage « ne répond jamais par "oui" ou par "non", et n'a jamais que des réponses évasives » (*Entretiens...*, p. 12-14).

Il est important de souligner ce « trait de caractère », car il est à l'origine de nombreuses incompréhensions. « L'Esprit farouche », qui fut l'un des titres initialement prévus pour *Un rude hiver*[105], traduit fort bien l'attitude de l'auteur, qui notait dans son *Journal* : « Après avoir écrit contre le surréalisme, je supplie qu'on fasse trêve. / Je n'aime

Dossier préparatoire de Fendre les flots, *manuscrit daté du 25 octobre 1968 où figure l'une des structures possibles du recueil. Queneau y transcrit l'histoire de sa vie dans le cours des constellations du zodiaque (CIDRE, D. 61).*

pas ce qui m'enserre. / [...] / Ce pourrait être le thème de l'article sur Gide : l'Image de la Liberté » (p. 28).

Du reste, un esprit libre ne pouvait que mal s'accommoder de la propagande. Dans son *Journal*, il avoue ne pas l'aimer (p. 71), voyant en elle, dans *Vertus démocratiques*, l'un des maux essentiels du monde occidental contemporain : « Le *mal* de l'Occident et du Moderne : *l'action* / et ses suites : la violence / la propagande[106]. » Déjà, dans *Odile*, plutôt que de militer comme G., il préférait apprendre l'arabe en compagnie de son ami S. qui, lui non plus, « ne se sentait aucune qualité de propagandiste » (p. 14).

Ainsi, à une époque où le débat idéologique sur la littérature est dominé par les « queues de comète » du surréalisme et l'existentialisme pour lequel la notion d'« engagement littéraire » est considérée « comme un devoir » (J.-P. Sartre), Queneau pose les fondements de sa démarche en termes mesurés et dialectiques. Il sied donc de dégager les points de vue distincts qu'on pourra se faire sur l'homme et sur l'œuvre.

« Le rapport de l'homme à l'œuvre »

Queneau s'est maintes fois insurgé contre l'amalgame réalisé entre l'écrivain et son œuvre. En mai 1945, il écrit à propos d'Ezra Pound : « Quoique sa poésie soit contestable, elle n'est nullement méprisable. Il n'en est pas de même de l'homme. » Il est vrai qu'« Ezra Pound trouva sa voie derrière Mussolini » (*Fn,* n° 231). En juillet de la même année, il achève la nécrologie de Valéry en ces termes : « Paul Valéry, académicien, professeur de poétique et distributeur de prix de vertu est mort. *Monsieur Teste* est immortel » (*Fn,* n° 291). Le jugement sur Céline tombera aussi brutalement : « *Le Voyage au bout de*

107

la nuit, ça a tout de même été un bouquin sensationnel. Mais quand il a voulu le faire au politique, qu'est-ce qu'il a pu débloquer[107]. »

Queneau refuse donc de juger l'homme et l'œuvre sur un même plan. En outre, ainsi qu'il l'explique dans son « Hommage » à Proust, il place sur deux niveaux distincts la matière et la forme de l'œuvre. Après avoir stigmatisé la critique des années 1930, qui ne vit dans *La Recherche du temps perdu* que « décadence et morbidité » et se permit de blâmer chez l'auteur le fait « d'avoir été homosexuel, esthète et salonnard », il tranche la question sans ambiguïté : « Je ne m'attarderai pas sur ce dernier chapitre, étant donné le peu d'importance que l'on *doit* attribuer aux questions de personnes » (*BCL*, p. 224).

Cette attitude relève autant de l'éthique que de la méthode, mais il ne nous est pas non plus interdit d'y voir le secret désir d'une protection personnelle ; Queneau ayant toujours cherché à préserver une grande discrétion sur sa vie privée. Plaisirs du paradoxe cher à Brecht, émettre cette hypothèse, n'est-ce pas, à notre tour, tomber dans les travers que l'auteur réprouvait à l'instant ?

Restent les écrits où il fait preuve d'une grande causticité à l'égard de ses contemporains. Cette apparente contradiction réside dans le fait que l'auteur choisit la *matière* comme terrain d'attaque. Ainsi le voit-on s'insurger contre *Le Mythe et le Livre* de Guastalla, car il lui « paraît regrettable de faire aboutir à une question de propagande politique un "essai" sur l'histoire de la littérature » (*LVG*, p. 208). Mieux encore, c'est pour lui un « scandale », que l'on puisse, dans un ouvrage consacré à Marat, « déformer » l'histoire de la Révolution, « la saboter » comme on se le permet par ailleurs « tant dans les manuels que dans les productions des pseudo-historiens à la Lenôtre ». Également scandaleux le décalage qui existe entre les travaux scientifiques et les essais rédigés à d'uniques fins idéologiques et de propagande (*Fn,* n° 297).

Dans le domaine critique, les exemples sont légion ; cependant, une telle virulence n'a, en réalité, rien de contradictoire avec le désir exprimé par Queneau de faire abstraction de l'homme et de la matière de l'œuvre, attendu qu'il distingue clairement l'œuvre de fiction de l'essai. Or ce dernier ne souffre ni erreur ni mensonge, ni manipulation ni propagande. Qu'il relève de la science ou de la *doxa*, seule la *matière* en justifiera la valeur. Elle se doit donc d'être inattaquable, car tout repose sur elle.

Quant au roman, ce n'est pas tant la matière qui en fera la valeur essentielle, mais bien la forme. Pour autant, la matière ne saurait être évacuée, car « il ne suffit pas de dire, ni de bien dire, mais il faut que cela vaille d'être dit » (*LVG,* p. 94). Il est donc légitime que l'auteur s'insurge contre la propagande qui interdit tout accès au savoir et masque les voies de la connaissance, dès lors que les frontières entre les domaines de la fiction et de l'essai ont été annoncées. Ce désir de ne mélanger ni les genres ni les niveaux est caractéristique de l'esprit de rigueur et de méthode dont Queneau ne se départira jamais. Une attitude qui ouvre les portes à la méthode scientifique appliquée aux domaines de la critique littéraire et des sciences humaines ; attitude qui fonde, en outre, les linéaments d'une véritable éthique.

Malgré tout, Queneau n'évacue pas « le rapport de l'homme à l'œuvre ». Car, « quoiqu'on en pense dans un esprit classique, ce n'est pas une recherche méprisable ; et ça transcende l'anecdote ». Mais cette recherche du rapport « homme-œuvre », pour légitime qu'elle soit, « n'en éclaire pas pour autant ledit rapport » qui conservera toujours des liens secrets. Partant, « on ne saurait jamais prévoir ce que peut écrire un individu ». Dans l'introduction à

Moustiques de William Faulkner, il affirme que
« tout auteur ressent plus ou moins lui-même l'hétérogénéité de son œuvre par rapport à sa "personnalité" » (1948, *BCL*, p. 131-132). Dès lors, comment
juger des liens tissés entre l'auteur et son œuvre ?

La démarche quenienne est avant tout scientifique. Née du « doute méthodique » que l'auteur
entretient « à l'égard de son art », elle anticipe, sur
bien des points, la réflexion sémiologique menée
par Roland Barthes à partir des années 1950. A
propos de « ce lien très subtil qui unit l'œuvre à son
créateur », Barthes se demande effectivement « comment y toucher, sinon en termes engagés ». Mais
l'expression ne couvre pas l'unique acception politique que lui assignait Sartre en 1947. L'*engagement* barthésien englobe toutes les sphères de
l'idéologie et relève également de l'éthique scientifique, proche en cela de la pensée quenienne. Si,
pour Barthes, le critique a tout « intérêt » à définir
sa propre « situation » avant d'engager son analyse,
c'est que « de toutes les approches de l'homme, la
psychologie est la plus *improbable*, la plus marquée
par son temps ». Se « situer », c'est livrer méthodes
et outils et permettre au lecteur d'entrer dans le
discours en critique, c'est-à-dire en *producteur*. Où
l'on retrouve, avec ce lecteur-producteur, l'une des
lois fondamentales du jeu littéraire quenien.

« La première règle objective, écrit Barthes, est
ici d'annoncer le système de lecture, étant entendu
qu'il n'en existe pas de neutre. » Car, quel que soit
le bien-fondé de la méthode, « la *connaissance* du
moi profond est illusoire : il n'y a que des façons différentes de le parler[108] ».

Comme Queneau, Barthes savait que « le plus
prudent des critiques se [révèle] lui-même un être
pleinement subjectif, pleinement historique ». Mais
Queneau, probablement plus lucide que ne le fut
Sartre pour son *Baudelaire*, savait également
qu'écrire sur l'*autre*, c'est avant tout écrire sur soi.

Préfaçant les *Œuvres complètes* de Pierre Mac Orlan, il a l'humour – l'honnêteté peut-être – de citer Strindberg : « Dernièrement douze de mes amis littéraires ont publié un livre à mon honneur formé de douze essais sur ma personne et mon œuvre. Et tous, sans exception, ont écrit directement ou indirectement sur lui-même ; sur ses opinions, ses sympathies, son œuvre. Ceux qui me défendent se défendent ; ceux qui me combattent prônent leurs idées contraires aux miennes[109]. »

Partant d'un même constat, « cette impuissance à *dire vrai* », il n'est pas étonnant que Roland Barthes et Raymond Queneau aient fini par proposer des éléments analogues pour une définition de la littérature. Barthes écrit que « la littérature est cet ensemble d'objets et de règles, de techniques et d'œuvres, dont la fonction dans l'économie générale de notre société est précisément d'*institutionnaliser la subjectivité* » (*Sur Racine*, p. 166) ; ce qui revient nécessairement à reconnaître la part de « volonté » de l'écrivain, argument décisif dont usèrent Sartre et Queneau à l'encontre du surréalisme. Sartre précise d'ailleurs que « l'écriture automatique est avant tout la destruction de la subjectivité[110] ».

« L'universalisation
à travers l'individualisation »

« Objets, règles, techniques, œuvres », autant de notions que l'on retrouve sous la plume de Queneau. Quant à la fonction de la littérature, les termes en sont, en quelque sorte, inversés. Pour lui, c'est parce qu'une œuvre est subjective qu'elle peut prétendre à l'universalité et par là même accéder à la reconnaissance institutionnelle. Cette idée, il l'exprimera au mieux après être tombé sous le charme de la poésie de Federico García Lorca. « La poésie de Lorca est éminemment, essentiellement, espagnole. Et c'est pour cela qu'elle nous touche, c'est ce qui donne sa valeur internationale : car c'est en étant le plus soi-même qu'on a le plus de sens pour les autres » (*Fn*, n° 146 ; 3 févr. 1945). Préoccupation analogue exprimée dans l'hommage rendu aux *Écrivains célèbres* ; Queneau dira en effet de Gertrude Stein et de James Joyce qu'ils « tendent à la typification, l'universalisation à travers l'individualisation » (p. 230-231).

La date de ce texte pourrait cependant faire illusion, car nous y retrouvons – en d'autres termes – les préoccupations guénoniennes que Raymond Queneau reprendra à son compte dans *Volontés*. L'idée qu'une œuvre poétique, « conforme à [l]a nature propre » de l'individu, puisse tendre vers l'*Universel* n'a rien de nouveau pour Queneau[111]. En 1938, il écrit déjà que « ce qui est partiel ne vaut d'être dit que dans la mesure où y frémit un germe d'universalité » (*LVG*, p. 95). Barthes et Queneau utilisent un vocabulaire qui ne s'inscrit pas dans le même cadre référentiel ; l'un parle en sémiologue, l'autre renvoie à la « tradition ». Rien d'étonnant donc que les termes de leurs équations soient en quelque sorte inversés.

Le « mystère poétique »

Il semble qu'au cours de la période rationaliste le domaine de la poésie soit celui qui ait le moins subi les contrecoups du phénomène de « déconversion » de 1941. En effet, dans ses *Entretiens avec Georges Charbonnier* (1962), Queneau explique que la poésie « n'a pas besoin d'être justifiée », ce qui ne veut pas dire qu'elle soit pour autant « une sorte de succédané de la [...] métaphysique ». L'auteur précisant néanmoins que « c'est quand même une justification de la poésie si elle exprime des valeurs qui ne sont pas des valeurs de vérité dans le sens ou bien de l'information courante, ou bien de l'information, disons platonicienne ».

Ces « valeurs de vérité » sont les valeurs symboliques que transmettent les œuvres *véritables*,

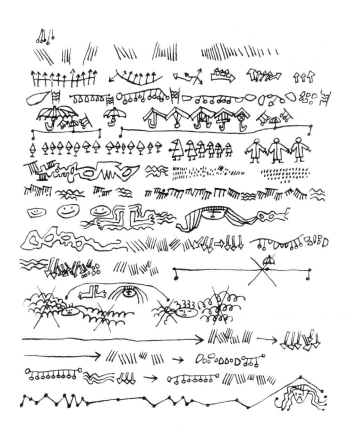

« Il pleut », eau-forte et sérigraphie de Gabriel Paris,
Atelier de l'Olivette, Paris, 1978, tiré à 60 ex.
(Les Ziaux, Pléiade *I*, p. 51).

telles que définies dans « Qu'est-ce que l'art ? » (1938, *LVG*). Guénon parle, lui, d'« un langage symbolique adapté à l'expression de certaines vérités » (*Mélanges*, p. 104). Ces « valeurs » ont un sens fort précis, car l'article de *Volontés* est une réécriture à peine démarquée des articles du *Voile d'Isis*[112].

Queneau écrit dans *Volontés* : « Le littérateur a un métier et l'artiste est artisan » (*LVG*, p. 95). On lit chez Guénon que « la distinction entre les arts et les métiers, ou entre "artiste" et "artisan", est, elle aussi, spécifiquement moderne [...]. L'*artifex*, pour les Anciens, c'est, indifféremment, l'homme qui exerce un art ou un métier ; [...] originairement [...] son activité est rattachée à des principes d'un ordre beaucoup plus profond que le sens aujourd'hui accordé aux mots "artistes" et "artisans" » (*Mélanges*, p. 71). Précisons tout de même que, d'après Guénon, cette « activité » artistique / artisanale, n'est pas « réduite à ce qu'elle est en tant que simple manifestation extérieure (ce qui est en somme le point de vue profane) » mais qu'elle « est intégrée à la tradition et constitue, pour celui qui l'accomplit, un moyen de participer effectivement à celle-ci » (*ibid.*, p. 71-72). Autrement dit, le poète participe de la *tradition*.

Par ailleurs, la conception des arts traditionnels est, d'après Guénon, « aussi éloignée que possible des théories modernes et profanes, que ce soit par exemple celle de l'"art pour l'art" [...] ou encore celle de l'art "moralisateur"... » (*ibid.,* p. 105). Bipolarisation de l'art pour l'art et de l'art engagé que nous retrouvons, aussi bien dans *Volontés* que dans les *Écrivains célèbres*. Mais on relira avec profit les articles de Queneau à la lumière de ceux de Guénon, car les points de convergence ne s'arrêtent pas à ces quelques citations. Ajoutons enfin cette remarque de Queneau extraite de ses *Entretiens avec Georges Charbonnier* : « Il y a ce qu'on appelle en effet... je n'aime pas beaucoup employer ce mot-

là, mais il y a en effet un mystère poétique... »
(p. 17-18). Inversement, dans *Volontés*, Queneau
écrivait que : « le mystère est un élément poétique
incontestable, dont l'importance est grande, même
en prose » (*LVG*, p. 147). Une autre façon d'exprimer son *Art poétique*, car si

> Un poème c'est bien peu de chose

il n'en reste pas moins que

> ça a toujours kékchose d'extrême
> un poème
>> (*Pléiade* I, p. 105-106).

L'écrivain témoin
et partenaire de son temps

Ainsi, bien que n'ayant aucune thèse politique ou
morale à défendre, le romancier ne peut pour
autant se dégager de l'Histoire. Mieux encore, ce
n'est qu'en étant lui-même au plus juste de cette
Histoire qu'il pourra œuvrer. « Que l'homme de
lettres n'ait rien à voir avec la société de son temps,
qu'il puisse parler de lui sans tenir compte des
autres et qu'il puisse parler des autres sans tenir
compte des autres eux-mêmes, est à la vérité une
doctrine fort curieuse, mais qui s'est imposée d'une
façon à peu près absolue aux écrivains de notre
temps depuis 1880 environ » (*Fn,* n° 363). Témoin et
partenaire de son temps, l'homme de lettres l'est de
toute évidence.

Voyez Jarry qui s'attaqua « "dramatiquement" au
monde bourgeois ». La mise entre guillemets révèle
le double sens du mot et la portée de l'action. La
lutte contre « l'ennemi de l'homme libre qu'est le
tyran » est « dramatique », et Jarry ne dispose que
d'une seule arme pour la mener, le drame justement, qui, dans « cette œuvre prodigieuse », commence par « le fameux mot de cinq plus une lettre »
(*Fn,* n° 72). Arme dérisoire que celle de l'homme de
lettres, mais Queneau sait que « les mots ne sont
pas choses anodines » (*PMO*, p. x).

L'œuvre nous est plus qu'un témoignage, elle éclaire la connaissance que nous avons de la vie, mais elle est aussi susceptible de préfigurer le monde. « On n'a pas besoin des guerres, dit Jean Paulhan [...] pour savoir que l'homme est capable, pour peu qu'on l'y pousse, d'immondes raffinements dans la cruauté. Il suffisait pour cela de lire les bons auteurs [...] : Sade, par exemple, le père Bartolomé de Las Casas » (*Fn*, n° 237).

Dès lors, si l'œuvre s'inscrit dans l'Histoire et si elle l'*inscrit*, elle peut également être passible du tribunal de l'Histoire. Queneau remarque dans une chronique de *Front national* que le système hitlérien n'est pas sans rapport avec certains aspects de notre « vie intellectuelle », notamment avec « le roman de gangster et l'humour noir ». Quand bien même on devrait n'être pas d'accord avec un auteur, il est toujours souhaitable d'en analyser les filiations. « Je n'ai jamais compris, dit-il, les efforts faits par certains pour absoudre Nietzsche de toute responsabilité dans l'histoire allemande depuis l'autre guerre. » « Il est bien plus intéressant, poursuit-il, de réfléchir sur Nietzsche en tenant compte de sa postérité même illégitime (j'entends par là le S. S. en tant que représentant le sur-homme) que de l'abstraire totalement du monde moderne. »

Même « désengagé », l'écrivain a des responsabilités au regard de la société ; croire qu'il peut s'abstraire du monde est une erreur : « Il y a dans cette dernière attitude quelque chose de cette tendance de l'homme de lettres à refuser la responsabilité de ses écrits et à accorder cette innocence à tous ses confrères. » Mais Queneau ira plus loin, en affirmant qu'« il est incontestable que le monde imaginé par Sade et voulu par ses personnages (et pourquoi pas par lui ?) est une préfiguration hallucinante du monde où règnent la Gestapo, ses supplices et ses camps ». Puis, décochant une nouvelle flèche contre Breton (« Or Sade fait partie intégrante de l'idéologie surréaliste, par exemple ; et Breton dès 1939,

Gouache et encre de chine de Raymond Queneau,
26,5 x 42,5 cm, s.d.

montrait quelque embarras dans l'exégèse de cet auteur »), il achève sa diatribe d'une formule lapidaire : « Les charniers complètent les philosophies, si désagréable que cela puisse paraître » (*Fn*, n° 382).

Se désengager ne veut donc pas dire s'abstraire du monde, bien au contraire ; la voie choisie par l'écrivain est d'une autre nature. Autre pour l'artiste, elle l'est également pour l'homme en quête de savoir. Or, savoir et connaissance réclament une vigilance de chaque instant, une perpétuelle écoute du monde. Comment saisir l'attitude quenienne sans tenir compte de cette soif de connaissance, de ce besoin de compréhension qui sont pour lui autant d'activités vitales ? Voyez ce que pense Roland Travy lorsqu'il réplique à un Saxel quelque peu dubitatif : « Quelle satisfaction peut-on bien éprouver à ne pas comprendre quelque chose ? » (*Odile*, p. 29).

Néanmoins, il serait erroné de confondre l'œuvre et l'Histoire, l'œuvre et la « vie ». Durant la guerre, Queneau fut frappé par le succès que remportait, auprès du public anglo-saxon, un certain type de romans policiers qui, comme *No Orchids for Miss Blandish*, « décrivent des mœurs "fascistes" ». Voilà un autre bien grand mystère : « Le soldat anglo-saxon se bat contre les S. S. et se distrait en lisant des exploits de gangsters et meurtriers. » Que ces aventures « (qui portées sur le plan politique, provoquent l'horreur) fassent au contraire les délices d'un public démocratique. C'est ce qui montre le mieux ce qui sépare la littérature de la vie ». La différence existe donc et chacun sait qu'

> Il n'est pas de serpent, ni de monstre odieux
> Qui, par l'art imité, ne puisse plaire aux yeux.
> (*Fn*, n° 115)

Vie et œuvre ne sont certes pas identiques, mais, attendu que l'écrivain est partenaire de son temps, son activité ne saurait être prise à la légère. Un écrivain « professionnel », « c'est quelqu'un qui sait qu'écrire est un acte qui ne pèse pas lourd à l'échelle de l'éternité, bien sûr, mais qui à notre échelle humaine représente une activité grave et dangereuse, qui dépasse (pour ne pas dire transcende) la personne de l'auteur[113] ».

La tentation de rendre des comptes à l'Histoire a donc été forte pour l'écrivain ; mais n'était-ce pas se tromper d'objectif ? Quel que soit l'« engagement » qu'elles aient pris, « toutes les écoles depuis le romantisme ont chaque fois diminué la valeur de la littérature, tantôt l'accrochant en remorque à la science, tantôt la réduisant au journalisme partisan, tantôt enfin la réduisant à une morose masturbation [l'art pour l'art] ». Or l'enjeu était de taille, car « le résultat final a [...] été le discrédit total dans lequel est jetée la littérature » (1938, *LVG*, p. 91).

« Couper le cordon qui rattache l'œuvre au monde »

Puisque écrire est une « activité grave et dangereuse », puisque l'œuvre de création ne saurait être propagande, puisque s'engager est un « mystère » qui risque de faire courir un « discrédit total » à la littérature... « en conscience du monde », il n'y a d'autre solution que d'œuvrer dans les sphères propres de l'art.

« J'ai dû écrire », dit Queneau dans un hommage à Miró, « plus d'une page, plus ou moins sotte ou frivole, alors que tel ou tel de mes amis passait entre les mains de la Gestapo. C'est comme ça, c'est comme ça. Il n'est pas difficile de tirer la morale de cette histoire. "Le courage" a dit Miró "consiste à rester chez soi près de la nature qui ne tient aucun compte de nos désastres." » Aussi faut-il, comme Goethe, avouer et assumer l'« égoïsme de l'artiste ». Dès lors, nous comprenons qu'il ne puisse y avoir, pour Queneau, d'autre solution que de « toujours couper sans pitié les multiples cordons ombilicaux qui rattachent l'œuvre d'art au monde des hommes qui souffrent et qui meurent » (*BCL*, p. 308). Cette coupure primordiale, sans laquelle il ne saurait y avoir d'œuvre véritable, apparaît indispensable dès l'instant où la littérature est jugée comme l'unique possibilité de *survivance du bonheur* (*Une histoire modèle*). Mais cette conception ne saurait être monolithique, attendu que la littérature change de statut au fil de l'Histoire et de l'évolution intellectuelle de l'auteur.

Du salut à la sagesse
par la littérature

Dans la préface aux *Œuvres* de Mac Orlan, Queneau écrit que « certain bien peut se trouver grâce à une attitude circonspecte et réfléchie qui mène à la littérature, la littérature qui apparaît comme seule solution ». Ce texte semble reprendre, à travers l'influence de Flaubert, une préoccupation quenienne déjà fort ancienne. En effet, dans *Une histoire modèle* Queneau écrit à propos des possibles « *Survivances du bonheur* », qu'

> Il ne semble pas qu'il faille les rechercher dans le paroxysme rythmé des fêtes, mais bien dans l'élément calme de la littérature. [...] Il n'y a pas d'autre moyen d'être heureux (p. 98).

La publication en 1966 d'*Une histoire modèle* rédigée en 1942 est pour le moins tardive ; cependant, l'écart qui sépare ces deux dates présente une certaine homogénéité qui s'insère dans la période rationaliste. L'auteur met alors l'accent sur le caractère scientifique de son traité, jugé comme une « méditation d'allure mathématique sur l'Histoire » (Prière d'insérer d'*Une histoire modèle*). Ainsi, au sortir de sa première « crise spirituelle », Queneau ne voit d'autre issue que celle permise par le travail et l'« élément calme de la littérature ». La littérature étant, *en soi,* l'unique possibilité de survivance du bonheur, caractéristique de l'« âge d'or » irrémédiablement perdu (*UHM*, p. 49 et 103).

Les trois années qui séparent la publication d'*Une histoire modèle* de la préface consacrée à Mac Orlan, publiée en 1969, vont, en revanche, traduire une évolution notable. Queneau ayant renoué avec des préoccupations d'ordre spirituel, les termes de la question vont tout simplement changer de statut.

« L'œuvre entière de Mac Orlan, écrit-il, est aussi une *Recherche du temps perdu*, retrouvé grâce à la sagesse de l'activité littéraire, activité plus que sagesse mais aussi salut. » La littérature qui, dans *Une histoire modèle* comme dans la préface consacrée à Mac Orlan, « apparaît comme seule solution » n'est plus, dans cette dernière, un *but en soi,* mais un *moyen,* car, au dire de Mac Orlan, elle « n'apporte pas toujours la paix dans l'âme de celui qu'elle nourrit ». Elle change de statut, l'objectif qu'elle s'assigne est distinct, elle va permettre l'accession à une autre « vérité ». La littérature est proprement « salut », dès lors qu'elle est un tremplin pour accéder à la sagesse.

A défaut, elle permet à l'homme de lettres d'« examiner son temps et ses contemporains d'un œil lucide et parfaitement désengagé ». Nous savions déjà que seul le « désengagement » permet l'œuvre ; par un juste mouvement dialectique, nous savons désormais que l'écriture permet également à l'écrivain de se « désengager » du monde. Ainsi, l'écrivain peut « redonner à la vie la dignité qu'elle perd dans les bars, [...] transformer la plus petite crapule en un mythe, la plus vilaine action en une allégorie, les péripéties les plus moches en un symbole lumineux et pur ». Autant de transformations qui correspondent symboliquement aux personnages les plus attachants des romans queniens qui aspirent à la « sainteté ». Voyez Valentin Brû (*Le Dimanche de la vie*), Pierrot (*Pierrot mon ami*) ou le méconnu poète Louis-Philippe des Cigales de *Loin de Rueil*. Ce faisant, Queneau, dans un rapport à l'autobiographie qui lui est propre, parle d'un « salut » qui est le sien, travestissant les luttes qu'il mène pour accéder à la sagesse. Une littérature que l'on peut dès lors considérer comme « planche de salut », ascèse vers la sagesse.

Constance et discontinuités du parcours quenien

Dans les textes consacrés à Pierre Mac Orlan et aux *Écrivains célèbres*, Queneau aborde la création littéraire en termes analogues : le principe de « désengagement », l'« attitude réfléchie » de l'écrivain et l'ensemble des données techniques de l'écriture. Seule différence, notable il est vrai, le point de vue spirituel. Ainsi, des articles de *Volontés* parus dans les années 1930 aux textes théoriques des années 1960, en passant par la période de crise d'avant guerre, les fondements idéologiques de l'art romanesque quenien n'ont pas fondamentalement varié. Seule la période « positiviste » voit s'effacer les préoccupations spirituelles de l'auteur qui en modifient la valeur. Cette très profonde continuité explique, sans doute, qu'en 1953 Breton soit toujours le véritable « pôle de répulsion » qu'il fut dès 1929 et qu'il réapparaisse, quarante années plus tard, sous les traits sataniques dont Queneau l'affubla à plusieurs reprises. « Le diable, dit Mac Orlan, est un "organisateur de désordre" particulièrement appréciable, ne méritant pas plus d'être fréquenté que les truands passés, présents ou futurs... »

Ennemi des sytèmes, Queneau ne put se résoudre à en adopter un seul. En accord avec Sartre contre Breton qui mit le monde « entre parenthèses » (« Situation de l'écrivain en 1947 »), il s'en éloigne aussitôt dès qu'il s'agit de l'« engagement » ou de l'« action ». « Désengagé » contre Sartre, il est « engagé » contre Breton. Pour lui, les termes du

*De gauche à droite : Jean-Marie et Raymond
Queneau, Jean-Paul Sartre, Simone de Beauvoir
et Janine Queneau à Sienne en 1952.*

débat sont incomplets, sinon faussés. Il est des positions irréductibles : Breton fait un mythe de sa vie et de son œuvre, Queneau cherche, quant à lui, à démythifier, voire à démystifier la littérature. Sartre choisit la voie politique, Queneau la quitte promptement pour se consacrer à la littérature. Breton rejette la science, Queneau, anticipant la démarche de Roland Barthes, en annonce l'avènement au sein de la critique littéraire et l'utilise dans sa pratique créatrice. Finalement, comme le remarque Calvino, il devait également se distinguer du Barthes sémiologue : « D'une part, Barthes et les siens, adversaires de la science, qui pensent et s'expriment avec une froide exactitude scientifique ; de l'autre, Queneau et les siens, amis de la science, qui pensent et s'expriment à travers les fantaisies et les cabrioles du langage et de la pensée[114]. » Reste, bien sûr, l'héritage de la « tradition » transmis par Guénon, qui ne pouvait que les séparer.

3
Alchimie de l'œuvre

La démarche théorique n'aurait que peu d'intérêt si elle n'était elle-même issue d'une pratique réfléchie de l'écriture. C'est donc la *structure* et la *matière* de l'œuvre que nous interrogerons désormais, athanor où se réalisent les mystères de la poétique romanesque. Pour ce faire, j'ai privilégié les romans dans lesquels s'élaborent les caractéristiques essentielles de l'écrit quenien : *Un rude hiver* pour la rime et la répétition, *Les Fleurs bleues* pour le principe de réécriture, *Le Vol d'Icare* pour la mise en abyme du cercle et la compréhension du cycle romanesque. En point d'orgue, les « conditions musicales du roman » qui transmettent aux œuvres « les derniers échos de l'Harmonie des Mondes ».

Pour un *Art poétique* du roman

Toute considération sur l'art poétique du roman quenien s'éclaire à la lumière de cette intention première : « Faire du roman une sorte de poème. » « Je n'ai jamais vu de différences essentielles entre le roman, tel que j'ai envie d'en écrire, et la poésie », dira Queneau. Ce qui le conduira inévitablement à subvertir les genres traditionnels : « J'ai même écrit un roman en vers *Chêne et chien*, et j'ai choisi pour cela un sujet qui passe généralement pour ne pas être spécialement poétique, la psychanalyse » (*BCL*, p. 42-43).

Sur la terrasse dite « des Trois Satrapes »,
chez Boris Vian, 1959.

Prenez un mot prenez-en deux
faites-les cuir' comme des œufs
prenez un petit bout de sens
puis un grand morceau d'innocence
faites chauffer à petit feu
au petit feu de la technique
versez la sauce énigmatique
saupoudrez de quelques étoiles
poivrez et puis mettez les voiles

où voulez-vous en venir ?
A écrire
Vraiment ? à écrire ?

(Pour un art poétique,
Pléiade I, p. 270)

Modulant un thème selon les variations propres à l'art de la fugue, l'auteur applique ce précepte aux dix-huit romans qu'il publie de 1933 à 1968, du *Chiendent* au *Vol d'Icare*. En 1937, il expose les principes de sa démarche dans « Technique du roman ». Il s'insurge alors contre le fait que « le roman, depuis qu'il existe, a[it] échappé à toute loi », contrairement à la poésie qui « a été la terre bénie des rhétoriqueurs et des faiseurs de règles » et se propose de remédier à « un tel laisser-aller ». « Si, dit-il, la ballade et le rondeau sont péris, il me paraît qu'en opposition à ce désastre une rigueur accrue doit se manifester dans l'exercice de la prose » (*BCL*, p. 27-33).

Observance de la règle, polissage de la structure selon des « formes éprouvées », jeux du rythme et de la rime... autant de principes qui font du roman un véritable poème, comme l'a montré Claude Simonnet à propos du *Chiendent*. Mais ces poèmes, faut-il le préciser, ne relèvent ni de l'écriture automatique ni du vers libre. Leur plus proche parent est le sonnet, forme poétique des plus rigoureuses, des plus contraintes : « Je me suis fixé des règles aussi strictes que celles du sonnet » (*BCL*, p. 42).

« Technique du roman » est né d'une réflexion approfondie sur le genre romanesque ; réflexion récente chez les romanciers confrontés à la « déliquescence » du genre, bien qu'il y ait eu quelques précurseurs en la matière, les écrivains anglo-saxons en particulier ou encore Tolstoï qui est « avec Flaubert, le père de la littérature romanesque contemporaine, tant américaine que française » (*Fn,* n° 291). D'après Queneau, cette réflexion est nouvelle en ce sens qu'elle interroge la *technique* du roman. Deux exemples significatifs nous sont alors donnés par Faulkner et Proust.

Si Proust « demeure un grand écrivain », c'est « parce que, lui aussi, s'est posé et a résolu les problèmes de l'existence même et de la technique du roman » (*EC,* 3, p. 229). Entre *Moustiques* et *Le*

Bruit et la Fureur, Faulkner a, quant à lui, « vécu »
ce que Queneau appelle un « événement créatif », il
a « résolu un problème de technique », passant « du
monde de l'empirisme chimique dans celui de la
théorie verbale » (*BCL*, p. 127). Pour Queneau, la
révolution romanesque de ce siècle est avant tout
consciente et *volontaire*, elle réfute en cela l'expéri-
mentation empiriste et inconsciente du surréalisme.

Ainsi, même s'il fut essentiel, ce n'est pas tant le
débat sur les fondements idéologiques du roman
qui prime, mais bien celui sur la technique. Au
demeurant, « un romancier qui n'a pas réfléchi sur
et à la technique des autres n'est pas un romancier », dira Queneau en préfaçant *Moustiques* (*BCL*,
p. 129).

Le roman se construit de droites et de cercles

> les beaux jours s'en vont
> les beaux jours de fête
> soleils et planètes
> tournent en rond
> mais toi petite
> tu marches tout droit
> vers sque tu vois pas
> (« Si tu t'imagines »).

Abordant *A la recherche du temps perdu*, Queneau insiste sur le fait que sa « construction » est
« aussi solide et complexe que celle d'*Ulysse* ».
« Proust écrivit la dernière phrase de son roman
immédiatement après la première et tout le livre a
ainsi une structure "réfléchie" » (*EC*, 3, p. 229).
Obsession d'une structure réfléchie qui n'appartient
pas à proprement parler au paradigme des romans
circulaires et dont *Le Chiendent* serait le parangon,
mais plutôt à ceux qui révèlent l'influence gidienne
des *Faux Monnayeurs* dont se réclamait Queneau ;
à savoir les romans mis en abyme, tel *Le Vol d'Icare*
où le romancier s'inscrit dans la fiction, elle-même

128

conduite par des personnages romanciers et dont les personnages – au second degré – sont à leur tour en quête d'auteur. Dans cette mise en abyme, l'image d'origine est à rechercher au-delà du tain de chaque miroir entre lesquels est prise la fiction, car l'existence du romancier renvoie elle-même au reflet d'un démiurge qui le transcende ; d'où la dimension spirituelle de la *construction* que l'on aura soin d'évoquer à la lecture du *Vol d'Icare*.

Du cercle et de la droite évoqués à propos d'*Odile* retenons principalement les deux manières romanesques de l'auteur : « Le roman linéaire appartenant à la seconde manière de Queneau, la manière optimiste – la pessimiste étant représentée, au plus haut degré, par le cyclique *Chiendent* » (A. Calame, *AVB*, n° 15, p. 33). La mise en abyme est une variante du roman linéaire, car « le roman se reflète lui-même indéfiniment, il ne se répète pas. Reflet et circularité ne sont pas orientés selon le même axe, mais perpendiculaires ; le premier relève du spéculaire, du spatial ; la seconde, du temporel » (*ibid.*).

Résumé schématique d'une écriture qui se verra soit enfermée dans les cycles de l'Histoire, soit ouverte à la promesse d'autres espaces ; ainsi des deux visions pessimiste et optimiste du roman quenien. Qu'on ne s'y trompe pas, le passage du temporel au spatial ne trahit pas le jeu d'une simple métaphore ; pour Queneau, il semble bien à l'image de cette fin de cycle, « fin d'un monde », qui marque une transformation profonde dans l'attitude de l'auteur[115].

Circulaire *Le Chiendent* où « le cercle se referme et rejoint exactement son point de départ : ce qui est suggéré [...] par le fait que la dernière phrase est identique à la première ». Le « mouvement » de *Gueule de pierre*, également « circulaire, au dire de Queneau, ne retrouve pas son point de départ, mais un point homologue, et forme un arc d'hélice : le signal final du Zodiaque, les Poissons, ne se situe pas sur le même plan que les poissons-bêtes ». Circulaires aussi, *Les Derniers Jours* « dont le cycle n'est plus que saisonnier, en attendant que les saisons disparaissent : le cercle se brise dans une catastrophe : ce que le personnage central dit explicitement dans le dernier chapitre » (*BCL*, p. 28-29). Circulaire également *Les Enfants du Limon* dans la composition même des chapitres, mais avec cette particularité tout de même, « le roman réalise la quadrature de l'Histoire » puisqu'il « conjugue mythiquement les grandes formes antagoniques – cercle et droite, cycle et progrès, "labyrinthes circulaires" et "voie droite" de saint Augustin » (*AVB*, n° 15, p. 33-39).

En apparence linéaires et de ce fait déterminés par l'Histoire, *Odile*, *Un rude hiver*, *Le Dimanche de la vie*, *Zazie dans le métro*, voire, « certains aspects des *Fleurs bleues* » (*ibid.*, p. 36). Attendu qu'il s'achève sur le constat d'un temps écoulé, *Zazie* peut passer pour le plus caractéristique des romans linéaires appartenant à la seconde manière de Queneau, dite optimiste. A la question de sa mère : « Alors, qu'est-ce que t'as fait ? », laconiquement, Zazie répond : « J'ai vieilli » (p. 188). Cette réponse sonne – à un autre niveau – comme l'écho du poème « Si tu t'imagines ». Pourtant, la scène se passe à la gare d'Austerlitz, rime de situation par identité de lieu, les premières pages du roman s'ouvrant sur l'atmosphère aux senteurs nauséeuses de la même gare. La construction suggère une œuvre circulaire. Mais la rime finale est décalée ; du quai de gare, elle passe au compartiment de train dans lequel Jeanne Lalochère « fit monter » sa fille. *Ascension* analogue à celle d'*Odile* qui, bien que modeste, traduit avec la réponse de Zazie une sortie du cercle par *élévation*.

Pour *Odile* et *Un rude hiver*, A. Calame avait déjà constaté que ces « romans linéaires présentent dans une première partie une structure circulaire

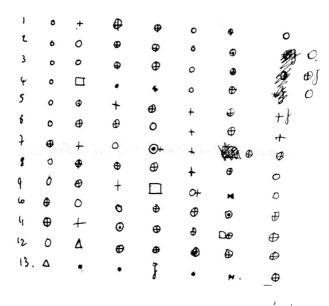

Dossier préparatoire du Chiendent, *tableau manuscrit proposant une classification des « genres » textuels utilisés dans chaque chapitre du roman (CDRQ, D. 42).*

que les héros parviennent à briser, à transformer
en structure linéaire, et que [...] c'est à la femme
qu'il appartient d'opérer l'inversion ou de la provoquer : autrement dit, d'opérer le passage du cercle à
la droite, de donner naissance au héros » (*L'Herne*,
p. 266). En d'autres termes, la femme permet au
héros « de rompre le cercle de la névrose et d'accéder au progrès, à l'accomplissement, au linéaire ».
Si le cercle et la droite sont « inconciliables dans le
plan », ils « cessent de l'être dans l'espace ». Ainsi,
« avec l'hélice, le cercle cesse d'être l'inverse de la
droite et de s'y opposer » (*AVB*, n° 15, p. 37). Or le
mouvement hélicoïdal est celui-là même que proposait Queneau pour la construction de *Gueule de
pierre*, incitant son lecteur à changer d'espace
(*BCL*, p. 29).

Cette obsédante structure en base circulaire –
dût-elle, par la droite, évoluer vers l'hélice – n'a
rien de surprenant si on se souvient que toute
« l'activité romanesque occidentale depuis sa création, c'est-à-dire depuis Homère » peut être classée
« soit dans la lignée de *L'Iliade*, soit dans celle de
L'Odyssée » (*EGC*, p. 57). Le rapport de cause à effet
ne semble pas évident, pourtant...

La distinction entre les deux œuvres est fort
simple ; selon Queneau, « on peut dire que la fiction
a consisté soit à placer des personnages imagi-
naires dans une histoire vraie, ce qui est *L'Iliade*,
soit à présenter l'histoire d'un individu comme
ayant une valeur historique générale, ce qu'est
L'Odyssée ». Dans ces deux œuvres fondatrices on
trouve « à peu près toutes les techniques du
roman », y compris la très moderne mise en abyme
que nous avons évoquée. Par ailleurs, il semble
qu'il y ait plus d'Odyssées que d'Iliades ; toute
Odyssée étant « l'histoire d'un individu qui, au
cours d'expériences diverses, acquiert une personnalité ou bien affirme et retrouve la sienne, comme
Ulysse » ; ce qui revient à dire que « toute vie est

une Odyssée » ; en d'autres termes, que « tout récit autobiographique est une Odyssée » (p. 58 à 62). Or nous savons que « mémoires, journal, roman, essai, conte, nouvelle, poème, critique littéraire », bref, tout type d'écrit relève de l'autobiographie et donc, logiquement, de *L'Odyssée* (*LVG*, p. 205). Considérant par ailleurs cette Odyssée particulière « à travers les sciences, les lettres, les arts » qu'est *Bouvard et Pécuchet*, Queneau remarque que les deux personnages « se retrouvent eux aussi tels qu'ils étaient au début du roman puisque la conclusion du livre, c'est qu'ils se remettent à copier, comme Ulysse se remettra à être le roi de sa petite île » (*EGC*, p. 59). La structure de *L'Odyssée* est circulaire. Il appert donc que le cercle est la structure privilégiée de tout écrit. Et c'est de cette obsédante construction en base circulaire que l'auteur tentera finalement de s'échapper.

Les gages du classicisme

Entre néo-romantiques et classiques, la *construction* rigoureuse et le respect des *règles* choisies vont déterminer la parenté du romancier. Ainsi, Proust « est par sa technique un classique », car, avec Joyce, il est « l'un des premiers à avoir *construit* un roman » (*BCL*, p. 225). D'ailleurs, Proust s'en était lui-même expliqué à B. Crémieux : « On méconnaît trop que mes livres sont une construction, mais à l'ouverture de compas assez étendue pour que la composition *rigoureuse* et à quoi j'ai tout sacrifié, soit assez longue à discerner. On ne pourra le nier quand la dernière page du *Temps retrouvé* (écrite avant le reste du livre) se refermera exactement sur la première de Swann. » Répondant à Georges Charbonnier, Queneau dira : « J'ai toujours pensé qu'une œuvre littéraire devait avoir une structure et une forme, et dans le premier roman que j'ai écrit, je me suis appliqué à ce que cette structure soit extrêmement stricte, et de plus qu'elle soit multiple, qu'il n'y ait pas une seule structure, mais plusieurs » (p. 47). Reste que cette pratique ne se cantonne pas au seul domaine romanesque, puisque c'est à propos d'un recueil de textes critiques et théoriques qu'il écrira : « Je n'aime pas beaucoup les livres dépourvus de toute construction » (*LVG*, p. 10).

Queneau avait déjà placé « Technique du roman » sous les auspices d'un grand classique, citant Corneille en exergue : « Les règles (des Anciens) sont bonnes, mais leur méthode n'est pas de notre siècle » (*BCL*, p. 26). De fait, « chacune des sections du *Chiendent* est une [...] comme une tragédie, c'est-à-dire qu'elle observe la règle des trois unités ». Unités de temps, de lieu et d'action, mais également unité de « genre ». Et l'auteur de dresser la liste des genres qui composent son roman avant de décocher un nouveau pied de l'âne au surréalisme : « récit purement narratif, récit coupé de paroles rapportées, conversation pure (qui tend à l'expression théâtrale), monologue intérieur en *je*, monologue rapporté (comme si l'auteur pénétrait les moindres pensées de ses personnages) ou monologue exprimé (autre mode également théâtral), lettres [...], journaux [...] ou récits de rêves (qu'il faut utiliser avec réserve tant ce genre se galvaude)[116]. »

A l'unité de genre Queneau ajoute la loi de récurrence des personnages. « Pas plus que le reste, la répartition des personnages ne doit être laissée au hasard, car toute une partie de leur sens dépend d'elle. » Qu'ils puissent « s'échapper de leurs bocaux brisés » ou qu'ils soient considérés « comme des pièces sur un échiquier » ne saurait lui convenir. A leur niveau, les personnages participent de la construction et de la rime romanesques. Ainsi, « deux personnages ou deux groupes, distincts mais cependant autonomes, peuvent exprimer une même réalité, une même tendance, un même type ; d'où les chapitres en écho ou en miroir » (*BCL*, p. 32-33).

Claude Simonnet précise que l'auteur « s'oppose ici délibérément à l'esthétique romanesque de Gide, qui déclare dans le *Journal des faux monnayeurs* : « Il n'est pas nécessaire qu'il y ait deux sœurs. Il n'est pas bon d'*opposer* un personnage à un autre, ou de faire des pendants (déplorables procédés romantiques) » (*Qd*, p. 44).

Mais rigueur ne signifie pas systématisme ; anticipant sur la notion de *clinamen,* qui deviendra l'une des pierres de touche de la théorie oulipienne[117], Queneau ajoute que, dans la construction des sections de son roman, « naturellement, la quatre-vingt-onzième sort de la règle » (*BCL*, p. 31). Principe qu'il réitère pour d'autres ouvrages : « Dans les romans qui ont suivi [*Le Chiendent*], je me suis toujours appliqué à ce qu'il y ait des règles », mais, ajoute-t-il, « petit à petit, pour les besoins de la cause, je n'ai pas toujours obéi à moi-même. » Ainsi, dans *Les Derniers Jours*, le rythme de lecture a prévalu sur la construction rigoureuse définie au préalable : « j'ai enlevé l'échafaudage et syncopé le rythme » (p. 33). Le romancier devant parfois reconnaître une certaine liberté à ses personnages qui « se sont développés d'une façon un peu autonome » (*EGC*, p. 54).

En 1964, parlant de l'Oulipo, l'auteur considère *L'Art poétique* de Boileau comme « l'un des plus grands chefs-d'œuvre de la littérature française » (*BCL*, p. 326), après l'avoir placé en exergue à *Chêne et chien*, recueil défini comme un « roman en vers » : « Quand je fais des vers, je songe toujours à dire ce qui ne s'est point encore dit en notre langue. » Voici donc, à une trentaine d'années de distance, les pôles de référence entre lesquels se situe *L'Art poétique* du roman quenien : Corneille et Boileau, avec en amont la filiation des Homère, Flaubert, Joyce, Faulkner et autres Gertrude Stein... tous considérés comme des classiques. Or, nous l'avons vu, « toute littérature *fondée* doit être dite classique » (*LVG*, p. 11).

La rime romanesque

Construction, règles et cycles... il ne manque plus à notre roman que l'un des traits distinctifs de l'écriture poétique, la rime, inséparable du rythme sonore qu'elle imprime au poème. Adapter la rime au roman a probablement été l'une des innovations décisives de *L'Art poétique* de Queneau : « J'ai écrit d'autres romans, dit-il, avec cette idée de rythme, cette intention de faire du roman une sorte de poème. » Avant d'ajouter qu'« on peut faire rimer des situations ou des personnages comme on fait rimer des mots, on peut même se contenter d'allité-rations » (*BCL*, p. 42). Ce principe a été inauguré par d'autres écrivains, Proust notamment qui jongla avec les « symétries » (*cf. AVB* n° 16-17, p. 47-48). Néanmoins, Queneau innove lorsqu'il systéma-tise le principe et en explore toutes les poten-tialités. Une double attitude d'analyse et de syn-thèse puis d'application, que l'on retrouvera dans la démarche oulipienne. Bref, « pour bien comprendre, rien ne vaut la pratique » (*BCL*, p. 239).

Épuiser les jeux de la rime dans l'œuvre de Que-neau serait illusoire ; je me contenterai donc d'en exposer quelques aspects essentiels à travers la lec-ture d'*Un rude hiver* paru en 1939[118]. Marqué par le scepticisme politique grandissant de son auteur que l'attitude du personnage principal traduit à merveille[119], ce roman de « double guerre » valse entre deux pôles élémentaires, d'eau et de feu ; pôles symboliques de la *Salamandre*, titre auquel l'auteur songea avant de l'écarter. Exemplaire de la rime romanesque, *Un rude hiver* l'est à n'en pas douter. Alors même que le roman se joue de toutes les variations de la rime, l'image du double imprègne le texte *structurellement*.

La répétition,
le « second aspect de l'Histoire »

> … c'est toujours la même histoire. Oui, la même. I vous arrive tout l'temps les *mêmes* histoires. C'est drôle, hein? (*Le Chiendent*, p. 360).

Un autre titre écarté par l'auteur, *Comme à la guerre*, laissait entendre l'ambivalence historique de ce roman écrit à la veille de la Seconde Guerre mondiale et dont l'action se déroule durant la première. Cette histoire « En partie double » naît d'une triste répétition, « Hegel fait quelque part cette remarque que tous les grands événements et personnages historiques se répètent pour ainsi dire deux fois ». Et Marx de préciser : « Il a oublié d'ajouter : la première fois comme tragédie, la seconde comme farce. » *La Mort des rigolos*, ce nouveau titre initialement prévu par Queneau, s'offre en écho à la citation de Marx. Mais l'auteur sera plus explicite encore lorsqu'il donnera, comme « second aspect de l'Histoire », « celui de la répétition », laissant entendre à la fin d'*Une histoire modèle* qu'il « aurait sans doute alors envisagé la possibilité de rythmes dans les différentes civilisations » (p. 94 et 114).

Dans *Un rude hiver* la répétition de l'Histoire prend une saveur particulière, car la Première Guerre mondiale y est relatée à travers le prisme déformant des débuts de la seconde. La chronologie du récit et l'historique de l'acte d'énonciation montrent que ni la guerre de 1914 ni celle de 1939-1940, qui s'annonce à grand bruit, ne sont choses assimilées par l'écrivain. Ce sont là tranches d'histoire qui ballottent personnages et auteur et contre lesquelles le romancier ne possède qu'une seule arme, la rhétorique. Nous avons vu quelle importance pouvait avoir cette arme au niveau théorique ; désormais, Queneau nous montre le rôle *effectif* qu'elle peut être menée à jouer dans le cadre romanesque.

Pour ce qui est de la chronologie, le texte nous

livre deux types d'informations ; d'une part, des éléments de datation diégétiques (dates, saisons, etc.) et, d'autre part, un ensemble de références qui campent la situation historique, toile de fond du roman. On peut ainsi retracer l'histoire du récit (diégèse) et dater chaque chapitre en tenant compte d'indices tels que : « C'est aujourd'hui le jour le plus court de l'année » (p. 149), autrement dit, ce passage se déroule au solstice d'hiver, c'est-à-dire le 21-22 décembre « selon les astronomes » (p. 125). Par ailleurs, les indices événementiels nous permettent de replacer le récit dans une trame historique déterminée. Dans le deuxième chapitre, par exemple, s'adressant à Mme Dutertre, « Bernard Lehameau voulut parler de l'actualité. / – Alors, dit-il, vous avez vu, François-Joseph est mort » (p. 30). L'empereur d'Autriche décède le 21 novembre 1916, la scène se situe donc peu après cette date. La confrontation de ces deux types d'informations autorise un tracé historique d'*Un rude hiver* très précis.

Fait intéressant, l'ensemble de la chronologie s'articule autour de la seule date livrée par le texte. Se remémorant l'incendie des Grandes Galeries normandes, Alcide constate le cours inexorable du temps : « Il y a maintenant de cela treize ans » (p. 100). Un peu plus tard, Lalie fait subir à M. Frédéric le « récit détaillé circonstancié minutieux et anecdoté de la catastrophe du 21 février 1903 » (p. 124). L'année ne fait aucun doute, 1903 + 13, nous sommes en 1916 ; le lieu non plus, puisque la ville du Havre est citée. Mais le point de référence qui permet de dater l'action renvoie à une catastrophe (l'incendie des Galeries qui a entraîné la mort de la mère et de la femme de Bernard, héros principal du roman), tout en s'inscrivant dans l'autobiographie, ainsi que le rappelle le distique initial de *Chêne et chien* : « Je naquis au Havre un vingt et un février / en mil neuf cent et trois » (*Pléiade* I, p. 5).

Photomaton, 1928.

Trois points essentiels émergent des différents modes temporels employés par Queneau. Le premier a trait à la date de naissance de l'auteur, qui marque l'origine des malheurs de son personnage principal et, par là même, l'origine du récit : où l'autobiographie détermine l'histoire et s'inscrit dans la narration. Sur la trame historique, l'écrivain file une chaîne psychologique et personnelle. Ce faisant, il illustre, avant la lettre, l'un des préceptes théoriques d'*Une histoire modèle* pour laquelle « l'histoire est la science du malheur des hommes ». Or, Queneau postule ensuite que, sans malheur, d'une part « l'histoire serait sans objet » et, d'autre part, qu'« il n'y aurait rien à raconter », attendu que « tout le narratif naît du malheur des hommes » (p. 9, 15 et 21). La réflexion théorique et mathématique sur l'Histoire rejoint la fiction, la confirme et l'explique. Rappelons qu'*Une histoire modèle* a été rédigé en 1942, *Un rude hiver* publié en 1939.

Le deuxième mode de référence est autrement discret puisqu'il nous est révélé par les avant-textes. Ainsi, la première page manuscrite du roman est-elle datée du 10 octobre 1916, jour de la fête nationale chinoise. Pour discret qu'il soit, ce mode de référence n'en est pas moins important, car il s'inscrit dans l'une des caractéristiques essentielles de l'écriture quenienne, à savoir le principe d'effacement sur lequel je reviendrai (*cf.* chap. 4). Disons simplement qu'il consiste à extraire du texte définitif les éléments susceptibles de révéler certaines données profondes du texte – en fonction de son époque de parution –, que ces données soient d'ordre philosophique, idéologique ou qu'elles soient plus personnelles.

Le troisième mode de référence utilisé pour dater le texte est le plus simple. Il joue sur le référent historique et sur les indicateurs de temporalité insérés dans la chronologie du texte. Bien qu'aisément repérables dans de nombreux autres romans (l'anniversaire de la mort d'Apollinaire, le procès de Landru, le match Carpentier-Dempsey dans *Les Derniers Jours* ; la guerre du Rif, les manifestations surréalistes, la manifestation Sacco et Vanzetti dans *Odile* ; le début des années 1930, la crise de 1929, la montée des ligues d'extrême droite, les manifestations anti-fascistes, l'allusion à l'incendie du Reichstag, l'émeute antiparlementaire du 6 février 1934 dans *Les Enfants du Limon*; le Front populaire, l'Exposition internationale de 1937, Munich, la « drôle de guerre » dans *Le Dimanche de la vie* ; les grèves d'après-guerre dans *Zazie*, etc.[120]), ces indicateurs sont particulièrement nombreux dans *Un rude hiver*. Le besoin de coller à l'histoire événementielle, au référent historique, est à ce point saillant dans le roman qu'il marque la difficile distanciation des événements vécus.

Queneau vit une guerre au présent, qu'il décline au passé et dont il ne voit pas l'issue future.

« *L'histoire écrasait le roman de sa patte épaisse* »

L'architecture historique d'*Un rude hiver* est linéaire, bornée de deux dates, elle est inscrite dans un référent historique enfermé par l'écriture de l'Histoire. C'est une histoire close, passée, qui n'offre aucun espoir futur à la collectivité. La solution du récit est d'ordre purement personnel, la sagesse de Lehameau (réécriture du nom *Hamlet* qui veut dire *hameau* en anglais) est réduite à la sagesse d'un seul homme qui a su répondre à la question de Hamlet : « Être ou ne pas être ? ». Elle se traduit dans l'espérance promise par « une flamme », Annette (p. 221), en tous points comparable à la petite lumière d'*Odile*. Nous sommes loin des espoirs énoncés au cours de la période « révolutionnaire » de l'auteur ; pour Bernard Lehameau qui est « devenu un bien grand sage » (p. 220), l'échappée a un caractère purement individuel, elle est d'ordre spiriduel et amoureux et en cela identique à celle de Roland Travy (*Odile*).

Bernard « pensait à la guerre par exemple, à celle qu'il avait faite et aussi à celle qui continuait à se faire » (p. 16). Dès les premières pages, Queneau joue sur l'ambiguïté du référent historique, ainsi que sur les relations entre l'Histoire et la narration. La raison essentielle qui fit de cet ouvrage un texte aussi précisément ancré dans l'Histoire, au point de s'en aveugler, tient en une seule phrase exprimée par le narrateur : « L'histoire écrasait le roman de sa patte épaisse » (p. 178).

Dans *Un rude hiver*, il n'y a pas pour Queneau d'échappée possible, attendu que l'Histoire imprime son propre mouvement à la création, au point de « l'écraser ». En 1939, l'auteur vit sous l'emprise de l'Histoire, de la catastrophe, qu'il traduit comme autant d'événements inscrits dans sa propre biographie. La sortie de la guerre, l'échappée historique, l'auteur ne l'exprimera qu'en 1946, dans le dernier *Exercice de style* qui symbolise la libération d'une parole aliénée. Or on notera qu'entre 1939 et 1946 se situe la rupture spirituelle de 1941, qui marque un retour à l'espérance politique, avant que celle-ci ne disparaisse définitivement.

« L'une des plus odoriférantes fleurs de rhétorique »

Dans *Les Fleurs bleues*, le duc d'Auge[121] assène à son maître queux une de ses réparties dont il a le secret (p. 65) :

Le duc d'Auge. – ... Je m'attends à ce qu'il prenne des mesures antiféodales pour nous rogner les ongles et nous mettre au pas [...]. Ce procès de notre bon ami Gilles annonce des mesures antiféodales et sournoises pour nous rogner les ongles et nous mettre au pas.
Le maître queux. — Messire, vous vous répétez.
Le duc d'Auge. – D'abord ce n'est pas tout à fait exact : j'ai ajouté un adjectif et ensuite apprends, épaisse

brute, que la répétition est l'une des plus odoriférantes fleurs de rhétorique.

Narcense nous avait déjà prévenus lorsqu'il répliquait à Pierre Le Grand : « Il se répète : mais ne vous répétez-vous pas ? Qui ne se répète pas ? Il est moins habile que d'autres, voilà tout » (*Le Chiendent*, p. 34). Reste que, dans *Un rude hiver*, la répétition est une « fleur de rhétorique » dont l'auteur usa à la limite du bégaiement et ce à tous les niveaux d'écriture du roman.

La rime macabre
de Hamlet et Lehameau

Rimes de situations et rimes de personnages dans *Un rude hiver* : Bernard et Sénateur Lehameau, veufs et orphelins de mère le même jour ; orphelins également Madeleine, Annette et Polo, ainsi que la cuisinière des Geifer ; veuve aussi Mme Dutertre. Quant aux deux femmes aimées de Bernard, elles ont un point commun : le père d'Helena était maquereau, Madeleine est prostituée. Rimes qui s'expriment parfois dans l'opposition d'un des termes du couple eau-feu ou sur l'inversion des rapports de parenté, ainsi le fils de Mme Dutertre s'est noyé, la mère de Bernard a péri dans les flammes (l'analyse du couple eau-feu participe également de la répétition rhétorique). Répétition des événements : l'incendie des Galeries normandes, le torpillage du bateau hôpital le *Zbélia*, etc.

Autant de situations dont l'origine ou le point commun est la mort ou l'échec. Répétitions de nombres également, le 15 par exemple : Madeleine s'occupe d'Annette et Polo depuis quinze ans, *Le Journal d'un bourgeois de Paris* est un ouvrage du XVe siècle cité dans le quinzième chapitre, etc. Répétition encore dans la parodie littéraire, Shakespeare, bien sûr : lorsque Hamlet tue l'espion Polonius, il feint de le prendre pour un rat (acte III, scène 4) ; Bernard Lehameau qualifiera l'espion M. Frédéric de rat (p. 135), rat de bibliothèque dont la figure tutélaire était elle-même un personnage de théâtre.

Si, pour ce qui est de l'art de la répétition, l'auteur se réclamait de Proust, en parodiant Shakespeare, il rendait hommage à ce dernier :

> *Polonius.* – ... Discuter [...] pourquoi le jour est le jour, la nuit la nuit, et le temps le temps, ce serait perdre la nuit, le jour et le temps. En conséquence, puisque la brièveté est l'âme de l'esprit et que la prolixité en est le corps et la floraison extérieure *[voilà une « fleur de rhétorique » cueillie fort à propos]*, je serai bref. Votre noble fils est fou, je dis fou ; car définir en quoi la folie véritable consiste, ce serait tout simplement fou. Mais laissons cela.
> *La Reine.* – Plus de faits, et moins d'art !
> *Polonius.* – Madame, je n'y mets aucun art, je vous jure. Que votre fils est fou, cela est vrai. Il est vrai que c'est dommage, et c'est dommage que ce soit vrai. Voilà une sotte figure. Je dis adieu à l'art et vais parler simplement... (*Hamlet,* trad. fr. de F.-V. Hugo, Garnier-Flammarion, n° 6, 1964, p. 287-288.)

Entre le dire et le taire

> – Il y a aussi les sons, les bruits, les mots, tout ce qui entre par l'oreille. Il y en a qui viennent de très loin, de radios qui hurleraient de l'autre côté d'une montagne. Il y a des phrases qui se répètent idiotement.
> Il s'arrêta, il ne voulait pas gaffer. (*Le Dimanche de la vie,* p. 172).

Parler simplement avec cet art raffiné de la répétition, voilà sans doute l'une des qualités des personnages queniens. A commencer par les tics de langage. Sénateur, par exemple, dont le discours est constamment rythmé par le doublon exclamatif « ah, ah », allusion au célèbre « Ha Ha » de Jarry, mais également parangon du genre dans l'œuvre de Queneau et dont le frère de Sénateur se moquera non sans humour. Citons les multiples « hi, hi » d'Annette[122], les « hm hm » de Bernard et autres

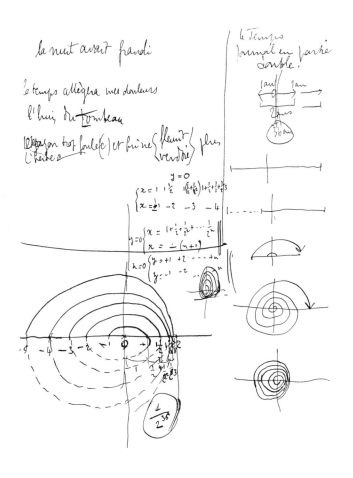

*Dossier préparatoire d'*Un rude hiver.
*A propos du temps, Queneau note sur le manuscrit
« Journal en partie double »; l'image de la spirale évoque
la structure du roman « en partie double » ainsi que
les notions de ré-volution et d'évolution (CDRQ, D. 51).*

« si, si » de Mme Dutertre. Le registre s'étend et contamine le niveau lexical ; ce sont alors les « ça va, ça va » de Polo, les « patience… patience » ou les « Comment ? Comment ? » de Lehameau. Avec malice, dès les premières pages du roman, Queneau livre un indice de sa pratique dans cette emphatique répétition de la brièveté : « Bref et bref il se créait lentement et sûrement une sale réputation » (p. 14).

Un rude hiver n'est pas le seul roman à user de tels procédés. Songez à la célèbre clausule zaziesque qui ponctue ses réparties et dégonfle la prétention du discours quotidien d'un « mon cul » bien placé. Si le grand singe papion Bosse-de-Nage de Jarry ne savait de parole humaine que « Ha Ha », Laverdure, le perroquet de *Zazie dans le métro* en saura à peine plus, lançant à la cantonade son « Tu causes, tu causes, c'est tout ce que tu sais faire » ; dans *Loin de Rueil*, M. Choque a pour tout vocabulaire : « Ça bichebiche mézigue, ça bichebiche beaucoup… » et Martine rythme ses réponses d'un immuable « Toi alors tu me fais rire… » ; Jean-Sans-Tête a la plainte d'un disque rayé : « Pra-pra-pra… Cuterie-cuterie… » ou encore « Et meussieu Brû, comment ça va, meussieu Brû, comment ça va, meussieu Brû, comment ça, comment ça, comment ça… » (*Le Dimanche de la vie*, p. 170).

Deux types de discours donc, qui correspondent à des personnages fort différents. La clausule qui dégonfle la prétention ou défamiliarise le langage, afin de lui redonner vie ; c'est le propre de Zazie ou de certains personnages d'*Un rude hiver*. A l'inverse, il y a les personnages secondaires qui, pour différentes raisons, sont frappés d'aphasie, ne disposant plus du vocabulaire susceptible de les faire exister au sein du monde romanesque.

Le discours de Queneau oscille entre deux extrêmes ; parole pleine, consciente de ses failles, qui ne cesse de se remettre en cause, ou parole vide, muette, qui un jour s'est figée. Dialectique du dire et du taire, entre les termes de laquelle s'élabore une véritable pathologie du bégaiement; dialectique à laquelle l'auteur se confronta au cours de son analyse :

> Cependant je revins! j'étais devenu muet.
> Le silence est donc double et j'essaie de cet autre,
> mais si dire est pénible, encor bien plus se taire.
> L'analyse reprend son cours interrompu.
>
> (*Chêne et chien*, *Pléiade* I, p. 27).

Les rimes embrassées
d'une « fleur de chair »

Mais la variation se joue aussi de la syntaxe. Ainsi chez Sénateur : « Erreur, frérot. Erreur, monsieur mon frère » (p. 52); chez le narrateur : « Le thé était très mauvais naturellement. Ils commencèrent par prendre du thé naturellement » (p. 79); un peu plus tard : « Un homme qui prenait l'amour au sérieux, qui prenait au sérieux l'amour... » (p. 126); puis à propos de M. Frédéric : « Un manque de tact suisse, un manque suisse de tact » (p. 137), etc.

Le jeu prend une tout autre dimension lorsqu'il atteint la phrase ou le paragraphe, comme si l'acte d'écriture relevait de la pathologie. Écrasé par l'Histoire qui se répète, il semble que l'auteur en soit réduit, à son tour, à répéter les phrases essentielles de son discours. De fait, la répétition porte sur les scènes où l'émotion des personnages est à son comble.

Des innombrables exemples que nous offre le roman je ne retiendrai que les deux suivants : « Il prit la main d'Annette et la tapota paternellement. [...] Lehameau tenait la main d'Annette et la tapotait paternellement » (p. 67-68). Enfin, lorsque les personnages arrivent au paroxysme de l'émotion (« Leurs lèvres se séparent et le vent glisse entre leurs visages comme un couteau », p. 172-173), la phrase est reprise intégralement, sans variation aucune; écholalie tragique de la séparation. Or le jeu répétitif du roman est construit avec la rigueur

Raymond et Janine Queneau
au Canadel dans le Var, en 1931.

poétique dont elle se réclame. Aux rimes du poème répondent les rimes phrastiques, dont la prosodie s'élabore à partir de règles tout aussi contraignantes. Reprenons le premier paragraphe du chapitre IX (p. 125-126) en tenant compte uniquement des rimes phrastiques :

> La mer était la même qu'au premier jour *[a]* [...] Lehameau tenait dans ses mains les mains d'Helena *[b]* et sous la table leurs jambes étaient entrecroisées *[c]*. Lehameau tenait dans ses mains les mains d'Helena *[b]* et lui déclarait son amour *[d]*. Il lui déclarait son amour *[d]* [...] et sous la table leurs jambes étaient entrecroisées *[c]* [...] La mer était la même qu'au premier jour *[a]* [...].

Les rimes a-b-c-b-d-d-c-a, croisées et embrassées, rythment le paragraphe dans lequel s'inscrivent la répétition lexicale, l'utilisation de synonymes ou le listage d'adjectifs et d'adverbes. Enfin, l'analyse phonétique révèle une forte propension à la répétition, à l'allitération et à l'euphonie. Ultime prouesse rhétorique, les rimes phrastiques se croisent, alors que, sous la table, les jambes de Bernard et d'Helena s'entrecroisent. Le paragraphe suivant est construit sur le même principe ; voici donc deux scènes où le silence des personnages, accaparés par le langage gestuel, est pris en charge par la poétique romanesque.

La répétition est à ce point inscrite dans l'esprit de Queneau que la « fleur de rhétorique » devient pour ses personnages « fleur de chair » et synecdoque d'amour – oreille rabelaisienne d'où sourd toute naissance. Et ce parallèle s'établit au cours d'une scène où situations et personnages riment entre eux (p. 170-171) :

> [Bernard] fixait au centre de sa mémoire, une oreille, [...] petite et délicate et jeune, croquante et nacrée, câlinement serrée contre la paroi du crâne, une fleur de chair merveilleuse et translucide, Helena.
> Helena, Helena.
> Helena.

Image qui le trouble à nouveau lorsqu'il se trouve en présence de Thérèse à qui il a déclaré sa flamme, peu avant (p. 181) :

Il fixa son oreille, elle était aux trois quarts cachée par les cheveux, il n'en pouvait voir que le lobule, rose et menu.
— Ne me regardez pas comme ça, dit Thérèse, vous me gênez.
— Pardon.

Peu après que Bernard eut relaté à Thérèse la mort prochaine de son amour pour Helena,

Thérèse soupira. Elle sentait en elle se propager des ondes du tympan à la matrice. Elle n'osait regarder Bernard (p. 183).

Lorsque Roland Travy, à propos d'Odile Clarion, se posera la question : « Ne l'aimes-tu pas ? », il finira par s'avouer : « Cette phrase que je ne voulais pas me formuler à moi-même [...] j'avais fini par l'entendre de mes oreilles de chair » (*Odile*, p. 171-172). Rien d'étonnant donc à ce que la « chair d'oreille » fasse les délices de l'ogre Dragomir... (*Contes et propos*, p. 208).

Dans *Loin de Rueil*, coincé à San Culebra del Porco, Stahl dit à Jacques L'Aumône, guère disposé à l'écouter : « Bref, une histoire triste à la source. Une histoire de femme » ; propos qu'il achève d'une plainte répétitive : « C'est toujours comme ça. C'est toujours la même cause, toujours la même raison. Une histoire triste. Une histoire de femme. Une histoire triste de femme. Ah ! les femmes, monsieur » (p. 189-190).

Voilà sans doute un réseau d'associations qui réjouira les adeptes de Charles Mauron, à qui nous préciserons que, dans la poésie chinoise, « les fleurs de poésie, ce sont les femmes[123] ». J'ajouterai enfin que l'ensemble des rapports parentaux établis entre les personnages d'*Un rude hiver* est rythmé par un jeu subtil de répétitions rythmé en un, deux et trois[124]. Or, c'est sur ce rythme que s'inscrit, à son tour, le jeu répétitif de la métaphore qui révèle la quintessence de *L'Art poétique* du roman.

Ainsi, la répétition des lettres, des mots, des phrases et des paragraphes, les rimes de situations ou de personnages, la construction parfaitement agencée, le respect des règles poétiques montrent que l'intention première de Queneau consistant à « faire du roman une sorte de poème » n'était pas une simple clause rhétorique tendant à justifier un discours théorique, mais bien la mise en œuvre d'une « technique consciente », systématisée, la pratique d'un art qui avait jusqu'alors « échappé à toute loi ».

Aucune loi, mais des précurseurs tels que Gertrude Stein. Après avoir souligné la dilection de Stein « pour le présent comme forme grammaticale », qu'il réévaluera dans la rédaction de *Morale élémentaire*, Queneau précise qu'elle eut également un goût marqué pour la « répétition ». Une raison à cela, « lorsque rien ne change, lorsque rien ne se passe, il n'y a qu'à réitérer la formule "parfaite" déjà trouvée, qui est bonne tout le temps du moment qu'elle a été bonne une fois ». Et Queneau d'ajouter qu'« à la rigueur on peut reformuler la réitération. Par cette répétition, par la déclinaison et la conjugaison de ses phrases, par leur addition, Gertrude Stein atteint le même but que Flaubert émondant les redites et soulignant les lieux communs – à savoir l'objectivité absolue, un texte objet d'où l'auteur est totalement absent, un texte qui atteint la forme inhumaine mais concrète et irréfutable du galet, du cristal, de la fleur ou du fruit » (*EC,* p. 252). La poétique de Stein anticipe sur le principe d'effacement, l'éclatement du lieu commun et la filiation flaubertienne ; elle postule en outre la disparition de l'auteur qui, chez Queneau, s'effectue au profit du rôle accordé au lecteur. Si aucune loi n'est proclamée dans le domaine romanesque, subsiste l'exemple des romanciers qui menèrent une œuvre théorique.

Les « conditions musicales »
du roman

Dans une lettre adressée à André Billy, Queneau écrivait que, pour lui, « c'est d'une modification quant à la forme que l'on doit attendre la transformation du roman, et, peut-être *sa disparition*. Le roman doit trouver une armature organique, un style, des rythmes. Il doit s'orienter vers des conditions musicales, des nécessités de forme, certaines rigueurs. Bref, il doit tendre à la poésie et en accroissant son propre domaine se perdre dans le domaine de celle-ci. Car la poésie reste la forme majeure et originelle de toute littérature » (*Le Figaro*, 14 mars 1940).

L'aspect musical est une des données essentielles de la poétique quenienne ; l'auteur « ne conçoi[t] pas une poésie faite seulement pour être "vue" écrite, c'est-à-dire qui soit illisible à haute voix, autrement dit qui n'ait aucune vertu auditive, sans rythme de quelque nature qu'il soit » (*BCL,* p. 39). Le recours au « néo-français » dans le cadre du roman relève de cette aspiration musicale, même s'il met en jeu le rapport complexe de la vue à l'ouïe dans le décryptage phonético-graphique. Mais Queneau n'érige pas son propos en dogme : « Ce sont mes goûts », dit-il simplement. Si, en 1950, il justifie sa poétique musicale à travers des choix qui lui sont personnels, musique, rime et poésie, rythme et répétition s'inscrivent dans une problématique autrement vaste lorsque nous envisageons une lecture « spirituelle ».

Les « formes » et la « structure » du roman de Queneau, qui transmettent « aux œuvres les derniers reflets de la Lumière Universelle et les derniers échos de l'Harmonie des Mondes », trouvent leur juste signification « dans les vertus du Nombre » (*BCL,* p. 33). Or, dans la conception traditionnelle, « ce qui fait le fond de tous les arts, c'est principalement une application de la science du

152

rythme sous ses différentes formes, science qui elle-même se rattache immédiatement à celle du nombre » (René Guénon, *Mélanges*, p. 106). Bien entendu, il ne s'agit là nullement d'arithmétique, mais bien de « Science sacrée » au sens où l'entend Guénon. Les deux modes principaux d'expression rythmique sont les « arts phonétiques », pour lesquels le rythme se « déploie dans le temps », et les « arts plastiques », où le rythme est « pour ainsi dire fixé en simultanéité » et n'est autre qu'une « traduction spatiale des nombres et de leurs rapports » (p. 106-108). L'auteur précise en outre que « la poésie doit à son caractère rythmique d'avoir été primitivement le mode d'expression rituel de la "langue des Dieux" ou de la "langue sacrée" par excellence[125] ».

Dès lors, on perçoit mieux les enjeux de la poésie qui reste pour Queneau la « forme majeure et originelle de toute littérature », sachant qu'il n'est, à ses yeux, de poète véritable que celui qui connaît, au moins, les « forces du langage et des rythmes » (*LVG*, p. 127). Daumal écrivait que le « plus haut degré de signification auquel le langage des mots puisse tendre », selon l'esthétique hindoue, est « celui qui confère à une parole le titre de Poésie[126] ».

Pour autant, la musique en Extrême-Orient comme la littérature chez Queneau ne sauraient être coupées du monde quotidien et des sphères politiques et sociales ; en effet, « les rythmes musicaux étaient intimement liés à la fois à l'ordre humain et social et à l'ordre cosmique, et exprimaient même d'une certaine façon les rapports qui existent entre l'un et l'autre », et Guénon d'ajouter que « la conception pythagoricienne de l'"harmonie des sphères" se rattache d'ailleurs exactement au même ordre de considération » (*Mélanges*, p. 107). Nous voyons donc que les termes qui parachèvent l'article consacré à la « Technique du roman » s'enracinent dans la « tradition ».

> La répétition peut être de rythme divers (*Journal*,
> p. 133).
>
> *Sur le moment*, il ne remarque rien. Il fixe une
> branche, un galet, mais il perd de vue le temps. Le
> temps a poussé l'aiguille de dix minutes sans que
> Valentin l'ait surpris. Et depuis la branche, le galet, il
> ne s'est *rien* passé. Et tantôt il se retrouve, de lui-
> même, accroché à l'horloge, et tantôt il a déjà parlé
> qu'il se croit encore la proie des mirages et des répéti-
> tions (*Le Dimanche de la vie*, p. 167-168).

Introduisant la notion d'*intertextualité*, Julia
Kristéva écrit que « tout texte se construit comme
une mosaïque de citations », raison pour laquelle
« le langage poétique se lit, au moins comme
double[127] ». Antoine Compagnon précise pour sa
part que « toute pratique du texte est toujours citation, et c'est pourquoi, de la citation, aucune définition n'est possible. Elle appartient à l'origine, elle
est souvenance de l'origine[128] ». Mais ni Kristéva ni
Compagnon ne nous disent à quoi renvoie le rêve
du texte idéal de Flaubert qui aurait été une citation. Quelle est donc l'origine du *texte d'origine*
dont se joua Borges dans *Fictions* ou *Le Livre de
sable*?

La répétition, chez Queneau, s'inscrit dans l'imitation des classiques dont il se réclame. Or, elle est
située à la racine de toute la problématique liée au
phénomène de réécriture. Comment donc aborder le
principe de réécriture – caractéristique de son
œuvre – sans, au préalable, se poser la question de
la répétition qui en est, pour ainsi dire, l'essence, et
sans s'interroger sur les motivations profondes,
autres que purement techniques et rhétoriques, qui
l'ont entraînée?

Roland Barthes fut sans doute l'un des premiers
à cerner les termes de cette interrogation, sans
pour autant pousser son avantage dans les sphères

spirituelles dont Queneau effaça soigneusement les indices à partir de la « déconversion » de 1941. « La spécialité de Queneau, écrit-il, c'est que son combat est un corps à corps : toute son œuvre *colle* au mythe littéraire, sa contestation est aliénée, elle se nourrit de son objet[129]. » Une aliénation pour ainsi dire consentie, dès lors que le fait d'adhérer au mythe littéraire est une revendication consciente de l'auteur. Barthes recense par ailleurs les procédés qui font de l'écriture quenienne une écriture de classique, soulignant les innombrables « formes de duplicité » (le double à nouveau), relevant elles-mêmes des « points de déception [...] qui faisaient la gloire de la rhétorique traditionnelle » (p. 126). « L'activité de Queneau n'est pas à proprement parler *sarcastique* », ajoute-t-il, car « elle n'émane pas d'une bonne conscience, mais plutôt d'une complicité ». Barthes se demande alors si cette « contiguïté surprenante » « de la littérature et de son ennemi [qu'on] voit très bien dans *Zazie* » n'est pas une véritable « identité » (p. 125). Sans doute y a-t-il identité entre la littérature et son auteur, au point que, « pour Queneau, la Littérature [soit] une catégorie de parole, donc d'existence, qui concerne toute l'humanité » (p. 128). Mais cette *identité* va bien au-delà de la parole littéraire et de ce que pressentait Roland Barthes.

A propos de cet autre roman « entièrement structuré par la dualité et la répétition » que sont *Les Fleurs bleues*, Claude Debon note que « si la répétition, comme le pense Freud, se situe du côté de l'instinct de mort, l'écho peut conduire à l'écholalie, laquelle peut à son tour se muer en ascèse (ensemble d'exercices pratiqués en vue d'un perfectionnement spirituel). La répétition aboutit au vide de l'esprit et annule le temps, comme le suggère un texte fondamental du *Dimanche de la vie* ». Et C. Debon de mettre en point d'orgue à son article cette note du dossier préparatoire des *Fleurs bleues* alors inédite :

Il ne faut pas que ça fasse *trop* surréaliste.
Où allait le roman ?
A sa mort.
C'est au-delà de la mort du roman qu'il faut écrire et
en sachant ce qu'on fait[130].

C'est donc « au-delà de la mort du roman » que
nous lirons *L'Art poétique* romanesque de Queneau,
en sachant que l'auteur était lui-même conscient de
ce qu'il faisait.

Le principe de répétition, lié aux cycles et par là
même au « mouvement circulaire qui assure le
maintien des mêmes choses en les répétant, en en
ramenant continuellement le retour » ainsi que
l'explique Henri-Charles Puech, « est l'expression la
plus immédiate, la plus parfaite, et donc la plus
proche du divin, de ce qui au plus haut de la hiérarchie, est absolue immobilité[131] ». Nous voici donc de
retour à la forme circulaire du roman et à son interprétation gnostique. Mais comment s'en étonner car
si le temps a, « de par la succession des cycles qui le
composent, un rythme, [il] ne saurait avoir une
direction et un sens absolument définis » (Puech,
ibid.).

Analysant la pensée mythique primitive – dont
Platon serait le « philosophe par excellence » –, Mir-
cea Eliade nous explique qu'un « objet ou un acte ne
devient réel que dans la mesure où il *imite* ou
répète un archétype. Ainsi, la *réalité* s'acquiert
exclusivement par *répétition* ou participation[132] ».
« Ce qu'il importe, ce n'est pas de dire, c'est de
redire et, dans cette redite, de dire chaque fois
encore une première fois », écrit Maurice Blan-
chot[133]. L'acte répétitif de l'auteur contemporain
est, en ce sens, comparable au rite d'un « homme
des cultures traditionnelles ». Afin d'accéder au
principe de réalité, d'être lui-même *réel*, comme
l'écrit Eliade, afin d'exister dans l'univers littéraire
auquel il s'agrège, de participer au mythe du classique qu'il revendique, voire à la dimension *sacrée*
du monde – fût-elle, pour certains, uniquement

156

artistique –, l'auteur doit s'inscrire dans le cycle de la répétition ; là seul est son mode de *participation*. Le phénomène de réécriture est alors vécu comme un véritable rituel et tourne à l'incantation lorsqu'il s'exprime dans le cadre de la répétition rhétorique. Queneau notera d'ailleurs dans son *Journal* : « Toute incantation, toute prière est répétition » (p. 134).

Deux niveaux donc. Le premier, incantatoire, touche les plus petites unités d'écriture (lettres, mots, phrases, paragraphes). Le second, fondé sur le principe de réécriture, engage l'œuvre dans son intégralité et ce à quelque degré que ce soit du *palimpseste* dont Genette a défini les couches principales (Seuil, 1982). Lorsqu'il accède à ce second niveau, l'écrivain répète à l'infini l'*Œuvre exemplaire*, s'inscrivant ainsi dans le paradigme divin. Car il est bien entendu qu'il faut « que les "œuvres de l'art humain soient les imitations de celles de l'art divin"[134] ».

L'hypothèse d'un *hypotexte* divin transcendant la création littéraire n'est certes pas à exclure chez Queneau. Plus intéressantes, cependant, les déclarations de l'auteur concernant l'*imitation*, d'une part, et l'*identification*, d'autre part ; toutes deux fondées en *volonté*, puisqu'« il faut vouloir pour être et pour connaître ; et pour vouloir, il faut être et connaître ». Or Queneau précise qu'« il n'y a là ni cercle vicieux ni confusion, mais harmonie et simultanéité. Car *la grâce existe aussi*. C'est la volonté qui répond à l'appel » (*LVG*, p. 132). On ne saurait être plus clair, il s'agit bien de la grâce divine. Mais revenons à l'identification sur laquelle, à la suite d'un malentendu, l'auteur insiste dans « James Joyce, auteur classique » paru en septembre 1938 (*Volontés,* n° 9), Jean Wahl ayant, selon Queneau, mal interprété le sens des termes employés dans son article « Richesse et limite » paru en mars de la même année (*Volontés,* n° 4).

« Ce que j'ai voulu montrer, dit-il, c'est que le savoir ne consiste pas dans l'accumulation de faits (de connaissance) – ce que pensait aussi, je crois, mon autre voisin, Platon. » L'auteur précisant qu'il y a « différence entre ce qu'on est et ce qu'on croit savoir et ce qu'en réalité on ne sait pas ». Puis il insiste sur le fait qu'il doit y avoir « identité entre ce qu'on est et ce qu'on sait véritablement, réellement ». Ainsi, « on peut être très savant, très instruit, très ferré, très calé, et cependant n'avoir rien à quoi s'identifier – n'être rien, ou presque rien : réduit à son héritage naturel » (*LVG,* p. 131). La réécriture ne saurait s'inscrire dans l'unique « héritage naturel », elle relève de l'identité (entre l'être et le savoir) et de l'identification (à la tradition). Bien loin la conception de la réécriture comme jeu littéraire gratuit ou comme unique artifice rhétorique, dès lors qu'il s'agit d'un véritable enjeu, enjeu d'un *savoir* et d'une existence.

Quant à la démarche, rien de plus simple, elle est fondée sur l'imitation. Le « sens même » du classique, écrit Queneau, « est d'être une nouveauté continuelle : renouvellement constant, de générations en générations, des œuvres anciennes ; originalité réelle des œuvres nouvelles. Et cette originalité repose toujours sur une connaissance de la tradition et des œuvres anciennes ; l'imitation en est toujours la source » (*LVG,* p. 134). Et c'est à Corneille et à Boileau que Raymond Queneau songera, à nouveau, en achevant son article. Comment, dès lors, analyser la rhétorique répétitive de Queneau en d'uniques termes formels ?

« *Les derniers échos
de l'Harmonie des Mondes* »

Reste qu'au-delà du contexte littéraire l'auteur revient à de nombreuses reprises sur le rôle de la répétition ; ainsi dans son *Journal,* en date du 9 octobre 1939 : « Répétition des prières. Importance de

*« Cracheur de feu », gouache sur carton
de Raymond Queneau, 63 x 48 cm, s.d.*

la répétition. La répétition comme annulant le temps, l'impatience, l'agitation » (p. 64). Le 5 janvier 1940 : « Je prie un peu à l'église (ou récite un chapelet – force de la *répétition*) » (p. 117). Le 12 février : « Hier à Vêpres je pensais (songeais) à la répétition : le monde religieux (et traditionnel) qui est le monde de la répétition ; et le monde moderne (dynamique : Bergson, Hitler) qui est celui du nouveau et tend vers le monde brownien et gratuit. La répétition peut être de rythme divers. Mais *de plus* : le monde du *plaisir* est *aussi* celui de la répétition (et qui mieux est celui du vice et de la névrose) ; [et celui de la *mort* est *aussi* celui de la répétition : mais celui-ci est immédiatement intégrable au monde religieux]. / Le temps ne sera plus... / Le temps est *mon* problème. Celui du cycle, de l'histoire, de la répétition (p. ex. s/ l'aspect concret-quotidien de la mémoire : "apprendre *par cœur*")... » (p. 133-134). Le 28 février : « réfléchi aussi un peu sur la répétition dans le sacré » (p. 142). Les mêmes préoccupations sont exprimées sur un manuscrit du *Traité des vertus démocratiques* (inédit, CIDRE, f° 85).

Comment donc s'étonner que Raymond Queneau fonde les deux niveaux, microscopique et macroscopique de son écriture, dans les cycles de l'Histoire et les activités répétitives de l'homme (croyances religieuses, névrose, plaisir...) ? Comment s'étonner que le rythme sous-tende cet art de la répétition, attendu que toute formulation rythmique est, intrinsèquement, répétition, celle-ci pouvant « être de rythme divers[135] » ? Et pourquoi l'auteur se serait-il privé de « réitérer la formule "parfaite" déjà trouvée », comme le faisait Gertrude Stein, puisque cette scansion est justement *parfaite* ?

Bien sûr, Queneau dit un jour à Marguerite Duras : « Certains mots, certaines phrases doivent se répéter dans le courant du livre... pour mon plaisir personnel[136.]. » Nous étions alors en 1959, bien loin des préoccupations exprimées dans *Volontés* et dans « Technique du roman ». Si le « plaisir personnel » de l'auteur ne fait aucun doute, il est difficile d'imaginer une telle écriture, commandée par d'uniques préoccupations hédonistes. Élaborée sous les auspices du nombre, du rythme, de la rime et de la musique, l'écriture romanesque de Queneau ne pouvait, à son lecteur, offrir moins que les « derniers reflets de la Lumière Universelle et les derniers échos de l'Harmonie des Mondes »...

Les *Fleurs bleues*
d'une œuvre circulaire

> Si on ne se citait pas quelquefois soi-même, qui donc le ferait jamais ? (*Service*, juillet 1955).

Point final et logique d'une écriture rythmée par la rime et par la répétition, l'auto-citation, qui accrédite l'hypothèse d'une œuvre circulaire. Jacques Bens distingue deux formes de parodie dans l'œuvre de Queneau : « l'*hétéro-parodie* qui imite l'œuvre des autres, et l'*auto-parodie* où l'auteur renvoie à ses propres ouvrages ». « L'hétéro-parodie, précise-t-il, a pour but et pour résultat d'élargir les dimensions d'une œuvre, ou plutôt de l'inclure dans un plus vaste ensemble créateur », en d'autres termes, « *la* littérature ». L'auto-parodie, quant à elle, va constituer le ciment destiné à réunir « les petites pierres de ses œuvres précédentes pour en faire un tout » (*L'Arc*, p. 49). En ce sens, l'auto-parodie peut être considérée comme une rime interne dans le corpus de l'œuvre complète et, de ce fait, être créditée des mêmes valeurs que la rime romanesque.

« Le Vol d'Icare » ou l'achèvement
du cycle romanesque

Sans parler des rimes de situations, il y a les rimes de personnages qui inscrivent l'œuvre dans la perfection circulaire[137]: Bébé Toutout naît au

Chiendent et réapparaît dans *Les Enfants du Limon*. Mais la rime peut n'être qu'allitération, comme le précise Queneau : Alfred, garçon de café et personnage central des *Derniers Jours*, est doublé d'un homologue homonyme dans *Loin de Rueil* ; Valentin Brû, personnage principal du *Dimanche de la vie*, avait lui aussi un prédécesseur dans *Le Chiendent*, etc.

Dans *Le Vol d'Icare*, son dernier roman, Queneau reprend plusieurs personnages qui appartiennent à des œuvres antérieures. Ainsi, Nick (nommé Winter dans *Un rude hiver*) est Nick Harwitt, transformation phonétique de « mon Icare, vite », dans *Le Vol d'Icare*. Jean, qui est romancier dans *Le Vol d'Icare*, a plusieurs prédécesseurs : Jean Nabonide et le ver (l'animal) nommé Jean dans *Saint-Glinglin*, Jean Houssette, Jean Lormier et Jean-sans-Tête dans *Le Dimanche de la vie*. Mais il y a aussi la cohorte des Dupont (l'astrologue du duc d'Auge dans *Les Fleurs bleues*), Durand (l'associé de Prouillot dans *Pierrot mon ami*), Étienne qui a pour nom Marcel dans *Le Chiendent*, Ginette et Pierrette qui se nomment également Étienne dans *Loin de Rueil*, Georges (*Loin de Rueil*)... autant de personnages queniens qui deviennent des personnages de Surget ; lui-même personnage romancier dans *Le Vol d'Icare*. Où l'on se souvient alors de l'échange entre Pierre Le Grand et Narcense dans *Le Chiendent* : « – Tiens. Romancier ? / – Non. Personnage » (p. 36).

Une rime de personnages et de situations inversées (le personnage romancier devient romancier personnage) qui boucle la boucle et referme le cycle romanesque sur lui-même : *Le Vol d'Icare*, ultime roman, se fait l'écho du *Chiendent*, premier roman publié en 1933. Cette mise en abyme s'inscrit elle-même dans l'activité d'écriture et nous renvoie à cette autre particularité de la poétique quenienne, l'élaboration du discours autobiographique. D'autant qu'« un personnage de roman, même s'il n'est pas le porte-parole de l'auteur, ne peut lui être totalement étranger », et Queneau d'ajouter que « si l'auteur veut en faire son porte-parole, il lui échappe par quelque bout ». Et « cette ambiguïté concerne la personne même de l'auteur » (1965, *AVB*, n° 16-17, p. 53). La boucle romanesque des personnages queniens est donc, *aussi*, celle de l'auteur.

A titre d'exemple, citons quelques cas d'auto-parodie pour la plupart empruntés aux *Fleurs bleues*. Mais, avant cela, rappelons les paragraphes d'*Odile* en tous points conformes à certains textes théoriques publiés dans *Volontés*[138]. Signalons également l'exemple caricatural de « L'Amphion », poème que l'auteur appréciait au point de le faire figurer dans le recueil *Si tu t'imagines* ainsi que dans le roman *Les Derniers Jours*. Poème qu'il reprit en outre, *in extenso*, et par deux fois, dans l'article « Connaissez-vous Paris ? » (*CRQ*, n° 6, p. 6), puis dans la deuxième émission de « Chansons d'écrivains » (*AVB*, n° 8). Certes, ce procédé a été éprouvé depuis fort longtemps, Molière et Corneille ne s'étaient pas privés de « réinjecter » des passages complets, d'une pièce à l'autre. Chez Queneau, le procédé se joue également des titres de romans, renvoyant par condensation à l'œuvre dans son intégralité. Ainsi, dans *Le Dimanche de la vie* (p. 231), ils « se disposèrent à passer un hiver qui se trouva être particulièrement rude » (*Un rude hiver*). Plus subtiles cependant, l'allusion, la citation partielle ou la variation sur un même thème, selon les principes de la fugue.

*« Zazie » magnifiée
parmi « Les Fleurs bleues »*

Le choix des *Fleurs bleues* pour illustrer l'écriture auto-parodique tient à la conception même du roman qui présente la particularité de jouer *structurellement* sur la figure du double :

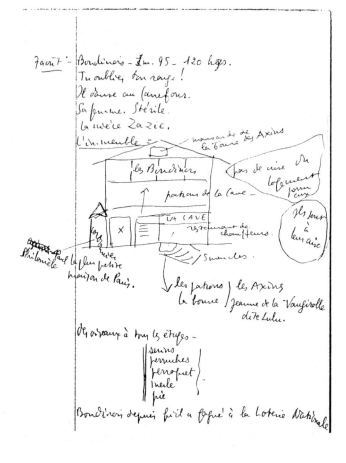

*Dossier préparatoire de Zazie dans le métro,
manuscrit où figure le plan de la maison de Gabriel
(CIDRE, D. 103).*

Tchouang-tseu rêve qu'il est un papillon, mais n'est-ce point le papillon qui rêve qu'il est Tchouang-tseu ? De même dans ce roman, est-ce le duc d'Auge qui rêve qu'il est Cidrolin ou Cidrolin qui rêve qu'il est le duc d'Auge ? (Prière d'insérer des *Fleurs bleues*).

Voici une nouvelle histoire « En partie double » qui n'est pas dominée par l'Histoire comme *Un rude hiver*. La distinction réside, d'une part, dans l'inscription affective de l'auteur très nettement distanciée dans *Les Fleurs bleues* et, d'autre part, dans l'humour et le calembour absents d'*Un rude hiver*, mais dont *Les Fleurs bleues* nous offrent un véritable florilège.

« Ces fleurs, un dialogue les introduisait. Auge voudrait partir, Sthène lui demande : où ? et il répond :

– Loin ! loin ! ici la boue est faite de nos fleurs…
– Bleues, je le sais…

Les lecteurs de Baudelaire se souviennent qu'il écrivit, dans « Moesta et Errabunda » :

Loin ! loin ! Ici la boue est faite de nos pleurs !

Poème des *Fleurs du mal* : première équation, ces fleurs bleues sont les fleurs du mal (du malheur, de l'Histoire)[139] », comme l'enseigne *Une histoire modèle*. « Tant d'histoire, dit le duc d'Auge au duc d'Auge, tant d'histoire pour quelques calembours, pour quelques anachronismes. Je trouve cela misérable. On n'en sortira donc jamais ? » (p. 9-10).

S'il est difficile de sortir de l'Histoire, du malheur, on peut, en revanche, par le calembour, *dégonfler* l'Histoire et le récit, c'est-à-dire la Littérature, pour parvenir à une plus grande sagesse ; « il ne faut pas mépriser les calembours. Ils harcèlent le pharisaïsme et la prétention » (*Journal*, p. 101).

Les Fleurs bleues paraissent en 1965, époque où, dans l'Odyssée quenienne, la littérature a définitivement pris le pas sur les préoccupations militantes. La réponse existentielle au chaos historique ne relève plus alors de l'activité politique, mais bien de l'écriture. Le titre des *Fleurs bleues* est lui-même une métaphore de la rhétorique, attendu que « la citation est répétition » et que « la répétition est l'une des plus odoriférantes fleurs de rhétorique » (A. Calame, *Tm,* 150+1, p. 35). Ajoutons que ce roman, l'avant-dernier que l'auteur ait écrit, est celui qui joua le plus sur l'auto-parodie. Enfin, ce travail auto-parodique présente la particularité de fondre *Zazie dans le métro* dans la lignée des grands classiques.

Pour le seul plaisir de l'énumération chère à Queneau, voici l'incomplet corpus des auteurs cités dans *Les Fleurs bleues* dont la figure tutélaire est celle de Baudelaire avec, en arrière-plan, Jorge Luis Borges, George Du Maurier, Wells et Coleridge. Ce corpus passe de Lewis Carroll à Rudyard Kipling, de Victor Hugo à François Rabelais, de Julien Gracq à François Villon, de Molière à Robbe-Grillet, de Ronsard à Heidegger, des Rohan au Corrège, de Brecht à Rimbaud, de 'la Bible aux contes populaires, de Verlaine en Apollinaire, flirtant au passage avec Charles d'Orléans, Du Bellay, Flaubert, Fulcanelli, Malherbe, Thomas de Quincey, Shakespeare… sans oublier, bien entendu, la citation gnostique qui, tel l'Ouroboros, va de Raymond Queneau à Queneau Raymond. Dans l'ensemble des œuvres de ces auteurs cités ou parodiés, *Zazie*, qui revient au refrain, est le texte quenien favori. Queneau justifie ainsi le seul véritable succès de librairie qu'il eut de son vivant, fondant dans le paradigme des œuvres classiques *Zazie dans le métro,* qui passait alors pour une amusette.

L'auto-citation unifie l'œuvre, créant un phénomène d'écho d'un roman l'autre. Les personnages se répondent au-delà de l'histoire comme s'ils ne faisaient partie que d'une seule et même Histoire, celle de la Littérature. Ainsi, lorsque Cidrolin évoque les campeurs qui s'éloignent de sa péniche (« Ils sont à peine partis que c'est tout juste si je me souviens d'eux » ; *Les Fleurs bleues*, p. 19), il reprend la méditation shakespearienne de Gabriel qui avoue ne savoir « que ceci, alexandrinairement : les voilà presque morts puisqu'ils sont des absents » (*Zazie,* p. 91). De la même manière, au cours de sa première visite à Paris, sa bonne « Ville Capitale », le duc d'Auge admire « la Sainte-Chapelle, ce joyau de l'art gothique » (*Les Fleurs bleues*, p. 23). Ce faisant, il reprend l'un des leitmotivs touristiques de *Zazie* : « Where are we going now ? », demandent les touristes. « A la Sainte-Chapelle, répondit Fédor Balanovitch. Un joyau de l'art gothique » (p. 93). Gabriel répondra à ces mêmes touristes : « La Sainte-Chapelle (silence) (geste) un joyau de l'art gothique (geste) (silence) » (p. 96). L'auto-citation joue souvent à partir d'une citation déformée. Lorsque le sire de Ciry décide d'émigrer, il lance au duc d'Auge : « Je quitte la France aux nouveaux parapets » (*Les Fleurs bleues,* p. 210) et rappelle le narrateur de *Zazie* qui affirmait que « le lendemain les voyageurs partaient pour Gibraltar aux anciens parapets » (p. 99). Ce dernier ayant lui-même modifié le vers de Rimbaud : « Je regrette l'Europe aux anciens parapets » (« Le Bateau ivre »).

Ne reste donc plus à l'auteur qu'à décliner le principe d'appropriation de la citation. Voici, par exemple, le vers de Victor Hugo : « C'était l'heure tranquille où les lions vont boire » tiré de *La Légende des siècles* (II, « Booz endormi »), à partir duquel Queneau interprète plusieurs variations. *En passant*, l'une des rares pièces de théâtre qu'il ait écrites : « Dans les rues il y aura des bénitiers pleins de lait où vont boire les lionnes » (1944, *Contes et propos*, p. 105). Les *Exercices de style* : « Dans la volière qui, à l'heure où les lions vont boire, nous emmenait » (p. 137). *Zazie* : « L'heure où les gardiens de musée vont boire » (p. 99). *Les Fleurs bleues* : « Car c'était l'heure où les houatures vont boire » (p. 27).

L'auteur joue le même thème en « double variation » dans *Loin de Rueil* : « Un jour de février à l'heure où la neige tombe » (p. 142) et : « Il l'invite à souper chez Maxim's le jour même à l'heure où reposent les tramways pour Rueil » (p. 74). Ultime clin d'œil, puisque, en 1937, Queneau écrit *Mes souvenirs de chasseur de Chez Maxim's* pour le compte de José Roman (Les Libraires parisiens). Clin d'œil qui jouit d'une singulière mise en abyme, attendu qu'il est adressé à l'occasion d'un procès d'écriture (le livre de Roman) et qu'il fait allusion à un repas chez Maxim's, or l'un des refrains des *Fleurs bleues*, « encore un de foutu », a trait justement au repas. Enfin, Queneau avait déjà semé les graines de son florilège dans son premier roman : « Les monuments continuaient à flotter sur ce liquide atroce où les jouets vont boire » (*Le Chiendent*, p. 122).

Reste la variation qui ne retient du thème originel que la structure syntaxique. En écho à la réécriture du vers de Victor Hugo dans *En passant*, pièce écrite en « miroir », Queneau fait dire à l'un de ses personnages : « Nous reviendrons toujours vers les sous-bois où dorment des dolmens et des allées couvertes » (p. 129). Ce principe d'écriture va au-delà de la simple parodie, puisque la variation, à travers sa thématique, est susceptible d'imprimer son rythme musical à la structure syntaxique de la phrase[140].

L'adieu au cercle
sur un petit air de flûte

« Queneau s'amuse à parsemer son œuvre de références à elle-même. Il le souligne parfois explicitement : *"Du Havre partent tant de navires." Il se citait lui-même* » (André Blavier, *Tm,* n° 50, p. 40). Nous abordons alors un autre aspect de la réécriture, car le jeu ainsi mis en évidence renvoie – en seconde instance – à toute la problématique de l'autobiographie. « Les romans de Queneau se refont sans cesse l'un l'autre », écrit Blavier, avant de préciser que « tous sont contenus dans *Chêne et chien* ». Déjà Noël Arnaud l'avait noté, en son « Avènement d'un Queneau glorieux » : « *Chêne et chien* est son œuvre essentielle (au plein sens du mot). La plus tragique et celle qui doit nous ouvrir toutes les portes de son être spirituel si nous savons l'étudier avec science et patience. » En effet, jusqu'à *Pierrot mon ami* du moins, romans (et recueils) ont pour thème ce débat [et Blavier de citer à nouveau Arnaud] « qui est au cœur de Queneau : lui-même en souffre et en vit depuis sa naissance, et peut-être en deçà. Son équilibre mental, psychique, intellectuel, ménager, physique est, chaque jour, à la merci du moindre pas du chien ou de la plus faible poussée du chêne qui sont en lui » (p. 41). J'infléchirai tant soit peu l'affirmation consistant à voir tous les romans de l'auteur « contenus dans *Chêne et chien* » ; en revanche, que ce « roman en vers », qui révèle au lecteur la double identité d'un auteur écartelé entre le *chêne* et le *chien*, soit l'athanor d'où jaillit toute la problématique d'une écriture entièrement dominée par l'autobiographie, cela ne fait aucun doute. Queneau referme ainsi le cycle romanesque dans l'activité d'écriture, nous renvoyant à cet autre cycle qu'est l'autobiographie.

Mais cette boucle ne se cantonne pas au seul *Art poétique* du roman, puisque l'auteur la referme également, à un autre niveau, plus personnel, lorsqu'il dédie « A la mémoire de Janine », sa femme disparue en 1972, son ultime recueil théorique paru en 1973. « Adieu jeunesse adieu aussi / A celle' qui partageait ma vie » (*Adieu chansons*), dit encore la page de garde du *Voyage en Grèce*. Adieu qui referme, à son tour, le cercle dédicatoire ouvert lors de la première publication romanesque ; en 1933, *Le Chiendent* s'ouvrait en effet sur le sobre « A Janine ».

On s'interrogera alors sur le désir qu'eut l'auteur de publier sa dernière œuvre sous un autre nom que le sien. Le 15 avril 1974, Queneau note dans son *Journal* : « J'aimerais publier le recueil sous un autre nom : Auguste (ou Augustin) Mignot, par exemple. » Et le 21 avril : « Je voudrais publier le recueil sous le nom d'Augustin Mignot. Une idée comme ça. Le prénom de mon père + *in* euphonique et le nom de famille de ma mère » (*Pléiade* I, p. 1457).

Morale élémentaire marque une rupture ; fin d'un cycle, mais aussi, comme le suggère le titre, début d'un autre, élémentaire. Rupture d'un cycle d'écriture et, plus profondément, rupture d'une existence qui s'achève et entraîne par là même le désir de changer d'identité ; conquête ou reconquête d'une identité aux origines familiales, prénom du père et nom de la mère, avec le souci poétique d'inscrire son nom dans l'euphonie (*cf.* chap. 4). Ultime écho, l'aspect musical de *Morale élémentaire* qui renoue avec la Tradition (*cf.* chap. 5). Où l'on retourne alors aux origines musicales du monde, cycle ultime de l'écriture quenienne[141].

4
Éléments de littérature

Le parti pris littéraire quenien sourd de la tradition et de l'esthétique classique. Tous les domaines de la réalisation humaine lui sont *matière* à poésie. Le fait divers et la banalité quotidienne le fondent, et la science y retrouve sa place. Mais ne voir en Queneau qu'un classique du XXe siècle serait oublier le scepticisme de l'auteur et l'humour bon enfant qui donnent saveur et chaleur à la plupart de ses romans. Les personnages queniens se « gonflent » pour accéder à l'*existence* ; par un travail inverse, l'auteur « dégonfle » l'existence et les prétentions de la littérature. Ses armes, pour ce faire, sont tolérance, humour, jeux de mots et calembours ; ses outils s'appellent distanciation, défamiliarisation, variation... autant de marques de sagesse. Mais celle-ci ne s'acquiert, au fil du temps, du travail, que dans la dialectique subtile qu'entretiennent la marque autobiographique et le principe d'effacement. Faut-il s'écrire ou s'effacer ? Lorsque Kojève évoquait la sagesse des romans de Queneau, il ne précisait pas qu'elle était tissée sur un discret, mais efficace, parti pris rhétorique qui fondait les « éléments d'une littérature ».

Une studieuse jubilation

> — T'as de la veine de pouvoir te r'poser toute la journée.
> — Oh, je ne me repose pas tout l'temps. J'ai du travail.
> — Ton truc que t'écris.
> — Oui, mon truc que j'écris. Ça m'donne du travail. Mais ça avance.
> — T'es un peu cinglé, tu sais. Pour un concierge, travailler du porte-plume, c'est pas une idée.
> — Tutte, j'fais c'qui m'plaît, hein ? Si tu ne comprends pas, tant pis.
> — Et si moi qu'j'écrivais ?
> — Écris, écris, ma belle (*Le Chiendent*, p. 63).

En deçà ou au-delà de la rhétorique et de la nécessaire maîtrise de l'art et des valeurs qu'elle suppose, la notion de travail joue un rôle prépondérant dans la pensée quenienne. « L'éminence artistique, écrit-il en 1939, implique la maîtrise, c'est-à-dire non seulement la maîtrise par rapport à soi-même (la maîtrise de l'inspiration et du métier, une vue supérieure de ce que l'on veut et doit faire) mais encore par rapport aux autres : de telle sorte que le génie est exemplaire, finalement » (*LVG*, p. 166-167). Or cette maîtrise ne s'acquiert que par le travail et la volonté[142], s'opposant ainsi à toute la thématique du génie véhiculée par les romantiques et, à leur suite, par les surréalistes. Quelles qu'aient été les préoccupations de l'instant, il n'est pas une période de la vie quenienne où la notion de travail n'ait été valorisée.

Dans *Une histoire modèle* (1942-1966), le travail consacre la fin définitive du mythe de l'âge d'or, ce dernier étant défini comme une « époque telle que l'homme obtient une nourriture abondante sans travail, et telle qu'il n'en prévoit pas la fin » (p. 26). En dehors des guerres, catastrophes et autres exterminations, le travail est la « seule possibilité offerte à l'homme » (p. 49) pour sa survie (en considérant une situation où il est placé dans une aire non pourvue de nourriture suffisante à l'alimentation du groupe ; situation à laquelle, par croissance

Dans le XIIᵉ arr. de Paris, 1951.

Connaissez-vous Paris? *(1936-1938). « C'est au fond
la seule chose que j'aie jamais faite qui m'ait fait
vraiment* plaisir. *Ce temps-là, je fus heureux.
J'aimais ce travail, cet ensemble : les recherches
à la B. N., puis les promenades dans Paris, les enquêtes
– oui ce fut pour moi un temps heureux – le bonheur »*
(Journal, p. 136).

démographique, il arrive inévitablement). Queneau ne voit alors de « survivances du bonheur », et de possibilité d'échapper aux cycles infernaux de l'Histoire qu'à travers l'« élément calme de la littérature » (p. 98). Car littérature et travail « naissent ensemble » :

> La littérature est la projection sur le plan imaginaire de l'activité réelle de l'homme ; le travail, la projection sur le plan réel de l'activité imaginaire de l'homme. Tous deux naissent ensemble. L'une désigne métaphoriquement le Paradis Perdu et mesure le malheur de l'homme. L'autre progresse vers le Paradis Retrouvé et tente le bonheur de l'homme (p. 103).

Inscrite dans la tradition freudienne et marxiste[143], la conclusion logique de cette double activité littéraire et laborieuse ne pouvait trouver meilleure expression que dans le chapitre consacré à l'« Emploi de la vie humaine » (p. 104) :

> L'emploi normal de la vie de l'homme est donc de travailler et d'imaginer.

Une thématique qui hante le théoricien comme le poète, imposant une réponse de raison au caractère déceptif de la vie quotidienne :

> le café fume dans le bol
> le beurre s'effrite sur le pain
> le travail est bien le seul
> bonheur des humains
> (*Pléiade* I, p. 267).

Dans « Petit Homme... », le poète se lamente, réitérant le même vers en début et fin de chaque strophe, marquant le ton lancinant de sa plainte :

> Petit homme tu n'as pas travaillé ce soir
> en sera-t-il ainsi jusqu'au jour de ta mort mortelle
> qui donc paiera l'enterrement le catafalque et le
> [manque d'ostensoir
> Petit homme tu n'as pas travaillé ce soir
> (*Pléiade* I, p. 260).

En écho à ce *lamento* continuel, restent les fermes décisions prises par Queneau dans « Toujours le travail » :

je serai courageux
je me lèverai à la première heure pour écrire des
[poèmes
à onze heures du matin j'en aurai produit au moins un
avant dix heures même
lever laver petit déjeuner et hop à la selle
en selle sur Pégase dans le ptit air frumeux de l'aube
j'aperçois pourtant là-bas les mains à la charrue
qui déjà se reposent pour casser la croûte
ils sont debout depuis quatre heures du matin – eux
faut pas être frileux pour semer le blé qui
alimentera le poète

moi je suis plutôt un poète du soir…

(Pléiade I, p. 295).

Une conception du travail qui, tout en reprenant la formule rimbaldienne « La main à plume vaut la main à charrue », ne s'y oppose pas moins. Rimbaud avait « horreur de tous les métiers. Maîtres et ouvriers, tous paysans, ignobles » (« Mauvais sang », *Une saison en enfer*); attitude située aux antipodes de celle de Queneau pour qui « le littérateur a un métier et l'artiste est artisan ». En tant que tel, l'écrivain « doit connaître son métier et, comme tout producteur, collabore à la vie sociale » (*LVG*, p. 95).

Queneau pourfend ainsi l'idée reçue selon laquelle écrire n'est pas un travail (*Le Chiendent*, p. 159), comme il le fera régulièrement de toute idée reçue au fil de ses romans. A travers Roland Travy – qui se souvenait aussi de Rimbaud –, il donne l'image d'un travailleur acharné : « le lendemain déjà, à la naissance du jour, je recommençai à traîner ma charrue, sillonnant une terre aride, entêté, appliqué, bœuf et âne » (*Odile*, p. 23). Et lorsque Roland décrit le pavillon d'Anglarès, la notion de travail lui est terrain d'ironie : « Nous entrâmes dans une vaste pièce qui servait à la fois de salle à manger, de salle de réception et de salle de travail pour autant du moins qu'un travail quelconque s'y pratiquât » (p. 45).

Queneau est comme Dubuffet qui « aime le travail bien fait » et qui « a horreur des paresseux, des tire-au-flanc, des amateurs[144] ». Ce jugement n'est pas une critique de l'amateur qui dans le cadre de ses loisirs a une pratique artistique, mais bien de l'artiste qui dans son activité professionnelle pratique un art en amateur. La raison en est simple, car « un travail n'est réellement valable que s'il est conforme à la nature même de l'être qui l'accomplit » ; il est donc « le moyen de se réaliser aussi parfaitement que possible[145] ».

Mais un tel sérieux n'interdit ni l'humour ni l'ironie réflexive. A la question de Jean Lescure : « Vous ne voulez pas nous raconter comment vous avez écrit la *Saint-Glinglin* ? », il répond : « Comment je l'ai écrit ? Mais comme tout le monde écrit ! Avec un porte-plume, un petit cahier, j'ai commencé par le début, j'ai fini par la fin ! J'y ai mis le temps, mais enfin j'ai fait comme tout le monde... » *Lescure :* « Un beau jour vous avez commencé à écrire ça, vous n'aviez pas un projet, vous n'aviez pas un plan ? » *Queneau :* « Et un encore plus beau jour j'ai terminé *[rires]*. » (*L'Arc*, p. 79).

L'amour du métier et du travail bien fait va de pair avec la maîtrise artisanale des classiques, avec la volonté d'arriver à une œuvre achevée et parfaitement polie (Boileau). « Il est un principe, écrit Queneau, qui sévit à l'heure actuelle [1938] et qui ne saurait s'appliquer au domaine artistique en général : c'est le principe de la supériorité de la recherche sur la découverte. En art cela conduit à préférer les carnets à l'œuvre faite, les esquisses aux tableaux... » Or, « ce qui compte, c'est l'œuvre, car elle seule est achevée, et non les déchets ». L'art est une pratique qui « consiste essentiellement à aboutir, à présenter une œuvre et qu'elle soit reconnue » (*LVG*, p. 93-94). L'insertion de l'artiste dans le corps social est donc déterminante. Du reste, l'idée de « génie méconnu » avancée par les romantiques est un non-sens pour Queneau.

La notion de travail relève à la fois de l'éthique et de la satisfaction personnelle, attendu que « le travail est bien le seul / bonheur des humains ». Ainsi s'exprime la « joie dans la création dominée » qui caractérise le travail de Joyce et en fait un « classique véritable » (*LVG*, p. 133-134). Cependant, cette *studieuse jubilation* ne confine pas la pratique artistique et littéraire dans l'autosatisfaction, pas plus qu'elle ne la dirige vers les impasses de l'art pour l'art. Car « il ne suffit pas de dire ni de bien dire, mais il faut que cela vaille d'être dit. Mais qu'est-ce qui vaut d'être dit? La réponse ne peut être évitée : ce qui est utile ». En d'autres termes, pour l'artiste, « il s'agit de faire et de bien faire quelque chose qui vaille d'être fait » (*BCL*, p. 94-96).

S'il y a *travail* pour l'écrivain, il ne saurait en être autrement pour le lecteur ; de cela, Queneau s'est expliqué lorsqu'il plaida pour une réinsertion de la science dans la poésie.

« *La science envisagée comme thème poétique* »

Selon Georges-Emmanuel Clancier, dans *Chêne et chien*[146] « l'autobiographie en vers correspond à une tradition retrouvée (voir Boileau), l'évocation de la psychanalyse à l'esprit nouveau ». S'il y a lieu de s'interroger sur le statut autobiographique de ce poème, il n'en reste pas moins vrai que « l'œuvre de Queneau allie étroitement tradition et innovation » (*Tm*, n° 50, p. 26). En 1950, le caractère innovant d'un récit analytique en vers est indéniable, mais Queneau considérait alors la psychanalyse comme une science et s'inscrivait dans la filiation des poètes scientifiques que le XVIe siècle français illustra à merveille[147]. Cette volonté n'est pas nouvelle ; en 1940, il ne voyait déjà « aucune objection à une réintégration de toute la littérature – mais alors aussi de toute la science ! – dans la poésie ![148] ». Évoquant la rédaction de son recueil, il dit encore : « je me suis mis à écrire un poème en alexandrins, je ne savais pas tout d'abord ce que c'était, ensuite j'ai trouvé le titre : *Petite Cosmogonie portative*. Elle aura six chants, c'est le genre qui veut ça. L'homme apparaît à la fin du cinquième, et le sixième est consacré aux machines, je crois que je terminerai sur les grandes machines à calculer. Ce n'est pas un poème didactique, c'est la science envisagée comme thème poétique. » On ne saurait être plus clair. Évoquant la tradition, il ajoute : « D'ailleurs il y a une explication du poème à l'intérieur du poème même, au troisième chant, dans une prosopopée d'Hermès » (*BCL,* p. 47). Prosopopée qui lui permettra de répondre par avance aux critiques d'hermétisme qu'on lui a parfois opposées :

> Hermès explique donc à ces français lecteurs
> la clarté de ce carme[149] en six parts divisées
> / [...] explique un peu si t'oses
> pourquoi steu poésie est bien la fille à toi
> bien que claire et diaphane ingénue et limpide
> agreste et scientifique hexamètre et candide :
> hermétique ne suis herméneutique accepte
>
> (Pléiade I, p. 214).

Insertion de toute la science y compris de celle qu'il ne goûte guère[150], mais avec un souci constant de clarté et de cohérence. Dans sa présentation du texte, Claude Debon en vient à se demander « s'il peut être lu par un non-savant, si nous n'avons pas affaire au cas rarissime dans la production littéraire contemporaine d'un texte poétique destiné uniquement aux scientifiques et qui ne peut vraiment être apprécié que par eux » (*Pléiade*, p. 1238). La remarque paraît justifiée, cependant, s'il concède l'herméneutique, Queneau ne vise pas à l'hermétisme ; sa poésie est susceptible d'être décryptée par le lecteur qui s'en donne la peine. Étant une voie particulière tracée à travers les champs du savoir, bien qu'elle n'ait pas « à rivaliser avec la science[151] », elle ne saurait satisfaire le seul poète (reproche adressé aux théories de l'art pour l'art). A nouveau, l'auteur s'en remet à son lecteur.

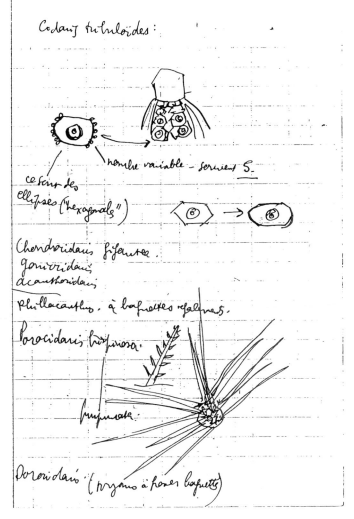

Dossier préparatoire de Petite Cosmogonie portative
(CDRQ, D. 34).
« *Moi les sciences naturelles je ne les ai jamais potassées.*
C'est un tort d'ailleurs car il me semble maintenant
qu'il pourrait bien en émaner quelque poésie
d'une saveur toute particulière » (Loin de Rueil, *p. 204).*

L'écriture poétique est également pédagogique. En 1957, répondant à une commande d'Alain Resnais, Queneau écrit *Le Chant du styrène* pour le compte de Pechiney. Le commentaire du film en alexandrins retrace les différents stades de fabrication du styrène jusqu'à la matière première, pétrole et charbon. Par ce documentaire scientifique, Queneau renoue avec la tradition de la poésie didactique.

Bien qu'inscrits dans la tradition, les rapports qu'entretiennent science et poésie sont porteurs d'avenir ainsi qu'en témoigne l'hommage à Verhaeren : « A une époque où le "scientisme" était démodé aux yeux des gens de lettres, il sut voir que la poésie ne s'oppose pas à la science, ni la science à la poésie. [...] Cette absence d'opposition entre science et poésie me paraît une des conditions de la civilisation de demain[152]. »

Dans l'une des préfaces qu'il consacre à *Bouvard et Pécuchet,* Queneau précise qu'une « lettre de Flaubert du 16 décembre 1879 nous indique que *Bouvard et Pécuchet* aurait eu pour sous-titre : *Du défaut de méthode dans les sciences* (thème peu banal pour une œuvre d'apparence romanesque, mais les grands romans n'ont-ils pas souvent des sujets bien singuliers : un général qui boude, les mésaventures d'un philosophe leibnizien, un voyou qui a des ennuis avec son phalle, un mondain qui croque une madeleine, etc.) » (*BCL,* p. 118). Il faut donc redéfinir les *sujets* de la littérature à l'aune de ces précisions en insistant sur cette autre caractéristique des choix queniens : la promotion de la banalité et du quotidien au rang de sujets littéraires à part entière.

« *Ça se chante aussi, la chaussette* »

La grandeur est dans la petitesse, la Littérature dans le banal, l'Histoire dans le fait divers. L'exergue de *Courir les rues* réaffirme cette conviction traditionaliste empruntée à Héraclite : « En ce lieu aussi, en effet, les dieux sont présents. » Le parti pris minimaliste transcende l'anecdote et relève d'une attitude psychologique liée à la timidité, la tendresse ; il est l'expression d'une quête spirituelle. Queneau cherche la *voie* : « Où est le Tao ? Ici. Ici. Là encore. Et dans cette ordure ? Là aussi. / Chercher ici aussi le divin. L'acceptation de la "réalité" » (*Journal*, p. 48). Ses personnages sont de petites gens, concierges, employés, chômeurs… antihéros, car l'héroïsme ne relève pas de l'épopée, mais du quotidien. Parlant de ses compagnons de chambrée, il a cette réflexion : « Peut-être sont-ce là des héros-guerriers ; mais non des héros quotidiens, le grand héroïsme » (*Journal*, p. 52).

Partant, il est logique que le sujet de la poésie soit lui aussi tributaire du parti pris minimaliste. A la remarque de Jacques L'Aumône : « Vous pouvez faire des poèmes sur tous les sujets » Loufifi répond : « Même sur les chaussettes. Ça se chante aussi, la chaussette » (*Loin de Rueil*, p. 30). Ponge ne les chanta pas, mais dix années avant Louis-Philippe des Cigales, il écrivait *Le Cageot* (1934)[153]. Pour Queneau comme pour Ponge, il n'est pas de sujet qui ne puisse être objet de poésie ; une règle cependant doit être respectée, ainsi que l'enseigne Loufifi : « Éviter le lieu commun, c'est toute l'essence de la poésie » (p. 83). La seule manière de chanter la banalité sans tomber dans le lieu commun consiste donc pour l'écrivain à adopter un regard qui lui soit propre, bref à *prendre parti*. *Le Parti pris des choses* est l'antidote du lieu commun. Chez Queneau, il se traduit dans le regard porté sur le monde et la langue ; ses outils rhétoriques privilégiés sont minimalisme, pluralité, objectivité, défamiliarisation, variation… Si le regard est nouveau, alors l'objet peut être banal, voire vulgaire.

Dans « Le Café de la France », Queneau déclare : « Moi, excuses, je suis un poète. Les ruines, le putanat, la connerie, ça réjouit toujours le cœur des poètes[154]. » De fait, « de temps en temps, une chose vulgaire me paraît belle et je voudrais qu'elle fût éternelle ». Mais l'auteur sait que la « qualité essentielle » de ces choses, « c'est précisément de ne pas l'être », éternel (*Le Chiendent*, p. 35). La poésie est donc un moyen de pérenniser la fugitive beauté du vulgaire que le poète a perçue. C'est un mode de transformation qui permet à l'homme de rendre acceptable, sinon beau, le monde dans lequel il vit.

« C'est l'incident qui fait l'histoire »

Après avoir remis en cause notre regard sur le monde, Queneau s'attaque à la vision que nous nous faisons de l'Histoire et du récit. Si « Homère n'hésita pas à mettre en vers la première guerre mondiale, puis le déséquilibre de l'après-guerre qui suivit », il faut néanmoins « reconnaître que tout événement historique n'a pas nécessairement de transformation littéraire. » Ainsi, « des faits divers, de petits ennuis intimes ont inspiré des œuvres que les bouleversements sociaux les plus graves et les guerres les plus atroces ont été incapables d'engendrer. Telle est la règle du jeu littéraire » (*BCL*, p. 195).

Ce n'est donc pas l'épopée, mais *l'incident qui fait le récit*, l'individu est alors au cœur de l'histoire. Parlant de *L'Iliade*, Queneau explique à G. Charbonnier que c'est « l'histoire de la colère d'Achille, c'est-à-dire quelque chose de très particulier, placé dans un contexte historique et mythologique très vaste. Un incident projette en quelque sorte une lueur sur le monde historique qui l'entoure et réciproquement, mais c'est l'incident qui fait l'histoire – l'histoire qui est racontée » (*Entretiens...*, p. 58). En d'autres termes, « *L'Iliade*, c'est la vie privée des gens dérangée par l'histoire » (p. 64). En effet, « on s'imagine donner de l'importance à l'histoire, mais c'est l'individu qui intéresse » ; de même, dans *L'Odyssée* « c'est l'individu qui intéresse, et on veut

182

Raymond Queneau entre 1950 et 1953.

lui donner une importance historique » (p. 65). La thèse quenienne ne fait pas fi de l'Histoire, elle recentre le récit littéraire autour de l'individu et de son histoire. Celle-ci dût-elle être princière, elle ne sera jamais qu'un fait divers au regard de la grande Histoire (voyez la réécriture de *Hamlet* dans *Un rude hiver*).

Si la littérature naît du fait divers, l'Histoire peut également y être ramenée : « la grande année – 1912 – où se produisirent les trois plus grands faits divers du siècle : les exploits des bandits tragiques [la bande à Bonnot], le naufrage du *Titanic*, le vol de la *Joconde*, illustration parfaite de l'Actualité et qui ont été et restent [en 1930], les trois pôles de l'imagination contemporaine, points de repère d'après lesquels on peut classer, et déclasser, les événements subséquents : c'est ainsi que la Révolution russe est l'accomplissement du premier, que les inondations du Midi sont un reflet du second et que la Grande guerre [*la première*] se rapporte indubitablement au troisième[155] » (*BCL*, p. 295).

Voici donc l'histoire ramenée à un simple fait divers et le récit littéraire tout occupé de la banalité quotidienne. Mais grâce à ce minimalisme, le poète cristallise la quintessence, afin que l'œuvre accède à l'universalisation, à « l'Harmonie des sphères ». « C'est lorsque l'anecdote a disparu, lorsque les faits qui ont pu provoquer un poème sont tombés dans le tamis de la mémoire que l'auteur d'un poème peut y découvrir, à son tour, ce que d'autres avant lui ont pu voir, s'il a eu la *chance* de leur montrer ce qu'ils voulaient voir » (*AVB*, n° 8, n.p.).

Minimaliste, la rhétorique quenienne anticipe l'approche de certains courants picturaux et historiques contemporains, elle annonce à sa façon la démarche des sciences sociales qui se penchent sur l'*endotique*. Procédé rabelaisien, le minimalisme, qui s'inscrit dans le refus de l'exotisme, trouvera en Perec un juste écho théorisé dans « L'Infra ordinair »e : « Peut-être s'agit-il de fonder enfin notre

184

propre anthropologie : celle qui parlera de nous, qui ira chercher en nous ce que nous avons si long-temps pillé chez les autres. Non plus l'exotique, mais l'endotique » (Seuil, 1989, p. 12).

Points de vue et objectivité

Parmi les principales techniques d'écriture, l'ex-ploitation des points de vue et le parti pris d'objecti-vité sont les deux versants d'une même réalité située à la base de la poétique quenienne. Le pre-mier présuppose une énonciation plurielle, le second interdit l'expansion subjective d'un *je* qui serait l'unique voix du texte.

L'identité de l'auteur est par l'œuvre éclairée « comme une virtuelle traînée de feux sur des pier-reries[156] ». Les personnages, « modes d'expression successifs de motifs autobiographiques[157] », en offrent, chacun à leur tour, l'une des multiples facettes. « Je m'éparpille », confie Queneau à son *Journal* ; éparpillement à travers une pluralité de personnages qui, grâce aux particularismes de cha-cun, révèle tout en cachant. Le moi de l'auteur s'exprime ainsi par touches successives, impres-sionnistes. Une même caractéristique peut nous être transmise par plusieurs voix. Ainsi nous faut-il aborder l'expression asthmatique en analysant les symptômes de Loufifi (*Loin de Rueil*) ou de Daniel (*Les Enfants du Limon*), par exemple. Dans un autre registre, au regard de l'œuvre, la quête spiri-tuelle de Jacques L'Aumône (*Loin de Rueil*) n'a de sens que comparée à celle de Valentin (*Le Diman-che de la vie*). De plus, les personnages d'un même roman peuvent transposer des moments ou des degrés distincts d'une même quête. Ainsi Bolucra finit-il par suivre l'exemple de Valentin, persuadé que lui seul avait raison : « Valentin était un pro-phète, répondit Paul en levant le doigt vers le zénith » (*LDV,* p. 237).

Queneau avec son chien Lucky, le 12 mars 1951,
après son élection à l'académie Goncourt.
Photo prise à son domicile, rue Casimir-Pinel à Neuilly.

La critique a souvent privilégié l'image de Valentin Brû, effaçant Paul, maillon de la chaîne autobiographique sans lequel la quête spirituelle de Queneau ne saurait être perçue dans toute sa complexité. Paul est affublé de quelque cinquante-deux noms au fil du roman; variations qui s'égrènent de Bolucra en Boulingra, Botugat, Brelugat, Botégat, Breduga, Brétoga, Bratagra, Batragra, Brubagra... chapelet qui se clôt sur un retour à l'initial Bolucra. Comme si le cycle temporel d'une année de cinquante-deux semaines s'achevait, prêt à s'ouvrir de nouveau. Paul recherche la sagesse de Valentin; « Je cherche ma voie, un Maître, la Vérité » écrit Queneau (*Journal*, p. 115). Paul éprouve son individualité à travers la multiplicité des patronymes et parvient à reconstruire son identité. Queneau note dans son *Journal* : « Éprouver son individualité comme autre, l'autre comme son individualité propre. Et tuer la vanité » *(ibid.).*

Il n'est pas un personnage qui puisse se prévaloir de la voix de l'auteur, qui puisse affirmer être le miroir parfait de Queneau. Éparpillés, ces éclats d'identité acquièrent une autonomie, une *individualité* au fil du récit qui confine, de ce fait, à l'objectivité. Les personnages sont libres ou libérés de la tutelle auctoriale; ils donnent *leur* point de vue. L'auteur ne perce, au fil des variations du récit, qu'au travers de ces multiples individualités. On comprend dès lors l'importance accordée au lecteur : « Pourquoi ne demanderait-on pas un certain effort au lecteur ? On lui explique toujours tout, au lecteur. Il finit par être vexé de se voir si méprisamment traité, le lecteur » (Prière d'insérer de *Gueule de pierre*). Cet effort passe par un travail de décryptage, nouvel aspect qui rattache Queneau à la tradition des grands rhétoriqueurs, comme l'a fort justement signalé Claude Simonnet (*Qd,* p. 126, n. 1).

Ce que Queneau écrit sur Joyce et Gertrude Stein, nous pouvons l'appliquer à son œuvre : lui aussi tend « à la typification, l'universalisation à travers l'individualisation » (*EC,* p. 231). Et ce principe ne pouvait être mieux illustré que par les *Exercices de style* (1947). Dans cette œuvre singulière, impliqué par l'actualité, l'individu Queneau s'efface au cours de la rédaction au profit d'une conception de l'écriture qui se veut non pas désengagée, mais plus efficace, et qui, surtout, s'appuie sur une délégation de l'énonciation propre à l'auteur au bénéfice de celle de son lecteur. En effet, non seulement des *je* différents sont proposés au lecteur à travers chacun des *Exercices,* mais il se trouve également invité à les décrypter comme des énigmes structurées à plusieurs niveaux et à faire lui-même le choix de la contrainte qui pourrait générer des exercices nouveaux.

Si points de vue et objectivité balisent un nouvel espace de l'écriture autobiographique au sein de la littérature contemporaine, ils se font également l'écho des préoccupations flaubertiennes reprises par Gide. Avec les *Faux Monnayeurs*, Gide écrivait « le premier roman français construit comme un roman anglo-saxon, avec multiplicité de plans, échos, changements d'objectifs et de points de vue ». Il résolvait en outre la question des rapports des personnages à l'auteur en jouant sur « le procédé de "miroir" » dont devait user Proust en les insérant dans la trame même du roman. « Quant aux auteurs anglo-saxons, ils ont depuis longtemps adopté l'objectivité totale recommandée par Flaubert » (*EC,* 3, p. 231).

Distanciation

S'il tend à l'« objectivité totale », à aucun moment l'auteur ne feint d'être écrivain ; sa propre activité d'écriture est toujours mise en évidence. Ainsi lui arrive-t-il de s'inscrire dans la trame du récit et de signaler sa présence démiurgique d'un « je » incongru[158]. Procédé brechtien utilisé avec humour,

188

l'effet de style est signalé comme le produit d'une énonciation, celle d'un écrivain conscient du statut particulier de l'auteur dont il se joue. A la manière de Rabelais, brisant la syntaxe d'incises peu coutumières, il révèle les niveaux narratifs par simples jeux combinatoires[159]. Effet humoristique où la rupture de la phrase, employée comme procédé de défamiliarisation, signale avant tout le caractère contingent de l'écrit. Le roman-poème s'affirme comme objet autonome au sein duquel le créateur a soigneusement balisé sa présence. Les procédés sont multiples et vont du simple indice à la mise en abyme, dans l'acte d'écriture, de l'existence de l'histoire et des personnages eux-mêmes :

> — C'est pas moi qu'ai trouvé ça, dit la reine. C'est dans le livre.
> — Quel livre ? demandèrent les deux maréchaux errants.
> — Eh bien, çui-ci. Çui-ci où qu'on est maintenant, qui répète c' qu'on dit à mesure qu'on l' dit et qui nous suit et qui nous raconte, un vrai buvard qu'on a collé sur not' vie.
> — C'est encore une drôle d'histoire, ça, dit Saturnin. On se crée avec le temps et le bouquin vous happe aussitôt avec ses petites paches de moutte... (*Le Chiendent*, p. 429).

Mais il n'y a aucun moyen d'échapper à cette tragédie qu'imposent le démiurge et l'écrit ; les personnages sont tributaires de leur inscription sur la page :

> — ... Et c' qu'est rageant, c'est qu' c'est écrit, tout au long ici même. Ah merde !
> — Eh bien, dit Étienne avec bienveillance, faut supprimer cet épisode, le raturer.
> — Le littératurer, ajouta Saturnin.
> — C'est pas possible, dit Mme Cloche. C'est fait, c'est fait. Pas moyen de rev'nir là-dessus. Ah malheur !
> (p. 430).

Les procédés de distanciation passent par toute une série de trouvailles stylistiques clairement mises en évidence, telle la création du point d'indi-

gnation dûment défini dans le roman : « – *Oh* ¡¡ *(¡¡
c'est le point d'indignation)* » (p. 352). Outil particulièrement efficace dont il use à diverses fins, l'incise
(entre virgules ou parenthèses), lui permet de
dégonfler l'emphase avec un minimum de moyens :
(« *Et tous deux repartirent dans ce nouveau
domaine de cogitations aussi profondes que joyeu-
ses, domaine inattendu et vaste, vraie terre vierge
sur laquelle tous les soleils de l'espoir rayonnaient
en tintinnabulant. (Fichtre.)* », p. 324) ; de prendre
de la distance vis-à-vis du discours philosophique,
du pédantisme (« *(c'est la formule qu'il employa)* »,
p. 189), de la métaphore poétique canonique (« *on
pouvait apercevoir l'onde amère (comme qui dirait
l'élément salé)* », p. 204) ou du lieu commun très
usité dans le langage courant (« *Et la neige tombait,
impassible et froide (on la voudrait tout d' même
pas chaude), blanche (on la voudrait tout d' même
pas noire)* », p. 411), le roman ou la presse populaires (« *Et Clovis, de nouveau, donna libre cours à
ses larmes, comme dit le bon public* », p. 371).

Le proverbe fait également les frais de cette distanciation dans une ironique mise en abyme (« *pendant tout le moyen âge, on disait de façon prover-
biale (Ah ! le bon vieux temps) : il n'est bilboquet que
de Trébizonde* », p. 211). Reste l'auteur qui ne saurait oublier son propre discours (« *Les faits – disons
mieux, les événements* », p. 298), mettant en scène
l'activité d'écriture (« *La circulation, c'est le mot
juste, commence à devenir intense* », p. 312).

Grâce à la distanciation, Queneau joue sur la
véracité du récit (« *un canard hurle parce qu'il vient
de se casser la patte en faisant du trapèze volant
(c'est pas vrai)* », p. 176), signale l'écart entre les
temps de la rédaction, du récit et de la lecture
(« *elle leur apprit à jouer au (ici le nom d'un jeu en
vogue trois années auparavant)* », p. 202), met en
scène l'écrivain au travail (« *l'observateur, mourant
de faim, s'assit devant une table de marbre veinée
de crasse, sur laquelle on avait négligemment posé*

une cuiller, une fourchette, un verre, un couteau, une salière, voyons voir si je n'oublie rien, un couteau, une salière, une cuiller, une fourchette, un verre, ah ! et une assiette non ébréchée », p. 31), le principe d'écriture (« *Quatre, cinq, six gouttes d'eau. Des gens inquiets pour leur paille lèvent le blair. Description d'un orage à Paris. En été »*, p. 21) et la construction littéraire (« *L'observateur se lève, part sans payer (il reviendra) »*, p. 22). Ce qui lui permet de jouer de connivence avec son lecteur (« *C'était, bien sûr qu'les dégourdis l'ont déjà d'viné, c'était l'auto d'Pierre »*, p. 365) et de le renvoyer à la matérialité même du livre (« *ainsi qu'on vient de le voir »*, p. 275 ou « *ainsi qu'il a été dit plus haut »*, p. 298).

Apparaissant sous des traits fort divers, l'auteur est omniprésent dans son œuvre. Mais la distance qu'il prend dans la mise en scène de l'acte d'écriture démythifie son rôle et sa fonction. Il nous propose ainsi d'entretenir de nouveaux rapports à l'œuvre littéraire fondés sur un contrat explicite : l'œuvre est le produit d'une création, d'un travail volontaire et conscient, le lecteur doit donc, à son tour, œuvrer volontairement et consciemment. Il ne saurait y avoir de dupes dans cet échange, tout au plus des différences d'approche résultant de l'hétérogénéité culturelle, historique des lecteurs. Ce parti pris d'honnêteté est fondé sur un constat pragmatique ; l'activité d'écriture induit nécessairement l'ensemble des protagonistes du procès littéraire : auteur, œuvre, lecteur. Voyez Saturnin pris dans les affres de l'écriture. Après avoir harangué son « Gentil, gentil lecteur » et avoué qu'il est « saoul, saoul comme une vache », il écrit :

> N'empêche que, blague à part, ça avance mon grand ouvrage. Hein ? Regardez le numéro de la page en haut à droite et comparez avec le numéro de la page de la fin, eh bien, il ne reste plus beaucoup à lire, s'pa ? Les uns, ils seront bien contents. Je les vois d'ici, les feignants, les paresseux [...]. Mais il y en a d'autres qui

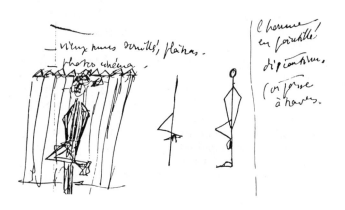

Dessin extrait d'un manuscrit du Cahier bleu
(CDRQ, classeur 73 bis).

Gouache et encre de chine de Raymond Queneau,
sur papier bistre, 65 × 50 cm, s.d.

disent : Déjà ! Déjà fini ! [...] D' m'imaginer qu'y en a
qui continueront à lire, qui continuent à lire. Non vrai.
Venez ici, sur mon cœur, mes enfants, que je vous y
serre. Vous voulez continuer ? Mais allez-y ! Continuez !
En avant ! En avant ! En avant ! Courage ! (p. 408-409).

Dans l'économie toute classique des moyens mis
en œuvre, la distanciation humoristique remet en
cause la scène d'écriture, atteignant chaque élément constitutif de l'écrit. Pour autant, elle ne se
contente pas des seuls enjeux du procès littéraire et
s'attaque au contenu. Ainsi, la « fuite du temps », parangon thématique, est-elle « décapée des rouilles »
qui l'étouffaient par le simple jeu phonético-graphique :

> si tu t'imagines
> xa va xa va xa
> va durer toujours
> la saison des za
> la saison des za
> saison des amours...

L'enjeu est de taille si l'on considère que des siècles de littérature sont venus déposer leurs sédi-
ments d'immobilisme sur les « grands sentiments ».

Défamiliarisation

Distance donc, mais également défamiliarisation[160]. La révolution du langage poétique quenien
est liée à un changement de point de vue ; non pas
seulement un changement du regard sur l'objet de
référence, comme chez Jarry ou Faulkner[161], mais
un changement de regard sur le langage et par là
même sur le monde. Ainsi Queneau excelle-t-il dans
l'exercice consistant à décrire un objet familier sous
un angle inattendu. La défamiliarisation transforme notre perception quotidienne et en fait écla-
ter la banalité. Aspect essentiel du comique dont
Saint-Glinglin chez les Médians, texte peu connu
paru en 1944, nous offre un exemple caricatural.
En guise de présentation à ce regard d'ethnologue,

194

qui n'est pas sans évoquer les travaux de Leiris et Michaux, Queneau écrivait alors :

> Nous publions sous ce titre la traduction de quelques textes écrits en urbinatalien par Saint-Glinglin après un séjour de quelques années chez les Médians. Bien que la littérature urbinatalienne n'ait eu que peu de contacts avec la littérature française, il semble qu'on puisse relever ici des influences très nettes de celle-ci sur celle-là ; plusieurs érudits travaillent à ce sujet[162].

Voici donc le premier de ces textes intitulé « L'identité » :

> Quand on pénètre dans le pays des Médians, on vous enduit d'identité. C'est une substance gluante, poisseuse, indélébile. On prouve l'efficace de cette onction au moyen de papiers spéciaux dits papiers d'identité, qui réagissent de la même façon que le papier de tournesol en présence d'une base ou d'un acide. Certains Médians croient que cette substance est ce dont quoi le monde est fait et l'ont élevée à la hauteur d'un principe.
> Les papiers d'identité sont en général du format du papier hygiénique. On colle dessus une légère pellicule détachée du visage et réduite considérablement de taille grâce à un procédé sans doute d'origine jivaro. Cette pellicule ainsi réduite se nomme « fausse tographie », la vraie restant incorporée à la personne identifiée. Une méthode analogue permet d'obtenir la fausse tographie du pouce ou de l'index.
> En suite de quoi, prise d'un tremblement nerveux, la personne identifiée trace au moyen de la plume et de l'encre, une série de traits entremêlés qui constitue la fausse tographie de son nom.

L'art de la fugue

De retour à la musique avec l'« art de la fugue » emprunté à Bach[163], voici l'une des dernières et principales techniques d'écriture chères à Queneau sur laquelle nous nous arrêterons : la variation. Empruntant tout l'arsenal rhétorique de la répétition, la variation se joue d'un mot, d'une phrase, d'un sujet, d'un thème…

Déclinaison d'un mot pour le poète Des Cigales successivement fumeur de *pipe, calumet, narguilé, chibouque, bouffarde, houka* (*Loin de Rueil*, p. 15-16); déclinaison d'une image lumineuse pour la noce d'Ernestine : « *Quinze couverts resplendissent sur une nappe strictement blanche; les couteaux luisent, les assiettes flamboient, les fourchettes étincellent, les verres miroitent, les cuillers brillent, une véritable fête pour les yeux* » (*Le Chiendent*, p. 265); déclinaison de l'affirmation existentielle de la mère Cloche en de multiples langues « forestières » comme dirait Zazie : « *Je suis... Yo soy... Zé souis... Ch'suis... Ich bine... Haillame...* » (p. 427-428).

Ces variations qui firent les délices des poètes contemporains et empruntent les registres répétitifs de la figure de style (l'homéotéleute, par exemple : « *En toutes circonstances, l'infanterie française comme la cavalerie, l'artillerie, la tankerie, l'aviaterie et la gendarmerie se sont montrées bien supérieures aux troupes adverses* »; p. 398) ou de la comptine (« *Ferme tes mains, ouvre les douas en même temps que moua et compte : nain, deuil, toit, carte, sein, scie, sexe, huître, œuf et disque. Avec les douas d'pied on peut aller de bronze à vin, mais t'es trop soûl pour ça* »; p. 429) s'inscrivent dans la plus pure tradition rabelaisienne.

Prélude aux *Exercices de style*, elles se jouent de la micro-structure (mot, phrase, paragraphe) comme de la macro-structure. Ainsi, dans *Le Chiendent*, Queneau utilise différents modes de récit (narratif, dialogue, dialogue rapporté, monologue intérieur, extérieur ou écrit, journal local, rêve, lettre, récit[164]) alors que dans *Les Temps mêlés* il innove en composant son roman à partir de trois genres distincts : poésie, prose et dialogue théâtral.

Claude Simonnet a fort justement remarqué qu'on pouvait appliquer à Queneau « ce que dit Sartre à propos du *Parti pris des choses* de Ponge : "Il me semble retrouver chez Ponge un désir commun à beaucoup d'écrivains et de peintres de sa génération : que leur création fut une *chose* précisément et uniquement dans la mesure où elle était leur création[165]." »

A l'image des variations joyciennes sur le mot « existence » de *Gueule de pierre* qui confèrent au mot lui-même un sens expressif et poétique, les variations macro-structurelles fixent le monde romanesque dans la contingence du langage poétique ; elles réifient le roman, en font un objet de création autonome et distancié, d'où l'auteur peut désormais disparaître, s'effacer. Queneau nous invite au règne de la lecture, lecture des *objets* textuels ; il nous y invite en lecteur conscient, complice de l'écriture qui prouve son « mouvement en marchant », ainsi que l'écrivait Perec[166].

« L'humoriste : le prisonnier du Cocasse »
(*OETTBALF*, p. 359).

> Il y a un aspect jeu et distraction dans tout art, ce qui est aujourd'hui méconnu, nié même, par une trop grande peur de voir railler la poésie (*LVG,* p. 183).

Les principales techniques d'écriture que nous venons de survoler s'élaborent autour de deux notions omniprésentes : l'humour, que l'on oppose d'ordinaire au sérieux, et le comique, qui trouve son double dans le tragique. Humour et comique ne peuvent être compris sans leurs antonymes, qui leur sont consubstantiels. Les distinguer revient à leur attribuer des traits pertinents fondamentaux. L'humour implique volonté, recul, intellectualisation d'une situation. Le comique s'adresse plus volontiers aux sens, à la matière, à l'affect susceptibles de s'exprimer dans une scène déterminée. S'il est une écriture comique chez Queneau, s'il est des scènes qui n'ont rien à envier à Molière, Shakespeare ou Cervantès[167], on peut, en revanche, placer l'ensemble de l'œuvre sous les auspices de l'humour. Le distinguo s'éclaire au parcours de l'œuvre.

Le lecteur ne résiste pas au plaisir ludique de la cascade de jeux de mots qui décrivent « un tantinet soit peu, la situation historique » des *Fleurs bleues* : « Les Huns préparaient des stèques tartares, le Gaulois fumait une gitane, les Romains dessinaient des grecques, les Sarrasins fauchaient de l'avoine, les Francs cherchaient des sols et les Alains regardaient cinq Ossètes. Les Normands buvaient du calva » (p. 9). Pour autant, il y a du « sérieux » dans ce festival humoristique. La réflexion historique qui sous-tend l'œuvre mérite une attention toute scientifique à laquelle nous sommes invités dans le prière d'insérer d'*Une histoire modèle*[168].

Vue par le chien Jupiter, la scène d'enterrement de la grand-mère dans *Le Chiendent* marque, quant à elle, le comique d'une situation qui déclenche le rire des hommes et la mort du chien « qui n'a rien compris ». Le jeu de mots s'efface au profit d'un regard ; l'accent est mis sur les fondements et sur les conséquences tragiques d'une situation dont les protagonistes ne sont pas maîtres. « Le lendemain, Jupiter pend au bout d'une ficelle pour avoir attenté à la dignité des morts et des vivants » (p. 74).

Les enjeux de l'une et de l'autre scène ne sont pas les mêmes, mais toutes deux auront été lues, reçues avec un sourire, voire un irrésistible éclat de rire. « Quand vous avez à la fois le tragique et le rire, vous avez gagné n'est-ce pas… », disait Céline à propos de Shakespeare. Pour sa part, évoquant l'« aspect comique » de la peinture de Baj, Queneau insiste sur le fait qu'il « ne doit pas cacher la gravité profonde des intentions » du peintre (*AVB*, n° 26 ; p. 18). Selon lui, « l'humour, le vrai, impos[e] le sérieux par le comique » (*LVG*, p. 81). Par un juste retour des choses, ce qu'il y a de plus *sérieux* est la cible privilégiée de l'humour. La matière et l'écriture du *Traité des vertus démocratiques* ne semblent pas avoir incité Queneau au comique ; il est vrai que le sujet et l'époque ne s'y prêtaient guère (1937). Pourtant, sur un feuillet manuscrit, au cours d'un développement théorique consacré à la liberté, on relève cette phrase : « Élevons, oh hisse, le problème… » (CIDRE, inédit, fᵒ 92). La mise à distance est instantanée et d'autant plus efficace qu'inattendue. Cet exemple de déstabilisation du *sérieux* est symptomatique d'un esprit toujours en éveil, d'un esprit prêt à remettre en question chacune de ses avancées dans une pirouette comique. Le raisonnement en action, le plus austère soit-il, n'échappe pas à l'alarme permanente de l'humour qui impose une mise à distance de la réflexion. Queneau la pratiquait en permanence au point d'en avoir fait l'un de ses fers de lance rhétoriques : « Quand je me mets à penser, je n'en sors plus. Je préfère botter le train au langage » (*BCL*, p. 56). Qu'on ne s'y trompe pas, cette pratique ne remet pas en cause le contenu de la situation déstabilisée, mais bien la démarche de l'individu qui est en train de la décrire ou de la produire. L'humour n'est pas un but en soi, mais un révélateur, il ne peut tomber dans l'« illégitime subversion de valeur » reprochée aux surréalistes (*LVG*, p. 81). De plus, humour et comique sont affaires de point de vue ; c'est parce qu'il est nain que Bébé Toutout peut avouer : « Les girafes, je les trouve comiques ; et les cochons d'Inde, émouvants » (*Le Chiendent*, p. 351). L'enjeu relève de l'éthique autant que de l'esthétique. Parti pris de clairvoyance, d'honnêteté, façon élégante de lutter contre l'absurdité de la condition humaine.

Les principaux outils rhétoriques utilisés dans la scène du *Chiendent* et celle des *Fleurs bleues* sont le calembour, le jeu de mots, la focalisation interne, la défamiliarisation… bref, un regard neuf sur des situations qui ne prêtent guère à rire et une étonnante inventivité dans le travail ludique d'écriture. Parmi les innombrables exemples de jeux sur les mots, voici Jacques, boxeur de profession, qui, malgré lui et pour le seul plaisir du lecteur, se bat contre les grandes maisons d'édition françaises à travers les patronymes des adversaires qu'il affronte[169]. Toto Sépulture a été descendu, « Michel l'Albinos, Bénard Grassouillet, Dédé Stock de Plomb, Bob Noël furent tour à tour projetés dans les pâmes. Le gars Limard fut un peu plus difficile à croquer mais au septième round Jacques lui estomaqua le plexus solaire d'un gauche infaillible ». Quelques pages plus loin, on rencontre un certain M. Duseuil en train de casser la croûte...

Auprès du grand public, l'œuvre quenienne s'est forgée une image humoristique, d'une légèreté comique de bon aloi. C'était oublier la dualité des termes. A deux reprises au moins, l'auteur s'est expliqué sur l'humour en termes fort sévères, et le fait qu'il n'ait pas jugé bon de consacrer un article au comique est en soi significatif, ce qui ne veut pas dire qu'il s'en soit désintéressé[170]. La première fois, ce fut en 1938 dans *Volontés*[171] et la seconde en 1945 dans *Front national*[172]. D'après lui, ses contemporains ont perdu le sens des mots ; ainsi de la poésie vidée de tout sens ; quant à l'humour, il est devenu l'« excuse des plus lâches facilités » (*LVG*, p. 80). La cible visée est surréaliste à nouveau ; dans un second temps, Queneau focalise ses critiques contre l'*Anthologie de l'humour noir* d'André Breton. Mais les « symbolards fin de siècle » ainsi que la 'pataphysique ne sont pas non plus épargnés. « Les humouristes [*sic*], ils ne rigolent pas ah mais non. C'est que c'est sérieux l'humour ; c'est que c'est de la 'pataphysique l'humour ; c'est que c'est "noir" l'humour. » Le ton ironique ne tarde pas à être accusateur : « La lâcheté de cette exploitation de l'humour à laquelle nous assistons actuellement [1938], c'est [...] de s'attaquer [...] à ce qui demande le plus de "vertu", à tout ce qui s'élève, et de faire ainsi cause commune avec la médiocrité » (*LVG*, p. 84). Cependant, Queneau ne s'arrête pas à l'acte d'accusation morale et propose une définition de l'humour qui s'ouvre sur le champ littéraire. « L'humour, c'est "dire une chose pour en faire entendre une autre", sur le plan du comique (sur le plan tragique, ce serait le symbole), et encore ce comique doit-il être discret, mesuré ; l'humour est la sobriété du rire. [...] Le genre le plus voisin de l'humour véritable, c'est la fable [...] [qui] "consiste à faire entendre d'une manière ingénieuse, ce qu'on ne dit pas, ou ce qu'on ne dit que d'une façon détournée". » (p. 87). En d'autres termes, l'humour révèle ce qui, pour des raisons sociales, de convenance, des raisons psychologiques ou autres, est indicible. C'est un véritable mode d'écriture et d'appréhension du monde. Yvon Bélaval l'a parfaitement saisi lorsque, analysant le « double langage » quenien, il se demande « pourquoi, même par l'humour, la littérature ne serait [...] pas une recherche de la vérité » (*L'Arc*, p. 14). Reste cet aveu confié à Pierre Berger lors d'une émission radiophonique : « Mon humour ne côtoie pas le mépris » (RTF, 1er juillet 1954).

Les procédés humoristiques et comiques reposent sur l'ensemble des principes et des techniques d'écriture mis en œuvre par l'auteur. Du microscopique au macroscopique, ils touchent chaque niveau constitutif du discours. Une lettre, ou son absence, peut à elle seule déplacer la charge émotive d'une scène tragique, ainsi de l'élision du *e* dans *tellment* et *curdent* tirés de *L'Instant fatal*, recueil poétique consacré à la mort :

> Mais je crains pas tellment ce lugubre imbécile
> qui viendra me cueillir au bout de son curdent
> <div align="right">(<i>Pléiade</i> I, p. 123).</div>

A l'autre bout de la chaîne du discours, la construction en miroir qui rythme *Les Fleurs bleues* marque une exploitation humoristique de la structure même du roman. Le va-et-vient constant entre les deux personnages principaux qui se rêvent l'un l'autre (Cidrolin et le duc d'Auge), l'écho des anachronismes, le traitement de l'histoire comme sujet et toile de fond du récit, la perception historique décentrée... autant d'éléments constitutifs du texte qui, la plupart du temps, sont prétexte à un comique de situation. Ponctuel, le comique vient s'inscrire dans la structure humoristique des *Fleurs bleues*.

De la même manière, les *Exercices de style* acquièrent leur saveur comique, non pas à la lecture d'une unité textuelle, mais à la lecture de l'ensemble de l'œuvre. Queneau avait signalé le phénomène dans une note rédigée pour la revue *La terre n'est pas une vallée de larmes* parue en 1945 : « L'auteur pense ainsi "traiter le même sujet" – un incident réel d'ailleurs, et *banal* – d'une centaine de façons différentes. Il n'est pas douteux que ces cent chapitres identiques quant à la matière ne sauraient manquer, lus à la file, de provoquer un certain effet chez le lecteur. » Dans un autre texte – critique à l'égard de Breton –, Queneau insiste sur ce point : « Un dialogue capital n'est pas forcément composé de paroles essentielles » (*EC III*, p. 231). L'aspect formel de l'écrit ne saurait être dédaigné, il joue un rôle capital lorsque le matériau, en apparence banal, constitue le corps même du texte. Voyez le parti qu'en tira Ionesco pour son théâtre. La banalité du dialogue est alors perçue comme une prise de conscience de la langue et du monde quotidiens. En rédigeant sa note pour *La terre n'est pas une vallée de larmes*, Queneau innovait à nouveau, car il soulignait l'importance accordée à la lecture dynamique, seul élément susceptible de révéler l'« effet » spécifique de l'œuvre. Il faut que les *Exercices* soient « lus à la file » pour que l'« effet » se produise ; en d'autres termes, l'écriture comique des *Exercices de style* repose sur la structure même de l'œuvre.

Dans sa démarche humoristique, Queneau a une prédilection toute particulière pour les phénomènes rhétoriques de décentrement logique. *Sally Mara* en est un bon exemple. Toute la saveur de ce texte de commande réside dans la naïveté feinte du personnage principal. Son regard est celui d'une jeune fille attentive aux choses de la vie et de l'amour. Le lecteur joue de connivence avec l'auteur ; le rire naît de cette connivence où chacun sait qu'il n'y a là aucune naïveté, sinon un traitement comique des questions que l'homme se pose depuis qu'il existe : amour, naissance, sexe, mort, Dieu... Le caractère primesautier du roman tient dans cet accord tacite ; naïf, décentré, le regard de Sally sur le monde est celui de l'humour.

Plus fréquente, ce que Claude Simonnet a appelé la « conceptualisation burlesque » en précisant qu'il s'agissait là d'un « trait constant du style de Queneau » (*Qd,* p. 87). Le comique du langage repose sur le choix des vocables. La technique ne consiste pas à changer le sens des mots, mais à trouver un autre mot pour désigner la même chose. L'auteur a recours à des termes génériques, technique apparentée à la littérature définitionnelle des oulipiens. Le principe est simple : pour un mot on propose une définition. Le métro devient « une sorte de tunnel, illuminé de place en place et dans lequel circulaient des séries de cinq véhicules attachés les uns aux autres et se déplaçant avec une certaine rapidité » (*Le Chiendent*). Cette technique relève également de la défamiliarisation ; qu'on en juge par la scène où Trouscaillon se met à boire : « Il saisit énergiquement la bouteille de grenadine pour emplir de ce breuvage un verre dont il avala le contenu, reposant sur la table la partie incomestible, comme on fait de l'os de la côtelette ou de l'arête de la sole » (*Zazie*). Vérité de La Palice, la logique descriptive vire rapidement au truisme : « Chambernac se met le haut du corps dans un veston, le bas dans un pantalon » (*Les Enfants...,*). Lorsque la définition est ainsi donnée en place du lieu commun, l'effet est inévitablement atteint. Ce faisant, Queneau souligne les modes de fonctionnement de la langue et de la littérature. La mise à distance et l'humour opèrent donc à la fois sur la réalité, le langage et sur le roman considéré comme monde à part entière.

Si le rire est le propre de l'homme, alors l'expression finale de *Pierrot mon ami* et du *Dimanche de la vie* est emblématique de l'attitude quenienne. Sur les voies de la sagesse, Pierrot et Valentin prennent leurs distances par rapport au monde dans lequel ils vivent, c'est leur manière de prendre congé. Pierrot achève sa quête sur un rire (p. 222); quant à Valentin, il déclenche le fou rire de sa femme (p. 243). Le rire est la marque même de leur *compréhension*, de leur sagesse.

Qu'il s'agisse de la science, des mathématiques, de l'art ou de l'écriture, le jeu est pour Queneau un des moyens d'accès à la connaissance. De la même manière, l'humour, le comique, qui reposent sur des jeux de mots, des procédés d'écriture, permettent de *révéler* l'âme humaine et d'acquérir la sagesse. La littérature quenienne peut alors se définir comme une technique d'ascèse, un moyen d'accéder à la sagesse, et cette *voie* est tracée par l'humour.

La marque autobiographique

Sous diverses modalités, Queneau s'inscrit en profondeur dans son œuvre, au point de traduire l'émiettement, la dispersion de sa personnalité dans la construction et dans l'élaboration de ses textes. Songez à l'image du double si fréquente dans les romans (*Les Fleurs bleues*, *Un rude hiver*), aux couples de personnages (Gabriel / Gabriella dans *Zazie*), au principe même de la rime. A la figure du double, de l'identité éclatée, répond une quête incessante d'unité. Dans *Morale élémentaire*, cette quête ne semble avoir été satisfaite qu'à travers le retour à la métaphysique. Paradoxalement, alors qu'il n'est pas une parcelle de l'œuvre où il ne s'inscrive, Queneau s'absente, prend volontairement congé de cette œuvre et délègue ses prérogatives d'énonciation au lecteur. Comment l'inscription de soi dans le texte pouvait-elle concilier ce désir d'effacement, de renonciation à la voix qui *énonce* ? Dans son *Journal*, évoquant l'autobiographie, Queneau écrit que « les personnages s'échappent parfois, hors de la volonté de l'auteur : l'homme s'est bien échappé des mains de Dieu son créateur, pour pécher. Que dit l'auteur ? » (p. 89).

La date autour de laquelle s'élabore le drame d'*Un rude hiver* est le 21 février 1903 ; date de naissance de l'auteur ; Lehameau est traducteur, comme Queneau ; la silhouette qui deviendra personnage dans *Le Chiendent* travaille au Comptoir des comptes, Queneau, lui, travailla au Comptoir national d'escompte de Paris ; dans le même roman, le frère de Saturnin habite 47 rue Thiers, domicile havrais de la famille Queneau-Mignot ; le grand-père de M. Pic était capitaine au long cours, celui de Queneau aussi ; il « connaissait toutes les étoiles », Queneau s'adonna également à cette passion (*cf. BCL,* p. 306) ; Vincent Tuquedenne et Pierrot sont myopes, comme l'auteur ; *Saint-Glinglin* s'ouvre sur l'écriture « joycienne » des « Poissons », signe zodiacal de Raymond Queneau… Sans parler des personnages qui écrivent au point de reprendre des textes appartenant à l'auteur de leurs jours, la liste des détails autobiographiques inscrits dans le fil des textes est innombrable. Restent les récits proprement autobiographiques (*Chêne et chien*), le *Journal*, ainsi que les textes construits à partir des souvenirs familiaux. Le fait que *Les Derniers Jours* soient une réécriture à peine démarquée du Journal personnel de Queneau ne fait plus désormais mystère pour personne ; quant au mariage pour le moins cocasse de Julia, suivi du voyage de noces solitaire de Valentin (*Le Dimanche de la vie*), on en retrouvera l'exacte origine dans les « souvenirs d'enfance » la réalité y dépassant allégrement la fiction (*Pléiade* I, p. 1071 *sq.*).

Dans « Le Café de France », Queneau s'insurge contre le profane qui fait du quotidien de l'écrivain une matière nécessairement réinvestie dans l'écriture : « Je grince des dents quand des gens pensent que je fais ceci ou cela, que je vais voir ceci ou cela, pour en faire ensuite un morceau de roman. » Cependant, quelques lignes plus loin, il relate la situation du Havre sous la Grande Guerre en ces termes : « A l'autre guerre, c'était assez marrant. Il était venu du monde (en général militaire) de toutes les parties du monde (en question), ça grouillait (vingt ans après j'ai tout de même un peu romancé ça, excuses) » (*Les Temps modernes*, février 1947). Le Havre vécu en 1914 est présenté dans *Un rude hiver* ; les données ont simplement été transmuées, objectivées. Queneau n'hésite pas non plus à inscrire le fil de ses journées dans ses textes théoriques, donnant un caractère tout à fait personnel à ses réflexions (*cf.* « Miró ou le poète préhistorique », *BCL*). Nous savons par ailleurs que tout texte, y compris le catalogue commercial d'un grand magasin (*cf.* « What a life ! », *BCL*), est susceptible de devenir le substrat d'une écriture autobiographique. Quel que soit l'objet écrit, l'auteur est présent à part entière ; en ce sens, toute écriture est une quête, la recherche de la connaissance de soi. Le texte poétique et la tradition cryptonymique occupent une place prépondérante dans ce phénomène de révélation de soi par l'écriture.

« Je n'ai point de nom qui soit assez mien »
(Montaigne).

Le temps passe

Je n'admire tant la Lune
que depuis que je sais qu'en arabe
elle s'appelle QMR
/ [...] /

Autoportrait, gouache et encre de chine,
25 x 33 cm, 17 août 1947.

Autoportrait, gouache sur fond bistre,
25 x 32,5 cm, s.d.

La mémoire s'étend jusqu'au passé des autres Hypo-
crite érudit tu ne pleureras plus
dispersé en toi-même   (*Pléiade* I, p. 92).

Dans l'introduction au *Symbolisme du Soleil*,
Claude Debon décrypte les trois lettres QMR en
« cul et mère », la Lune est alors la « mère archaïque ». En deçà de la lecture analytique proposée par
Claude Debon, écrit Alain Calame, il est permis de
relever que [le fameux QMR] contient trois sur
quatre des consonnes prononcées de *R*ay*M*ond *Q*ueneau. Qu'elle soit consonantique ou numérique, la
« signature lunaire » était donc très profondément
imprimée chez lui ». Selon Renée Balignad, « la lune
se dit en arabe classique /ámar/. La consonne que
lui adjoint Queneau donne à cette création siglique
une teinture quelque peu gauloise[173] ». Et, comme
l'écrit le poète, la Lune s'appelle bien QMR en
arabe, langue qu'il apprenait en compagnie de son
ami S. pendant la guerre du Rif (*Odile*, p. 13-14).

« Dispersé en lui-même », Queneau l'était à n'en
pas douter ; comment dès lors, ne pas admirer la
Lune, celle par qui Q *aime* R, *Q*ueneau *aime R*aymond ? La concision consonantique de l'arabe et la
traduction phonétique aux accents latins *[ámar]*
livrent l'image d'un mot, d'un nom qui permet la
réunion d'une identité dispersée à travers l'image
d'une « mère archaïque ». Face aux déchirements
internes, la Lune offre une réconciliation possible ;
l'être social (le soldat Queneau confronté à la culture arabe) et l'être intime (Raymond) ne sont plus
« dispersé[s] en [lui]-même ». L'ordre inversé proposé par A. Calame (RMQ) glisse de la symbolique
lunaire à la symbolique solaire. C'est alors l'être
intime, le prénom qui accepte la loi sociale du
patronyme, la loi du père : *R*aymond *aime Q*ueneau.

Dans l'avant-texte de l'*Exercice* « Maladroit », il
est écrit : « J'aimerais bien écrire une tragédie ou
un sonnet, mais il y a des règles. Ça me gêne. J'ai
de ce côté-là une sorte de complexe. A cause que je
suis lunaire. » Comme dans le *Journal intime* de

210

Sally Mara, l'acte d'écriture est lié au flux menstruel, il établit avec l'identité explicitement lunaire de l'auteur une difficile distinction entre les symbolismes maternel et paternel, masculin et féminin, lunaire et solaire, voire copro-solaire (*R*aymond *aime* le *Q*). L'admiration du poète se conçoit aisément, ces trois lettres créent un espace privilégié où se réconcilient des symbolismes antagonistes ; lieu d'acceptation de la bisexualité, de la réconciliation du couple parental et de l'autonomie filiale où s'affirme l'identité.

Sur ce réseau d'une rare richesse se greffe la biographie quenienne. Le 21 février 1903 « est né au Havre un enfant de sexe masculin qui a reçu les prénoms de Raymond Auguste, fils de Auguste Henri Queneau [...] et Joséphine Augustine Julie Mignot[174] ». La Lune arabe nous offre un véritable condensé généalogique en retenant les initiales des noms paternel (Q) et maternel (M) qui enfantent celle du fils (R) ; ainsi QMR. Fils qui un jour pourra écrire : « Je suis libre comme l'r » (*Zazie*, p. 110). Reste l'alpha (A), initiale parentale des marques masculine et féminine du même prénom : Auguste/Augustine ; figure tutélaire de l'androgyne primordial. « Mais Queneau ne s'était-il pas proposé de démontrer que le soleil était la lune[175] ? » Reste également l'oméga (Z), initiale du prénom grand-paternel : Zéphirin Mignot. De A à Z, d'Auguste/Augustine à Zéphirin, d'Alfred à Zazie, voici bornée la promesse de toute écriture.

QMR, un cryptonyme, un nom enfin qui permet de contredire le célèbre regret de Montaigne : « Je n'ai point de nom qui soit assez mien. » Dès lors, on comprend mieux l'importance qu'il convient d'accorder à l'effacement de certaines lettres dans l'ultime recueil poétique, *Morale élémentaire*. Dans le cinquième poème de la partie III, les mots apparaissent selon l'ordre alphabétique (*a*joncs, *b*ois, *c*hamps, etc.). Mais il manque le Q et le U, lettres bornant le nom de l'auteur (*Q*uenea*u*), comme si cet effacement métonymique équivalait à l'effacement du nom et par là même à celui de l'auteur. Dans le onzième poème, seul le Q est absent, mais il est vrai que l'ordre est inversé (*z*innias, *y*uccas, *x*éranthèmes, etc.), de plus, le texte dit : « On ne leur a pas encore coupé la tête et le jardinier n'a pas les mains tachées de sang »...

Le principe d'effacement

> L'esprit ne souffle que lorsque la nature s'efface et disparaît (*Les Temps mêlés*, p. 48).
>
> Je crois qu'il y a encore de beaux jours pour le balayage à bras (*Le Dimanche de la vie*, p. 35).

Il n'est pas une aire de l'œuvre quenienne qui ne soit susceptible de disparaître ou de s'engouffrer dans le maelström engendré par le balai de l'auteur. Poussières, immondices en tous genres, personnages, événements, rêves... également emportés, l'Histoire et le Temps[176]. Articles, nouvelles, poèmes et romans... tous les genres littéraires sont touchés par la frénésie du balai, objet-fétiche par excellence. Le thème du balai « affleure – discrètement – dans *Le Chiendent*, éclate dans *Les Enfants du Limon* après s'être perdu dans *Gueule de pierre*, *Odile*, *Les Derniers Jours*, comme il se reperdra dans *Un rude hiver*, *Les Temps mêlés* et *Pierrot mon ami* avant une timide résurgence dans *Loin de Rueil* ; la grande épopée du balai se déployant dans *Le Dimanche de la vie*. Puis, nouvelle éclipse jusqu'aux *Fleurs bleues*[177] ».

Parmi les 664 personnages de l'œuvre quenienne recensés à ce jour, le plus fidèle porte-balai de l'auteur est Valentin Brû[178]. Or le « cadreur de Rabelais » range son balai de jonc acheté à Jean-sans-Tête, derrière son oreille, comme un artisan le ferait de son crayon. A n'en pas douter, ce balai-crayon est pour Queneau instrument d'écriture ; écriture toute particulière, puisqu'elle pratique l'effacement et qu'elle permet à Valentin de suivre le temps : « Grâce à ton balai, reprit Valentin, je suis parvenu à suivre le temps, rien que le temps » enfin débarrassé des nuisances du quotidien (*Le Dimanche de la vie*, p. 195). Outil cathartique qui permet de lutter contre l'angoisse, le balai-crayon est également utilisé comme technique d'ascèse ; grâce à lui, Valentin s'abstrait du monde : « il ne lui restait qu'à tuer le temps et à balayer en lui les images d'un monde que l'histoire allait éponger » (p. 234).

Rature et littérature

Sur un petit air de flûte

Dans les temps bucoliques
le poète se disait doué de pouvoirs magiques
tout en se demandant avec inquiétude
où vais-je chercher toutes ces belles choses ?
suis-je une petite machine
qui rédige consciencieusement ce qui lui a été
programmé ?
heureusement qu'il y a les ratures
ce qui donne le droit de parler de littérature[179].

Que l'auteur ait placé la littérature sous les auspices de la rature n'a désormais rien pour nous surprendre (– Et bien dit Étienne avec bienveillance, faut supprimer cet épisode, le raturer. / – Le littératurer, ajouta Saturnin », *Le Chiendent*, p. 430) ; en bon classique, il marque une nouvelle fois sa fidélité à *L'Art poétique* de Boileau (I, 171-174) :

Hâtez-vous lentement, et, sans perdre courage,
Vingt fois sur le métier remettez votre ouvrage :
Polissez-le sans cesse et le repolissez ;
Ajoutez quelques fois, et souvent effacez.

Héritier d'Homère, Horace, Malherbe, Boileau... Queneau reprend la tradition des classiques ; la poésie lui est un travail, une activité artisanale. Il est donc nécessaire de savoir effacer, de savoir corriger afin de ne pas souffrir le mépris de Quintilius Varus[180]. Aussi y a-t-il, pour le critique, quelque paradoxe à vouloir rassembler les copeaux tombés de l'établi. Pourtant, le ferions-nous si Queneau ne nous avait laissé la possibilité de lire les états successifs de son travail? Est-ce vanité d'auteur que d'avoir quitté l'atelier en l'état, ou simple désir de se survivre, quelle que soit la valeur de la trace, meuble achevé, planche rabotée ou simple éclat de bois? Sur ce point, il ne suivit pas les préceptes d'Horace que devait reprendre Boileau :

> Pourtant, si d'aventure tu écris quelque chose, donnes-en lecture [...]; garde-le sous clé au-delà de huit ans, tes feuilles de parchemin bien à l'abri! Il te sera toujours loisible ensuite de faire disparaître l'inédit, tandis que le mot, une fois publié, ne saurait être rattrapé (Horace, *L'Épître aux Pisons*, III, 3, 386-390).

Le terme générique d'« effacement » couvre deux notions bien distinctes. La première a trait à l'émondement du texte comme pratique d'écriture, c'est le propre de l'écrit artisanal ; la seconde relève de l'ascèse des personnages et de l'auteur et traduit une démarche spirituelle. Le principe de gommage du texte littéraire ne saurait être systématiquement associé à l'expression d'une ascèse spirituelle ; cependant les deux niveaux entretiennent parfois d'intimes relations, le premier pouvant être l'expression signifiante du second.

Trois degrés d'effacement

Afin d'illustrer ce phénomène et d'en explorer les particularités propres à l'écriture quenienne, je prendrai comme exemple les *Exercices de style* qui en offrent toutes les variantes. On peut schématiquement résumer l'effacement à trois degrés essentiels. Le premier est cantonné à la scène d'écriture personnalisée, il se situe dans l'espace des manuscrits et des dactylogrammes ; sa caractéristique est de ne pas se donner à lire à l'Autre ; de son vivant, l'auteur étant en théorie l'unique lecteur de ses propres documents.

Zouave à Alger, 1925.

« *C'est coquet ici.*
– Je balaie tous les jours, dit fièrement Valentin.
– Tu as toujours aimé ça. Tu voulais même te faire
balayeur dans le civil.
– Et j'astique tant que ça peut.
– Je vois. Ça reluit. Tu as toujours toutes les qualités du
soldat de deuxième classe »

(Le Dimanche de la vie, *p. 147*).

Le deuxième passe le cap de la socialisation de l'écrit ; il s'agit alors des corrections effectuées sur les prépublications (diverses revues qui accueillent les premières versions du texte) ou des modifications mineures apportées au fil des multiples éditions d'un même texte. Bien que décelables, ces modifications sont rarement perçues par le lecteur qui, à de rares exceptions près, n'accède pas à l'historicité du texte, domaine privilégié de l'édition critique.

Le troisième, plus important quantitativement, concerne les remaniements structurels qui transforment une œuvre en profondeur. Toujours signalées, ces transformations font l'objet de justifications de la part de Queneau. Ainsi, lorsqu'il évacue la partie « mathématiques » de *Bâtons, chiffres et lettres* dans *Bords* au profit d'articles consacrés à la Littérature Potentielle, l'auteur le précise dès les premières pages de la nouvelle édition de 1965. Le meilleur exemple romanesque de cette pratique nous est donné par la refonte en 1948 de *Gueule de pierre* et des *Temps mêlés* en *Saint-Glinglin*. Ici, Queneau ne se contente pas de signaler l'événement, il en expose les raisons, mais, à son habitude, il s'arrête aux raisons apparentes, à charge pour le lecteur de reconstituer les raisons profondes qui commandèrent de tels bouleversements. Souvenons-nous de la préface du *Voyage en Grèce* et de l'importance qu'il convenait d'accorder à l'évolution intellectuelle et spirituelle de Queneau sans la compréhension desquelles chaque remaniement pouvait paraître paradoxal, voire, en certains points, contradictoire.

Le lecteur doit donc être sensible au péritexte éditorial dont les fonctions d'énonciation restent encore à définir (Genette, *Seuils*, Seuil, 1987). Disons simplement qu'il s'agit d'indices susceptibles de révéler l'historicité du texte, au niveau tant auctorial qu'éditorial. Ainsi, le sous-titre *Gueule de pierre II* en page de garde des *Temps mêlés* qui, en 1941, annonçait la filiation entre les deux œuvres ; le prière d'insérer n'offrait alors aucune autre précision. Pour *Saint-Glinglin*, la page de garde précise : « *Saint-Glinglin* / précédé / d'une nouvelle version de / *Gueule de pierre* / et des / *Temps mêlés*. » Queneau reproduit en outre une partie du prière d'insérer en introduction afin d'exposer les raisons principales qui l'incitèrent à reprendre la rédaction des deux romans précédents.

Au cours de l'analyse de l'épitexte, on prêtera une grande attention aux indications génériques qui renvoient au genre de l'œuvre (roman, poésie...), car elles jouent un rôle essentiel dans la conception de *l'Art poétique* quenien. Nous savons, par exemple, que *Chêne et chien* est un « roman en vers », formule qui ne relève pas uniquement du jeu, puisqu'elle s'inscrit dans une logique poétique tout en s'opposant à l'éthique et à l'esthétique des surréalistes qui vouaient le roman aux gémonies. La surprise vint sûrement des *Temps mêlés* qui, sous-titré « roman », s'ouvrait sur un recueil de poèmes. Restent les préfaces, postfaces et notes dont Queneau use avec humour et parcimonie[181].

Les trois degrés d'effacement touchent les préoccupations d'ordre éthique, analytique ou spirituel, ainsi que les questions ayant trait à l'intimité de l'auteur. Une fois de plus, on aura soin de distinguer les périodes de rédaction concernées par le principe d'effacement. On verra ainsi que le renoncement spirituel transcende les pratiques scripturales d'effacement lorsqu'on aborde une période dominée par la spiritualité, alors qu'en d'autres temps la dénégation ou l'effacement relèvent plus spécifiquement de l'analyse, de l'idéologie ou de l'esthétique.

« Je suis quelqu'un qui se cache, aussi, hélas »
R. Queneau (AVB, n° 27, p. 24).

« J'ai commencé à écrire dans un milieu qui me portait très fort à la pudeur[182]. » Nous pourrions, sans difficulté aucune, attribuer cette phrase de

217

Po | Pour, auprès des eaux
ST | STagnantes mais un peu soulevées
TE | TEndres par les marées,
NE | NE pas briser les
BR | BRanches au dessus des canaux ~~...~~
AS | ASsaisonnés, il faut ~~......~~ découvrir
LU | LU~~...~~dement ou les bois flottants une frayeur
XX | Xylographie sempiternelle

Ordonner les traits du hasard
Dominer les coupures
al~~......~~ raser après l'érosion
Chercher enfin ~~......~~ la forme éprouvée
~~...~~ Afin de pouvoir rejeter dans la mare cet
objet abandonné à lui-même
~~......~~ réduire
Statuette sans raison d'être que d'être
autre

*Le manuscrit de « Bois flottés » daté du 6 novembre 1968
(Fendre les flots) révèle l'acrostiche réalisé
à partir de « Post tenebras lux orbo ad chaos »
(CIDRE, D 61; Pléiade I, p. 550).*

Marguerite Duras à l'auteur des *Œuvres complètes de Sally Mara*. La pudeur régit pour bonne part le premier degré d'effacement ; acte éminemment conscient que Raymond Queneau met ironiquement en scène sur les feuillets manuscrits de *Maladroit* et *Apostrophe* (ces deux *Exercices de style* n'en faisant à l'origine qu'un seul) : « Moi qui aimerais tant être original, et en plus sans complexes. Enfin, ça fait rien, allons-y, personne lira ça, j'irai m'essuyer avec tout à l'heure. Tout de même j'ai pas osé employer le mot torcher. C'est difficile tout de même d'avoir du courage, même si on sait que jamais personne vous lira[183]. » Au cours de la rédaction, le principe est mis en scène avec l'ambiguïté qui le caractérise puisque l'auteur énonce le mot à proscrire. Cette version, glissée sous le balai-crayon de l'écrivain, ne sera finalement pas retenue. Quelques années plus tard, un thème analogue sera repris dans *Projectile,* poème de *Courir les rues* :

> Un poème qui ne vaut rien
> bon à mettre aux cabinets
> bon à foutre à la poubelle
> (*Pléiade* I, p. 408).

Ce texte trahissait-il par trop franchement l'une des facettes de la personnalité de l'auteur ? Possible. Dès lors, il n'est pas conservé : « Ce nouveau masque, il l'arrache avec dégoût et, l'ayant froissé, le jeta dans les vatères » (*Le Chiendent*, p. 319).

La thématique du rebut, de l'excrémentiel, qui n'est pas sans rapport avec l'inspiration poétique, est intimement liée au principe d'effacement. Louis-Philippe des Cigales, poète de *Loin de Rueil*, résume les deux sources de l'inspiration poétique, à un phénomène de rétention : « se retenir d'uriner » et « éviter les lieux communs ». Et la fiente se rattache au thème de l'oubli et du texte poétique, dans la réécriture de Charles Trénet où le terme *chanson* devient *chiure* :

> Longtemps longtemps longtemps après que les
> pigeons auront disparu

on verra encore leurs chiures dans les rues
également dans mes poèmes
et les gens se demanderont quelle importance ça
    avait les pigeons quoi c'était
[...]
mais personne ne lira plus mes poèmes

(Pléiade I, p. 429).

Reste le balai dont la fonction épuratoire délivrera l'auteur de la crasse, des immondices et autres « fientaisies » des pigeons de Paris :

J'ai chassé le malheur avec une pelle
avec un balai puis avec un torchon
j'ai essayé l'aspirateur
et même un simple éventail

(Pléiade I, p. 286).

La scatologie et, plus généralement, les « complexes » de l'auteur (au sens freudien du terme) exprimés dans toute leur crudité, toute leur verdeur, sont les terrains privilégiés de l'effacement. Ainsi l'inoffensif « pétant » transformé en « pétaradant » sur le manuscrit d'*Auditif* ou cette version de *Maladroit* finalement non retenue : « O stylographe à la plume de platine [...] laisse un peu ma main reposer, laisse un peu ma main libre, avec la gauche je me [grattais le derrière • *biffé*] [titillais le machin • *addition interlinéaire*] permets que de la droite je me gratte la tête... »

L'expressivité du texte est ensuite atténuée par le gommage des registres vulgaires. Le « jeune cucu dandy » du manuscrit de *Pronostications* devient un « ridicule jouvenceau » dans l'édition originale de 1947 ; le « con » du manuscrit intitulé *Roturier* devient un « pied ». De même, l'expression « quel con » (manuscrit de *Partial*) se transforme en « quel pauvre type » pour l'édition originale. Certaines idées notées sur les feuillets préparatoires sont purement et simplement éliminées ; Queneau ne retient pas le titre *Couilles de mes deux*, dont le principe de désarticulation appliqué aux mots (pour « Exercice », on obtient « Exercouilles-de-mes-deuxcices ») s'apparente au principe de désarticulation syntaxique de l'exercice *Par devant par derrière* ; ce dernier a quant à lui été conservé, les connotations sexuelles de ce jeu de langage passant bien souvent inaperçues.

Le travail de correction peut également chercher à s'adapter au registre de vocabulaire induit par le titre de l'exercice. Pour *Précieux*, par exemple, les « fesses » sont transformées en « arrière-train » et les « pissotières » en « vespasiennes ». Inversement, on relève des repentirs manuscrits, ultérieurs à la version dactylographiée d'*Injurieux*, qui s'accordent avec le titre de l'Exercice. L'« imbécile » devient un « con », le « bouton » un « furoncle » et ainsi de suite. Ce dernier exemple est, pour ainsi dire, innocenté par le thème de l'exercice. Il joue un rôle analogue à la vaccine définie par Roland Barthes dans *Mythologies*.

Le cas de *Distinguo* est pour nous plus intéressant, car il joue sur deux aspects fondamentaux du principe d'effacement. D'une part, l'auteur épure son vocabulaire (le registre sexuel est systématiquement évacué), d'autre part, il fait disparaître progressivement le *je* et le *moi*. En d'autres termes, l'instance d'énonciation disparaît peu à peu devant le lecteur, qui prend une place privilégiée dans le procès littéraire. Ce dernier point est sans doute l'une des innovations capitales des *Exercices de style*. L'auteur cède volontairement ses prérogatives au lecteur à qui il revient désormais de faire signifier le texte *structurellement*. Héritier de la théorie mallarméenne sur la « disparition élocutoire du poëte », ce glissement des partenaires entrant dans le processus de signification annonce un jeu théorique mis en place par l'Oulipo.

Exemplaire, à cet égard, la transformation du distinguo « je vis (et pas avec mon vit) » en « je vis (et pas avec une vis) » ; l'adjectif possessif disparaît, et le vocabulaire sexuel glisse vers un registre quincailler, ce qui traduit, pour le moins, une certaine atténuation de la verdeur du texte. Les autres repentirs de *Distinguo* sont de la « même farine » ; de fait, s'il est « coiffé d'un feutre mou bleu (et non de foutre blême) » jusqu'en 1961, le héros des *Exercices de style* est depuis lors « coiffé d'un chapeau (pas d'une peau de chat) ».

Entre les deux versions du texte il semble que Queneau ait laissé place à la « grosse voix » du *surmoi* au détriment d'un *moi* qui s'exprimait plus librement : « Il y a une petite voix qui parle et qui parle / et qui raconte des histoires à ne plus dormir. / Il y a une grosse voix qui gronde et gronde et gronde / et dont la colère est un tintamarre à n'en plus finir. » (*Pléiade* I, p. 27 et *Le Chiendent*, p. 301). Valentin Brû vit une expérience analogue dans *Le Dimanche de la vie* : « il avait fini par se convaincre qu'elle ne pouvait pénétrer à l'intérieur de sa tête et que, si la petite voix qui monte directement du fond de la gorge au cerveau sans passer par l'oreille disait noir, la haute voix pouvait déclarer blanc sans que Julia s'en aperçût » (p. 165).

La retranscription des deux niveaux de langage est analogue au procédé de sous-conversation développé par Nathalie Sarraute dans son œuvre romanesque. Or cette dualité, dont Valentin n'est pas le seul personnage à user (ainsi de Zazie qui « se tient des grands discours avec sa petite voix intérieure », repose sur une découverte essentielle : « Jusqu'à présent [Valentin] pensait que le langage devait formuler la vérité et le silence la cacher. Les phrases qu'il prononcerait devant les clients et clientes de madame Saphir, ce n'était pas des zones d'erreur qu'elles formeraient, mais des zones de trouble où l'illusion pourrait rester en suspens jusqu'à la fin d'une vie » (*Le Dimanche de la vie*, p. 205-206).

Entre dire la vérité et taire l'erreur, il y a donc une autre voie possible, celle du « trouble », zone propice à l'illusion. Une voie semblable à l'écriture, qui révèle et cache tout à la fois, zone d'où le lecteur devra extraire de la « grosse voix » la « petite voix intérieure » que l'auteur a peu à peu effacée, transformée. L'écriture, comparable à une zone « de trouble où l'illusion pourrait rester en suspens », est un espace réel constitué d'apparences à partir duquel le lecteur devra élaborer son propre univers, distinct de l'univers engendré par l'auteur : « On peut douter d'une apparence et se gourer car toute chose a de multiples apparences, une infinité d'apparences. » A nous donc d'être attentifs et perspicaces : « on admet la sincérité de toute apparence, alors qu'au contraire il en faut douter » (*Le Chiendent*, p. 326).

Il serait cependant illusoire de croire que le lecteur percera un jour *le* secret, qu'il accèdera *au* sens de l'œuvre, attendu que le sens est, par essence, multiple ; en outre, il n'est pas certain que l'auteur connaisse *ce* secret. Selon Pierre, « tout le monde a son secret », et un seul « suffit pour vous foutre par terre. Vous voyez, je *suis* par terre. J'ai donc un grand secret. Bien que je cherche à vous instruire, je me vois obligé de vous avouer que je suis dans l'impossibilité de préciser la nature de ce ». Quand bien même le pourrait-il, qu'il ne le ferait pas. « Je Ne Vous Le Dirai Pas », nous clame-t-il (p. 316-317). Pierre développe son monologue sur la ligne ténue du dire et du taire ; personnage de roman, il s'efface, ne pouvant se révéler intégralement ; il lui manque l'espace du *Journal* intime pour s'exprimer : « Autrefois je n'aurais pu écrire un tel "journal". Je n'en aurais pas eu la franchise. Je voulais alors laisser de moi une image parfaite ; et je me raturais. Ici il ne s'agit pas d'œuvre d'art, ni de document ; mais d'une épreuve, d'une épreuve de mon individualité médiocre, changeante et périssable – bref ce doit être un témoignage de franchise. » (p. 67). La lecture du récit analytique de *Chêne et chien* devra donc tenir compte de cette franchise incompatible avec l'œuvre d'art ou avec l'image que l'on veut donner de soi. Cette double fracture est le moteur du principe d'effacement.

Pour découvrir un hypothétique secret, seule

reste au lecteur la reconstitution des diverses
étapes de rédaction que, dans un acte paradoxal,
l'auteur a soigneusement conservées. L'écrivain est
pris dans les rets contradictoires du dire et du
taire. De son vivant, il lui faut taire, effacer ce que
la pudeur ne saurait lui permettre de donner à
l'Autre ; après sa mort, il laisse à cet Autre la possibilité de lire ce qu'autrefois il supprima. « Mon
cœur mis à nu »... certes, mais une fois seulement
que le poète aura disparu.

Le recours à la postérité, qui n'avait pas très
bonne presse auprès du poète de *L'Instant fatal*, est
tout aussi paradoxal :

> Ce soir
> si j'écrivais un poème
> pour la postérité ?
>
> fichtre
> la belle idée
>
> je me sens sûr de moi
> j'y vas
> et
>
> à
> la
> postérité
> j'y dis merde et remerde
> et reremerde
>
> drôlement feintée
> la postérité
> qui attendait son poème
>
> ah mais
> (*Pléiade* I, p. 108-109).

Manuscrits, repentirs, corrections... voici les
témoins de ce qui ne pouvait être dit. Cacher tout
en gardant le secret espoir que l'on sera un jour
compris tel qu'en soi-même, tel, peut-être, qu'on
aurait aimé se comprendre soi-même. Lorsque
l'écriture est perçue comme une activité vitale,

*Recherches anagrammatiques effectuées à partir
du nom de Joan Miró. Voir les poèmes et textes critiques
que Raymond Queneau consacra à son ami peintre
(cf. bibliographie en annexe ; J.-M. Q. D. 13).*

cathartique, susceptible d'aider l'homme à surpasser les difficultés de l'existence, qu'importent l'Autre et la postérité. Non que l'auteur se soit désintéressé de son lecteur, mais bien plutôt qu'il lui ait laissé le soin de tracer son propre chemin à travers ses écrits. Acte personnel, d'ultime espoir, balayer-écrire signifie exister, ou, plus trivialement, supporter l'existence : « y a des fois où il ne saurait rien écrire, mais où ça ne le gêne absolument pas, parce qu'il n'en a pas du tout envie. [...] Si qu'i prenait son plumeau et changeait de place la anonyme poussière de la cage de l'ascenseur, alors il ne souffrirait pas. [...] Mais il veut écrire, alors il souffre, parce qu'il y a quelqu'un qui pense derrière lui. C'est du moins ce qu'il croit » (*Le Chiendent*, p. 179).

L'œuvre à travers ses repentirs

Si les repentirs des manuscrits révèlent les zones sensibles de l'écriture, qui passe de l'univers personnel de l'écrivain à la sphère sociale de la lecture, les corrections ultérieures retracent l'histoire du texte et trahissent l'évolution intellectuelle de l'auteur. Considérant qu'une première publication correspond à un état du texte jugé satisfaisant par l'auteur, toute modification traduit une insatisfaction survenue *a posteriori*. Les *Exercices de style* présentent alors trois stades d'« insatisfaction ».

Le premier voit une série de repentirs que l'auteur effectue entre les manuscrits (dont la rédaction s'étale de 1942 à 1944) et les textes publiés en revues dans les années 1944-1945. Le deuxième couvre les corrections apportées sur les manuscrits des nouveaux exercices rédigés en 1946, puis celles effectuées entre les revues et l'édition originale datée de 1947. L'esprit dominant ces deux phases de corrections est homogène et marqué par un désir d'assagissement du texte correspondant à ce que nous avons vu précédemment : la trivialité est écartée au profit de trouvailles stylistiques, caractéristique que l'on retrouve dans l'évolution du texte de la *Petite Cosmogonie portative* publié en 1950 et revu en 1969 (*Pléiade* I, p. 1234 *sq.*).

Le troisième stade ouvre d'autres perspectives. En 1963, Queneau remanie l'œuvre en profondeur, six exercices disparaissent, parmi lesquels *Réactionnaire* et *Féminin,* au profit de six autres d'inspiration purement oulipienne[184]. De l'ensemble de ces transformations émergent deux tendances générales. L'auteur évacue dans un premier temps les textes présentant une accroche historique ou polémique précise (*Réactionnaire, Féminin* et *Mathématiques*), il parle alors dans les manuscrits de la préface, d'« Exercices trop datés », « périmés ou mal venus ». Au milieu de cette série ancrée dans l'histoire, le cas de *Mathématiques* peut paraître surprenant ; il n'en est rien, car si Queneau l'estime « périmé » et le remplace par *Géométrique*, c'est que l'esprit de ce dernier, avec *Ensembliste*, correspond plus précisément à l'actualité scientifique des années 1960 et à la réforme de l'enseignement des mathématiques. Par la suite, l'auteur supprime les exercices qu'il juge « peu réussis » (première et troisième série de *Permutations* et *Haï Kaï*). L'ensemble se réactualise et profite de l'expérience du tout jeune Oulipo ; Queneau parle alors de « rhétorique plus élaborée ».

Ainsi, à travers ses repentirs, l'histoire de l'œuvre trahit l'histoire de l'écrivain, qui glissa peu à peu du militantisme de gauche (voyez *Réactionnaire* et son pendant *Féminin*) au désengagement politique. Processus qui se fera au profit de l'écriture et d'une recherche rhétorique toujours plus affinée. Afin de le mieux maîtriser, Queneau évacue le chaos historique et le contraint dans un carcan rhétorique sophistiqué. La pratique classique de l'exercice d'écriture est alors l'ultime recours de l'écrivain face à l'Histoire. L'humour des *Exercices* devait parachever ce processus, cachant à tout jamais l'angoisse réelle qui présida à leur conception.

Effacement et renoncement

> On nettoie le cantonnement. Du « service ». Plus
> d'ordre. Les types y gagnent ; deviennent plus « hu-
> mains ». Et l'on vit moins dans la merde – physique et
> morale (*Journal*, p. 43).

Reste le cas de l'effacement inscrit dans un processus de renoncement spirituel. L'émondement, les
repentirs qui tracent l'historicité du texte répondent alors analogiquement aux personnages qui se
font l'écho des pratiques spirituelles de l'auteur,
dans un jeu dont il est parfois difficile de distinguer
la fiction de l'autobiographie.

Nombreux sont les personnages queniens qui ne
meurent pas, mais s'effacent ; c'est leur mode de
« ne plus être » : « Tous deux disparaissent, tous
deux s'effacent, on ne les verra plus [...]. Ils s'enfon-
cent dans leurs destins réciproques comme des cre-
vettes dans le sable, ils s'éloignent et, pour ainsi
dire, meurent. » Dans l'univers du roman, cette
mort, cet effacement[185] sont liés à la perte de signification : « En même temps que le monde, il perdait
lui-même toute valeur et toute signification. Il se
dissolvait, il s'effaçait, il s'annulait » (*Le Chiendent*,
p. 206). L'auteur n'est pour rien dans cette dissolution, l'effacement est lié à la condition même de
personnage, qui meurt à la signification comme
nous mourrons au monde. Différents sont l'effacement, le renoncement pratiqués volontairement par
certains personnages afin d'accéder à la sagesse,
tels Pierrot, Louis-Philippe des Cigales ou Valentin
Brû.

Selon A. Kojève, dans *Pierrot mon ami*, *Loin de
Rueil* et *Le Dimanche de la vie*, « Queneau décrit
trois avatars du Sage, c'est-à-dire trois de ses
aspects, ou "moments-constitutifs", différents et
complémentaires » (*Critique*, n° 60, 1952, p. 388). Le
mode d'effacement du « Prolétaire désintéressé,
d'allure et de goûts aristocratiques, [du] Poète qui
réussit, en ne publiant rien, et [du] Soldat profes-

sionnel antimilitariste » (p. 395), n'a pas trait à leur propre existence, mais à leur rapport à la chose sociale et à l'Histoire. Si, comme l'affirme Kojève à la lecture de Hegel, « la Sagesse n'est rien d'autre que la parfaite satisfaction accompagnée d'une plénitude de la conscience de soi » et que « le Sage est satisfait, non *en dépit* de la conscience qu'il prend de lui-même, mais au contraire *en raison* de cette conscience » (p. 389), ce ne peut être qu'en toute conscience que nos trois amis, à l'instar de Valentin Brû, « reste[nt] intouchable[s] au beau milieu des catastrophes dont il[s] ne se désintéresse[nt] nullement » (p. 393). Nous sommes ici au cœur du désengagement politique. Ce n'est pas parce qu'on estime n'avoir rien à dire sur la politique qu'on s'en désintéresse, expliquait Queneau (*Tm,* n° 50, p. 12). Le désengagement qui marque l'évolution politique de l'auteur est le contrepoids logique à sa quête spirituelle ; l'auteur cherche la sagesse, pour autant il n'en oublie pas l'Histoire qui l'entoure.

Vivant la fin des temps, la fin de l'Histoire hégélienne, il ne reste à nos trois personnages qu'à franchir « la dernière étape qui sépare encore la contemplation *philosophique* du temps [...] où il ne se passe rien, de la *Sagesse* qui permet d'embrasser d'un seul coup d'œil discursif la totalité concrète de l'Univers achevé, cette dernière étape étant, comme il se doit, une Sainteté de couleur plus ou moins religieuse » (p. 396). Sainteté à laquelle Jacques L'Aumône tente, pour sa part, d'accéder par l'effacement et par le renoncement hérités des sceptiques grecs et de la tradition religieuse.

Personnage singulier, Jacques aime à se glisser dans la « peau des rêves » ou dans celle des autres. Un jour, il se met à suivre dans la rue un individu qui lui semble parfait, car rien ne le distingue de la foule, « il est tellement bien comme il faut être que Jacques se demande comment il pourrait s'y prendre pour atteindre cette perfection, pour s'annuler ainsi ». Mais cet individu n'a que l'appa-

Version Maximum   (21)

X. Tchameau seul. Verdun. La guerre. L'absolu.

X 1. Tchameau déserteur. Helena ailleurs. Elle ne l'aime plus.

X — 2. Helena part. Annette ? . Tchameau déserteur.

X — 3. Tchameau après la † de M. Frédéric. Helena va partir.
       Tchameau fidèle. Le cimetière

X — 4. Exécution de M. F.

X — 5. Conversation avec un allemand.

X — 6. Tchameau tenté de trahir. Il couche avec la Grande
       Sœur Madeleine.

X — 7. Tchameau et Hélène.

X — 8. Tchameau et M. Frédéric.

X — 9. Tchameau et Annette.

X — 10. Tchameau et Thérèse.

X — 11. Tchameau et Annette

ad libitum

le retour de Charles
le jeune inouaire

autre rencontre avec M. Frédéric.

7 fermes, 5 flottants -

$11 \times 9 = 189$
$11 \times 8 = 168$

Frédéric	Annette	vierge	Hélène	putain
1	2	3	4	5
X—7	X—11	X—8	X—10	X—9

Dossier préparatoire
d'Un rude hiver *(CDRQ, D. 51).*

Version Minimum.

la trahison. M. Frédéric
1- tehemeau ceux pris avec la luxure. Helena
la fidélité.

↳ consolé par l'enfance. Annette.

La dignité: Thérèse (Sénateur)

2- tehemeau à bout { tenté de trahir
couche avec Madeleine.

3. Conversation avec un Allemand

4. Pan pan M. F.
5 { tehemeau Guéri. Va au front
{ Mme Dutertre se déclare. Hélène part (changt d'affectation)

6. tehemeau déserteur. Helena, c'est fini.

7. tehemeau seul.

A la question de Marguerite Duras « Qu'est-ce qui vous plaît le mieux dans votre travail de romancier ? », Queneau devait répondre : « La structure puis le fignolage. Mais entre-temps, couler le ciment ne m'amuse pas. Construire la chose, ça va. Et puis il faut la remplir, et c'est cela le labeur. Ensuite reste l'achèvement, le polissage, qui sont intéressants » (cité par Jacques Bens, Queneau, p. 222).

rence d'un être parfait, brusquement il s'enfuit en dérobant le sac à main d'une dame (*Loin de Rueil*, p. 62). Jacques se réjouit d'une telle mésaventure et va désormais concentrer tous ses efforts sur l'anonymat et sur la perfection feints par le voleur. On le retrouve plus tard, rêvant sur un bateau-mouche ; « les autres passagers ont été balayés, le reste de l'humanité […] noyée. Il tient la barre et conduit son vaisseau vers une destination nulle » (p. 86). Après avoir pris conscience de l'apparence et de la réalité, puis, grâce au balai, sublimé le désir mystique par le rêve, Jacques tente l'ascèse.

L'ascèse, c'est l'humiliation tout d'abord, le renoncement aux richesses matérielles ensuite (il se débarrasse d'une « certaine quantité de son être »), les activités mineures enfin : il « parvint ainsi bientôt à exclure de son temps tout remplissage et à vider son existence des incidents souhaitables ou redoutés qui font croire que l'on vit » (p. 142). Toutefois, bien qu'il ait « renoncé à l'amour, à ses pompiers et à ses manœuvres », traficotant « désormais sur le plan de la renonciation », il lui est encore difficile de ne pas succomber aux tentations de la chair (p. 143). « Tandis que Martine se déshabillait Jacques songeait à ces ascètes d'autrefois qui passaient la nuit entre deux femmes nues sans même lever le petit doigt. Il était loin du compte » (p. 164-165). Jacques apprend donc l'humilité : « Je deviens humble, je veux devenir humble. Pas modeste. Humble. C'est très difficile d'ailleurs, très compliqué. Pas simple du tout. Je ne comprends pas bien moi-même » (p. 146). De fait, la chose est malaisée, car « ce qu'il y a de calé là-dedans c'est que dire qu'on est humble ce n'est plus l'être, le penser même c'est déjà ne plus l'être. Le langage est gênant. Et je ne fais que commencer » (p. 147).

Aussi, toute victoire contre soi-même devient une source de joie : « Jacques se réjouissait en son cœur d'avoir pour la première fois de sa vie accompli un acte d'humilité. Un champion (de France) (amateur) de boxe (poids mi-lourd), se laissa calotter simplement pour ne pas montrer une supériorité quelconque. La sensation d'enthousiasme qu'il éprouvait dans son dedans lui fit aussitôt paraître parfumés de roses les chemins de l'obscurité » (p. 148). Inversement, toute défaite est objet de reproches ; dès lors, Jacques rejoint l'auteur de ses jours qui consignait dans son *Journal* : « Hier, j'ai joué aux échecs. Pourquoi ? Par vanité. Naturellement, j'ai battu tous les types qui sont là. J'ai ici la plus belle place qui puisse humilier ma vanité : 2° classe dans un dépotoir d'Infie à l'arrière. Et je n'en remercie pas Dieu ! » (7 oct. 1939, p. 63).

La connaissance de soi qui devrait permettre à Jacques d'accéder à la sagesse lui est malgré tout source d'insatisfaction, preuve qu'il lui reste encore à acquérir la plénitude : « Je sais ce que je vaux. Il est vrai que c'est encore se vanter que de prétendre savoir ce qu'on vaut » (p. 155). Sans pour autant se détruire, il faut donc arriver à la néantisation ; « Je me demande, dit-il, si je suis capable de devenir un rien du tout. Je ne suis absolument pas sûr d'y parvenir. » Il est vrai que l'objectif qu'il s'est fixé est d'une grande exigence : « Je voudrais tant devenir un saint » (p. 157). A nouveau, Jacques se fait l'écho des préoccupations de son auteur, qui recherchait lui aussi les voies de la sainteté[186].

Pour parvenir à son idéal, comme Queneau, il pratique donc l'effacement, le déblaiement, l'ascèse. Il « s'efforce de se tarir, de se désencombrer, de se vider. Il dégorge son trop-plein de moi [...] Jacques déblaie, déblaie [...] Jacques abandonne. Il se dépouille. / Il fait oripeaux neufs. / Il vogue vers la sainteté » (p. 158-159). Tout d'abord acteur qui « ne peut s'empêcher de vouloir paraître » (p. 155), n'ayant pas encore accepté sa véritable identité, Jacques finira par renoncer à l'apparence, acceptant son véritable *moi* d'acteur. Il change de nom, devient James Charity, star de cinéma, et colle ainsi à la « peau de ses rêves ». La démarche de

Jacques est fidèle à l'enseignement de Brunton pour qui « le véritable renoncement est l'abandon volontaire de notre moi illusoire et trompeur » (p. 160). Mais sans doute lui reste-t-il l'accession au Soi[187].

Le principe d'effacement correspond alors à une démarche spirituelle, ascétique. Si elle se souvient de Brunton, ainsi que des cours de Kojève sur Hegel, la rédaction de *Loin de Rueil* subit également l'influence de l'ascétisme grec transmise par Brochard. La philosophie de Pyrrhon est « celle de la résignation ou plutôt du renoncement absolu ». Selon lui, Pyrrhon, qui ne voulait pas « se laisser troubler par les événements », « fut une sorte de saint, sous l'invocation duquel le scepticisme se plaça » (*Les Sceptiques grecs*, p. 68-71). De toute évidence, le Janus Jacques L'Aumône/James Charity en fut un lointain adepte.

S'écrire ou s'effacer ?

Queneau s'inscrit en profondeur dans son œuvre alors même qu'il cherche à s'en effacer. Mallarmé avait déjà posé les termes de ce paradoxe propre à la littérature contemporaine. Lorsque l'écrivain se constitue par l'écrit, il énonce sa propre mort ou, plus exactement, l'extinction de sa propre voix. En s'élaborant, l'écriture se réifie et devient autonome, elle annonce le silence de l'auteur, qui cède sa place au lecteur. Barthes s'en est expliqué à propos de l'œuvre mallarméenne[188]. Reste que cet « éloignement », ce « renoncement » qui trouve son plus haut période dans *Morale élémentaire*, prend chez Queneau toute sa signification au regard de la quête métaphysique. Le moi n'est qu'une étape à laquelle il faut finalement *renoncer* pour accéder à l'Identité suprême, au Soi supra-individuel[189]. On comprend ainsi qu'il soit forclos de *Morale élémentaire*, que les marques d'énonciation de la première personne aient disparu, que l'auteur ait perdu les lettres bornant son nom. Pour l'écrivain, l'*éveil* du moi passe

234

par son inscription dans le texte ; l'écriture relève alors des premières phases de l'initiation ; la révélation de l'identité se fait au travers de la réalisation du « petit mystère »[190] qu'est *Morale élémentaire*. Cet espace d'écriture peut ensuite être considéré comme un espace de transformation où s'opère consciemment la disparition du moi qui permettra de « dépasser l'état humain ». Le reste, comme l'écrit Queneau, se « passe dans la pointe de l'esprit » (*Journal*, p. 207).

« Il a toujours heureusement existé des hommes [...] dont l'œuvre – belle – était aussi, et nécessairement, vérité et volonté » (*LVG,* p. 96). Si la phase ultime de l'écriture est silence, c'est que la poésie a rempli son objectif essentiel ; par la volonté, chercher la connaissance, atteindre la vérité : « La poésie est un moyen d'aider notre raison déficiente à accéder à l'enseignement sans voile de la vérité » (p. 128). Mais cet enseignement peut varier selon l'époque considérée. Au plus fort de la vague rationaliste, l'écriture quenienne se bat contre le chaos historique qu'elle tend à endiguer. Face à l'Histoire, l'écriture poétique, qui comprend le roman en son sein, offre une réponse provisoire que la démarche politique n'avait su formuler. Mais, dans la phase finale de sa vie, l'auteur cherche une autre voie. La métaphysique répond alors au désordre de l'humanité. Si l'on veut bien y prêter attention, force est de constater une grande similitude entre ces deux manières de pallier l'angoisse existentielle. Dans un cas comme dans l'autre, la recherche de l'« ordre » se traduit par l'adhésion au classicisme, mais une distinction demeure. Si, dans un premier temps, l'écriture s'élabore au niveau Individuel et constitue l'énonciation d'un *moi*, dans un second temps, les marques énonciatives de ce *moi* s'effacent ; le renoncement permet ainsi l'accès à l'ordre, Universel cette fois. Et le choix du « classique » s'inscrit dans la « tradition »...

Gouache de Raymond Queneau sur feuille
de cahier d'écolier, 15 x 20 cm, s.d.

5
Savoir et tradition

Sa vie durant, Queneau a été hanté par le complexe de Prométhée sous le nom duquel Bachelard se proposait de ranger « toutes les tendances qui nous poussent à *savoir* autant que nos pères, plus que nos pères, autant que nos maîtres, plus que nos maîtres[191] ». Une quête traduite sous divers modes en fonction des périodes traversées : démarche encyclopédique très tôt initiée à la lecture de Gustave Le Bon[192], boulimie de lectures et tendance à l'universalité, mais également « désir de sciences (mathématiques), d'érudition (bibliographie, histoire), de langues (cosmopolitisme) » et enfin « souci de métaphysique[193] ». Qu'il se soit exprimé à travers le néo-français, l'explosion créatrice, le « rêve de Bouvard et Pécuchet » ou l'Oulipo, le complexe de Prométhée a tout d'abord été symbolisé par le regard, la vue et les instruments qui leur sont appropriés. Au final, le voyage, la navigation devaient prendre le relais. Le savoir avait alors renoué avec la tradition, la connaissance voguait sur les voies de la Délivrance...

Les regards de la « connaissance »

Lulu Doumer ne voyait rien parce qu'elle ne savait pas
(*Loin de Rueil*, p. 20).

Pierrot mon ami s'ouvre sur cette injonction : « Enlève donc tes lunettes, dit Tortose à Pierrot,

« *Enlève donc tes lunettes, dit Tortose à Pierrot, enlève
donc tes lunettes, si tu veux avoir la gueule de l'emploi* »
(*Pierrot mon ami*, *p. 7*).

« *Il résolut également un problème d'optique qui,
depuis son enfance, constituait pour lui une source
d'humiliations. Il décida de porter lunettes.
Au point de vue esthétique, il admirait leur écaille.
Au point de vue pratique, ce fut pour lui prétexte
à multiples satisfactions. Il devint tellement fier
de son œil aigu et de ses carreaux qu'il se mit à lire
les journaux comme un presbyte et à déchiffrer le noms
des acteurs sur les colonnes Morris, de l'autre côté
du boulevard* » (Les Derniers Jours, p. 177).

enlève donc tes lunettes, si tu veux avoir la gueule de l'emploi » (p. 7). Après quoi, le directeur de l'Uni-Park force la main au fakir afin qu'il procure un travail à Pierrot. A contrecœur, ce dernier accepte l'embauche : « Je veux bien, dit Crouïa-Bey, mais faudra qu'il enlève ses lunettes » (p. 62). A rime de situations, rime phrastique ; lorsqu'il prend ses nouvelles fonctions, la phrase initiale du roman tombe à nouveau et Pierrot s'entend dire : « enlève donc tes lunettes, couillon » (p. 81). Que ce soit au palace de la Rigolade ou chez le fakir, on ne demande pas à Pierrot d'être clairvoyant, au contraire, on l'oblige à quitter ses lunettes. Il voit donc Crouïa-Bey s'enfoncer des dards d'acier dans les joues à travers le brouillard de sa myopie. Sans lunettes, il ne peut *voir* le « truc » ; la réalité lui est masquée, la scène devient alors plus vraie que nature. Or Pierrot, comme saint Thomas, croit en ce qu'il voit, et ce qu'il voit lui fait horreur : il s'évanouit (p. 82).

Les rapports de Pierrot au monde romanesque sont tributaires de sa capacité à voir ou non les choses ou les événements tels que perçus par les autres individus. La sagesse de cet attachant personnage est tout intérieure, aussi, sans lunettes, sans médiateur avec le monde extérieur, Petit-Pouce lui trouve une « tête à gifles » (p. 80). Confiné dans la béatitude d'un moi repu, Pierrot agace, car ce bonheur discret est inaccessible à l'Autre sans un long « travail personnel ».

La quête et la sagesse de Pierrot se heurtent aux « tours » des fakirs et autres illusionnistes qui travestissent la *vérité* par intérêt. On ne sera donc pas surpris d'apprendre que le premier magicien que Paul Brunton ait rencontré dans son périple hindou se soit appelé Mahmoud Bey, illusionniste qui donnera son nom à Crouïa-Bey[194].

Entre les philosophes qui se rincent l'œil au palace de la Rigolade et les voyous, il y a la distance d'un regard et les lunettes d'un personnage. D'un personnage ou d'un auteur qui, en débarquant à

Paris, « ne portait pas de lunettes bien qu'il fût myope » parce qu'il « était timide, individualiste-anarchiste et athée » (*Les Derniers Jours*, p. 21). Mais depuis ses premiers pas dans la Ville Capitale en 1920, les temps ont bien changé. Vincent Tuquedenne – alias Raymond Queneau – « résolut également un problème d'optique qui, depuis son enfance, constituait pour lui une source d'humiliations. Il décida de porter lunettes » (p. 177). Ce qui ne va d'ailleurs pas sans poser parfois quelques difficultés : « Je parie que vous êtes médecin. Avec ma sale gueule et mes lunettes d'écaille, je subis fréquemment cette méprise. Mille hontes » (*Le Train d'Arpajon*, CIDRE, Dossier « Proses inédites »).

Dans *Le Chiendent*, le regard joue également un rôle déterminant. C'est par lui que l'« observateur » Pierre Le Grand transforme une « silhouette » en être tridimensionnel. « Il venait d'ouvrir les yeux », ainsi commence l'action qui permet d'extraire un être de la multitude (p. 9). Étienne n'existe que parce qu'il a été regardé par Pierre Le Grand ; seul ce regard extérieur lui permet d'accéder à la conscience de soi. Cette plongée dans le monde de l'existence romanesque présuppose un démiurge. Étienne dira de Pierre (le démiurge *intra*-romanesque) : « Lui il vit il a toujours existé il voit tout. » En l'écoutant, il a cette réflexion : « En voilà un qui sait voir. » Puis, réfléchissant à son propre comportement, il note : « Ce restaurant même, voilà trois ans qu'il y vient et, peut-être, n'y a-t-il pas vu ce qu'il devrait y voir. Et lui, Le Grand, l'a peut-être vu, l'a sûrement vu » (p. 82). Regard du personnage qui détient la connaissance et donne naissance à l'autre (« Ces yeux qui le fixent », p. 83), mais aussi regard de l'auteur qui les transcende tous deux. Il y a dès lors une double articulation dans les rapports œuvre-créateur ; la première s'établit entre l'écrivain et l'univers autonome qu'il engendre, la seconde s'inscrit dans la première, un personnage démiurge donne naissance à un autre personnage.

Pierre, Étienne comme Saturnin sont, à des degrés différents, « des émanations de l'auteur au sens précis que la gnose néoplatonicienne donnait à émanation », écrit Claude Simonnet. Dans *Le Chiendent*, comme dans la plupart des romans queniens, « la présence cachée de l'auteur évoque la situation de Dieu à l'égard du monde créé : Dieu transcendant, inconnu, invisible qui trône au-delà des sept sphères (les sept chapitres). Des personnages apparaissent et Queneau souligne leur caractère d'apparition, mais il peut également les faire disparaître, les dissoudre. "Lorsque vous dissolvez le monde sans être vous-même dissous, vous êtes le maître de la création et de toute corruption", disait Valentin le Gnostique » (*Qd,* p. 144-145). Queneau et son personnage relais (Pierre) sont des démiurges clairvoyants et révélateurs, puisqu'ils donnent à voir le procès de création dans lequel ils s'engagent. Démiurge, l'auteur affirme sa compétence et fonde l'autonomie poétique du monde romanesque qu'il engendre ; il en révèle à la fois les limites et les procédés créatifs.

Une fois son identité acquise, Étienne Marcel est bientôt confronté aux masques de la réalité : « On croit voir ceci et l'on voit cela » (p. 187). La réalité a la valeur que chacun lui accorde ; ainsi la porte du père Taupe a « quelque valeur à ses yeux » (p. 138) et si tout le monde cherche « à voir – de l'autre côté » (p. 217) c'est que l'on croit qu'elle cache quelque chose. Dans l'intrigue, pour découvrir les intentions de l'Autre, le regard est essentiel : « Il est inutile de cacher que la situation devenait diablement tendue. [...] Le gênant c'était les lunettes noires » du curé déguisé (p. 343). La sagesse s'acquiert par un regard désintéressé : « Dès qu'on regarde les choses d'une façon désintéressée, tout change », dira Étienne (p. 183).

La connaissance, l'acceptation de la vérité sont des conditions indispensables pour accéder à la sagesse. Il faut *voir* la vie telle qu'en elle-même.

« La vie est une chose terrible, écrit Queneau. Il n'y a pas de joie véritable, si l'on ne veut pas *voir* cela » (*NRF,* n° 309, 1939, p. 1036). Parlant des camps de concentration, l'auteur file la même métaphore : « Il y a des aveuglements collectifs, qui défient toute tentative d'"éclaircissement" » (*BCL,* p. 200). Et pour *voir*, quand on est myope, il faut porter lunettes. Le traitement littéraire de cet objet symbolise le passage du monde des ténèbres, du brouillard (*Pierrot*), à celui de la lumière et de la connaissance. Connaissance révélée par le théâtre grec d'*Odile* : « Nos yeux s'ouvrent », dit Roland en songeant à l'Arabe « rencontré un jour là-bas vers l'Occident » (p. 181).

Au thème du regard s'ajoute celui de la voyance, qui va de pair avec la connaissance. On le retrouve dans plusieurs romans et plus particulièrement dans *Le Dimanche de la vie*[195]. L'auteur fait à nouveau rimer objets et situations pour mettre en relief les enjeux du regard. Voici donc Valentin Brû admirant la vitrine de la mercerie tenue par Julia Ségovie, sa future femme : « un foulard imprimé sur lequel on pouvait voir le Mont-Saint-Michel. Pouvant le voir, Valentin le vit et il pensa que c'était un endroit à avoir vu » (p. 45). La révélation des dons de voyance de Julia se réalise à partir d'un autre foulard imprimé : « Julia prit le foulard et elle vit alors une rue [...]. Une dame marchait devant elle, sans aucun doute madame Verterelle. Soudain, elle s'affaissait. Des gens accouraient. Et Julia sut qu'elle était morte » (p. 124). « Julia vit... et Julia sut... », résumé saisissant qui parodie à nouveau la révélation de saint Thomas : *voir*, c'est *savoir*.

« La vue est prise comme symbole de la connaissance, dont elle est l'instrument principal dans l'ordre sensible ; et ce symbolisme est transposé jusque dans l'ordre intellectuel pur, où la connaissance est comparée à une "vue intérieure" » (*L'homme et son devenir...*, n. 1, p. 15). Pour l'avoir

Gouache de Raymond Queneau,
24,5 x 31,5 cm., s.d.

lu en juin 1925, Queneau connaissait l'ouvrage de Guénon, d'où est extraite cette citation ; il n'en ignorait donc ni la signification ni la portée symbolique. Du reste, il sut en retourner les termes avec humour : « Lulu Doumer ne voyait rien parce qu'elle ne savait pas » (*Loin de Rueil*, p. 20). Ce qui manque à Lulu et à Roland Travy, qui ne sait pas non plus voir ce que l'Arabe regarde, ce sont les *lunettes* de la *révélation*.

L'action poétique
est une « besogne transformante »

Voyant, l'écrivain peut dès lors œuvrer, car le « langage doit transformer le comportement ». Le rôle de la poésie est donc essentiel, bien qu'il ne puisse prétendre pallier tous les modes de transformation humains. « On ne mange pas le mot pain, on ne boit pas le mot vin, mais bien dits ils ont leur importance. Je ne crois pas au langage qui se prend pour ce qu'il n'est pas, je ne crois pas à une poésie qui serait mensonge. C'est l'exactitude qui donne toute leur valeur aux métaphores les moins évidentes. » En ce sens, l'image n'est juste que si elle traduit une vérité. « Un Empereur changea les mœurs des Chinois en modifiant la langue, voilà qui me paraît fort possible. Il y a une force du langage, mais il faut savoir où l'appliquer, il y a différentes sortes de leviers et l'on ne soulève pas un bloc de pierre avec un casse-noisettes » (*BCL,* p. 45-46). L'activité du poète est comparable à celle de l'homme qui, lorsqu'il « travaille, violente la nature » ; selon la dialectique hégélienne, ce « crime » de l'action humaine est une « besogne transformante ». Le « jeu poétique » transforme et re-construit le monde, le langage et le poète. « Dans sa recherche de la pureté, le poète détruit les choses, lui aussi, à travers les mots. L'image est pour ainsi dire un bris de vocables. Le poète s'élève vers une ignorance quasi sacrée, son verbe vers un quasi total effacement. Mais ce propre néant n'est pas vide, ce chaos menace, le poète s'est créé un ennemi qu'il ne peut essayer de dissoudre qu'en retournant, éperdu de vertige et confondu par sa culpabilité, vers les choses et les mots. Mais ce ne sont pas tout à fait les mêmes choses, les mêmes mots qu'au début. Le poète, transformé par sa plongée aux confins de l'être, ne les aborde plus qu'avec des précautions infinies, pour ne pas les briser à nouveau » (*BCL,* p. 177-178).

Transformé par son travail, le poète ne peut concevoir la poésie en d'uniques termes formels attendu que son rapport au monde est porteur de sens. Il y a un « timbre signifiant des mots », explique Queneau à propos de la musique poétique d'André Frénaud (*Sud,* n° 34-40, 1981). Mais ce timbre est le résultat d'une rencontre, d'un travail produit par un artisan conscient de son action. Cette leçon lui vient de Daumal : « Le poète possédant à fond la science de la parole, lorsqu'il unit des sons et des sens, opère en lui-même du même coup cette union ; aussi est-il tout-puissant sur lui-même » (*LVG,* p. 127). Maître de soi, l'homme de lettres, à l'instar de l'empereur chinois, peut alors prétendre changer les mœurs en modifiant le langage littéraire. La première condition est que le roman puisse « s'orienter vers des conditions musicales, des nécessités de forme » et donc « tendre à la poésie ». La seconde est qu'il puisse s'abreuver aux sources du langage quotidien, afin que son lecteur se reconnaisse dans la langue écrite, idiome qui lui est d'ordinaire étranger. « Je crois que peuvent se développer des possibilités de langage (donc encore de formes) et que de nouveaux efforts seront tentés pour imposer le langage parlé (populaire) et atteindre ainsi au nouveau stade de la langue française. » Et Queneau d'ajouter : « Peut-être n'est-ce pas l'"avenir" », comme s'il pressentait déjà que les termes du débat sur le néo-français qu'il venait de

246

poser tomberaient un jour en désuétude[196]. Nous sommes alors en 1940, le premier article consacré au néo-français est, au dire de Queneau, écrit en 1937, le dernier qui marque la fin des illusions queniennes en ce domaine date de 1970. Durant ces trente années, le néo-français a marqué l'œuvre en profondeur, mais on n'en a bien souvent retenu que l'aspect formel et humoristique ; le lecteur est ainsi resté prisonnier du cocasse...

Les enjeux du « néo-français »

E. d'Astier. – Vous avez introduit le langage parlé dans vos œuvres : « Il l'a-t-il jamais attrapé, le gendarme, son voleur ? » Était-ce pour le sauver ?
R. Queneau. – Oui, très exactement. [...] L'oral comporte des éléments qui ne relèvent pas de la grammaire ou de la linguistique : la modulation, le ton, les bégaiements, les accrocs[197].

Le débat sur le néo-français part d'un constat fort simple ; « Nous parlons deux langues, tout comme les Grecs ; la "catharevousa" (langue pure) et la "démotique" (populaire)[198] ». Au fil de l'histoire, un fossé s'est creusé entre langue parlée et langue écrite, qu'il convient désormais de combler en donnant une prééminence à l'oral attendu que « dans toutes les langues occidentales, il y a primordialité du langage parlé sur le langage écrit ». Influencé par Vendryes, qui expliquait que « nous écrivons une langue morte », Queneau tente de redonner vie à l'écrit et propose une triple réforme : vocabulaire, syntaxe et orthographe.

Haute société

Ce sont des messieurs très bien / [...] /
Ils disent des choses pleines de pensées, d'idées
des conneries quoi, des conneries très bien
qu'ils prononcent très bien
en mettant l'orthographe à tous les mots
une orthographe très bien / [...] /

(*Pléiade* I, p. 297).

« L'adoption d'une orthographe phonétique s'impose parce qu'elle rendra manifeste l'essentiel : la prééminence de l'oral sur l'écrit. » Songez à la célèbre « pentasyllabe monophasée » de *Zazie* : « Skeutadittaleur... » (p. 10). Queneau s'est fait le chantre de cette écriture qui a joué un rôle déterminant dans l'image fort partielle que la critique a longtemps donnée de son œuvre ; le choix d'une orthographe phonétique fit qu'on le classa parmi les « rigolos ». Pourtant, « ce n'est pas porter atteinte à la langue que de corriger son orthographe, dit-il. C'est la débarrasser d'un mal qui la ronge ».

En ce qui concerne le vocabulaire, il souligne la tendance agglutinante du français qui offre de grandes possibilités créatrices, songez à l'hapax initial de *Zazie* : « Doukipudonktan » (p. 9). Queneau évoque alors quelques précurseurs tel « Jacques Pelletier du Mans, poète du XVIᵉ siècle qui fut de ceux qui osent inventer des mots. On lui doit : truculent, athée, expéditif, vagir, histrion, crémeux » (*Fn,* n° 176). Reste la syntaxe. « Le vocabulaire se modifie insensiblement, enrichi par les actualités et les événements, mais c'est surtout la syntaxe du français parlé qui s'éloigne de plus en plus de la syntaxe du français écrit. » *Le Dimanche de la vie* nous en donne quelques exemples savoureux. Ainsi la phrase construite en chinook, qui ouvre le premier chapitre : « Il ne se doutait pas que chaque fois qu'il passait devant sa boutique, elle le regardait, la commerçante, le soldat Brû » à laquelle répond la phrase liminaire du cinquième chapitre : « Ça ne fit quand même pas un pli. Trois mois plus tard, ils étaient mariés, l'ancien soldat Brû la mercière » (p. 59).

Le jeu n'était certes pas l'unique enjeu du néofrançais, car l'emploi de ce « nouveau matériau » devait permettre de faire surgir une « nouvelle littérature, vivante, jeune et vraie. » Grâce à cela, Queneau comptait élaborer un langage neuf qui donne une existence littéraire au français parlé et permette l'émergence d'une nouvelle littérature, de

« nouveaux pensers ». L'hypothèse était fondée sur d'illustres modèles : « C'est l'usage de l'italien qui a créé la théologie poétique de Dante, c'est l'usage de l'allemand qui a créé l'existentialisme de Luther, c'est l'usage du néo-français de la Renaissance qui a fondé le sentiment de la liberté chez Rabelais et Montaigne. Un langage nouveau suscite des idées nouvelles et des pensers nouveaux veulent une langue fraîche. » Queneau se fonde sur l'« exemple des hommes du XVIᵉ qui utilisèrent les langues modernes au lieu du latin pour traiter de théologie ou de philosophie, de rédiger en français parlé quelque dissertation philosophique ». La conséquence d'un tel choix est d'importance. A la fin du Moyen Age, par exemple, « les langues vulgaires sont parvenues à cette dignité de langue "littéraire", grâce à des traductions de la Bible », et l'auteur de regretter que le français ait alors fait exception.

Dans cette entreprise, la fonction de l'écrivain est déterminante, il lui revient de « prendre un langage pauvre comme le minable français du haut Moyen Age et de l'élever à la dignité de langue écrite ». En d'autres termes, « le travail du poète, et du prosateur, consiste à collaborer à l'établissement, au fondement, au développement et à l'embellissement du langage de ceux qui parlent la même langue que lui ». Mais « sans une notation correcte du français parlé, il sera impossible (il sera himpossible) au poète de prendre conscience de rythmes authentiques, de sonorités exactes, de la véritable musique du langage ». Or, « c'est de là que sourd la poésie ». Autrement dit, « le langage populaire est le terreau qui permet les plus hautes œuvres ». Si donc le poète accepte la fonction maïeutique qui consiste à accoucher la nouvelle écriture issue de l'oral, « alors seulement pourra naître une nouvelle poésie ».

La fonction traductrice ou maïeutique du poète a un caractère *militant* indéniable ; mais lorsque l'auteur subit l'influence de la tradition, elle est sensiblement infléchie, bien qu'elle persiste à

*Le prince Napoléon Murat et Raymond Queneau
sur le tournage de* Zazie dans le métro,
film de Louis Malle, 1960.

s'ancrer dans la parole populaire. En effet, « l'œuvre a un sens universel, mais elle dépend d'un élément particulier sans lequel elle ne saurait avoir, bien évidemment, aucune existence ». Aussi, « l'une des fonctions du poète est de rétablir l'harmonie entre les deux termes du rapport [nature/homme], et ceci par une activité esthétique, par le plaisir de la beauté. / La littérature est comme le sommet des ondulations de la mer, l'écume immortelle et transfigurée de l'océan des mille paroles prononcées par un peuple au cours de son histoire » (*LVG,* p. 182-186).

La question du néo-français éclaire la démarche de l'auteur dès lors qu'elle s'inscrit dans la lignée idéologique du « donner à lire », de l'éthique humaniste et de la dimension pédagogique de l'œuvre. La lutte pour le néo-français est une lutte politique, au sens noble du terme. Citant Vendryes, Queneau rapporte qu'au XVIe siècle, « notre langue a souffert plus que toute autre de l'influence néfaste des pédants ». Il insiste en outre sur le fait que l'orthographe a marqué les « privilèges corporatifs » des premiers imprimeurs. L'élitisme de la langue écrite s'est donc exacerbé au détriment de l'oralité populaire. Or Queneau « ne voi[t] aucune raison pour ne pas élever le langage populaire à la dignité de langage écrit », de plus, il ne saurait y avoir pour lui de révolution sociale sans révolution du langage. Dans la réédition de *Bâtons, chiffres et lettres* en 1965, il extrait un passage d'un article de Staline paru dans la *Pravda* en 1950 : « Comment supprimer la langue existante et édifier à sa place une nouvelle langue, en quelques années, sans apporter l'anarchie dans la vie sociale, sans créer une menace de désagrégation de la société ? Qui, sinon des Don Quichotte, pourraient se fixer une telle tâche ? » Défendant la thèse selon laquelle « la vie d'un pays dépend de celle de son idiome propre », Queneau ne pouvait que s'inscrire en faux contre Staline. Pour lui, « le "paix à la syntaxe !" de Victor Hugo fut un propos réactionnaire » ; quant à Breton, il ne réussit qu'à « écrire un manifeste d'ultra-gauche littéraire dans la langue de la *Prière sur l'Acropole*[199] », ce qui était pour le moins paradoxal.

Le premier chapitre de *Bâtons, chiffres et lettres* est consacré au néo-français, l'auteur revient sur le sujet dans *Le Voyage en Grèce* et au cours de ses *Entretiens avec Georges Charbonnier*; or, en 1969 c'est un constat d'échec. « Cette question du néo-français me paraît moins importante [qu'à l'époque du *Chiendent*] ; ou, plutôt, je m'aperçois que les théories que j'ai soutenues à ce sujet n'ont pas été confirmées par les faits. Le "néo-français" n'a pas progressé ni dans le langage courant ni dans l'usage littéraire. Au contraire, il a reculé. Le "français écrit" non seulement s'est maintenu, mais s'est renforcé. On doit en chercher la raison, paradoxalement (ou dialectiquement) dans le développement de la radio et de la télévision [...] qui a répandu une certaine manière (plus ou moins) correcte de parler, et qui a appris aux locuteurs à se surveiller » (*NRF,* 1er avril 1969, p. 628-629). Une année plus tard, il confirme son diagnostic dans *L'Express* : « Le français parlé courant se modèle de plus en plus sur l'écrit, et je crois que ce que les puristes n'auraient pu obtenir, les moyens audiovisuels l'imposent. Bref, c'est une déroute du néo-français » (*LVG,* p. 225).

L'échec du néo-français ne fut pas à la hauteur des espérances qu'il fit germer. Le détachement dont fait preuve l'auteur à la fin de sa vie a de quoi surprendre, pourtant... Faisant des avances progressives au fil du *Chiendent*, s'effaçant des romans publiés durant la première crise spirituelle (*Les Derniers Jours, Odile, Les Enfants...*) pour disparaître d'*Un rude hiver*, le néo-français revient progressivement dans les romans de la sagesse avant d'exploser dans *Zazie*, au cœur de la période rationaliste. Phase finale, *Le Vol d'Icare* qui en sonne le glas alors que l'auteur a renoué avec la métaphysique. La radiographie de ce parcours montre que le néo-français est solidaire de la démarche politique, il en porte les derniers feux dans les années 1960, mais Queneau a déjà quitté la scène publique. Inversement, au cours des périodes « spirituelles », il a tendance à s'estomper. Et si *Morale élémentaire* en est exempte, c'est que l'auteur touche à la Délivrance. Le ton adopté pour avouer la déroute du néo-français ne saurait nous surprendre ; ce sujet clôt *Le Voyage en Grèce*, l'ultime *cercle* l'enferrant dans la pratique politique était enfin subsumé.

Pour autant, le néo-français joua un rôle important. Un point d'histoire est donc nécessaire. Il n'est « apparu dans la littérature française (comme dans la littérature anglaise) qu'aux environs de la Première Guerre mondiale. Et le premier qui écrit une œuvre anti-académique dans un langage volontairement populaire (mais stylisé) a été Céline » qui « commença par imiter Aragon[200] ». Mais Queneau racontera[201] que Céline devait lui voler la vedette en publiant *Le Voyage au bout de la nuit* quelques mois avant *Le Chiendent*...

Le rôle du langage « vulgaire » dans les romans de la sagesse est lié à la quête de celle-ci. En effet, « la Sagesse implique l'unité du discours et de la réalité, c'est-à-dire le langage de la rue » donc, selon Kojève, « un retour à ce langage "vulgaire" devient alors l'une des conditions du progrès sur la voie de la Sagesse[202] ». Mais le roman est distinct de la vie ; il fonde sa propre autonomie par le fait même d'être réglé sur une partition poétique. Selon Barthes, « l'œuvre littéraire commence précisément là où elle déforme son modèle[203] ». Le néo-français n'est pas le langage parlé, mais un nouveau mode d'expression littéraire qui s'en nourrit ; de plus, Queneau a fort clairement signalé les origines de ses modèles qui ne furent point oraux, mais livresques[204]. Le néo-français est au langage de la rue ce que les marques autobiographiques *sont* à Queneau. L'œuvre « est son propre modèle » (Barthes, p. 249) ; l'arbitraire poétique renvoie au modèle classique, à la tradition.

Le rêve de Bouvard et Pécuchet

> J'ai voué mon cœur à étudier et à sonder par la sagesse tout ce qui se fait sous les cieux : c'est la pire des occupations (L'Ecclésiaste, I,13).

Parler de l'encyclopédie chez Queneau, c'est aborder tout un pan de son œuvre, de ses recherches personnelles, de son activité professionnelle. Doit-on pour autant évoquer l'esprit encyclopédique ou l'encyclopédiste ? A n'en pas douter, l'auteur avait un savoir encyclopédique, son œuvre, la liste de ses lectures en font foi[205]. Et bien qu'il y ait quelques esprits chagrins pour dédaigner l'encyclopédisme quenien[206], rappelons simplement l'obsédante taxinomie, les diverses tentatives de classification ou d'axiomatisation qui régissent son travail : l'Histoire (*Une histoire modèle*), la langue (« L'analyse matricielle de la phrase en français »), les travaux littéraires (« Essai d'un répertoire historique des écrivains célèbres », l'Oulipo), la recherche sur les fous littéraires (*Les Enfants du Limon*), la science ou l'encyclopédie elle-même (*Bords*). Pour la publication des *Enfants du Limon*, Queneau avait lui-même classé ses œuvres antérieures dans la rubrique « du même auteur » : « Aux éditions de la NRF : / *Mathématiques*. / *Odile*, récit. // *Cosmographie, Botanique et Zoologie*. / *Gueule de pierre*, poème. // *Phénoménologie*. / *Le Chiendent*, roman. // *Histoire de France*. / *Les Derniers Jours*, roman. / Chez Denoël : / *Psychanalyse*. / *Chêne et chien*, poème » (*CRQ,* n° 12-13, p. 18). Reste la direction de l'Encyclopédie de la Pléiade, activité professionnelle qui couvrit un quart de siècle (1951-1976). Rappelons enfin qu'il préfaça *Bouvard et Pécuchet* à trois reprises, soulignant à chaque fois le rôle de la méthode. Mais la leçon flaubertienne fut également une leçon d'éthique, une leçon de scepticisme, voire un plaidoyer politique.

« *Apprendre à apprendre, c'est savoir ignorer* »

Le projet initial de Flaubert était de dresser une « charge à fond contre la bêtise humaine[207] ». Mais, selon Queneau, ayant plus tard « mieux constaté l'étendue des méfaits de la bêtise, et découvert que c'était un état normal de l'humanité et la simple expression de son être médiocre et réel, s'étant mieux identifié d'autre part à ses personnages, réactifs au milieu, il leur a donné à jouer une sorte de rôle socratique d'accoucheurs de la bêtise, de révélateur photographique ». Ainsi, les deux amis « refont pour chaque science ou art le chemin de l'humanité apprenante, mais le faisant de travers, ils montrent ce qu'il y a de profondément faux, inexact, maladroit dans chacune de ces activités humaines ». Le constat essentiel est donc celui du « manque de méthode » dont sont victimes Bouvard et Pécuchet. Et, d'où vient ce manque de méthode ? « De leur croyance initiale que leurs manuels détiennent la vérité, de leur bonne foi, de leur naïveté, répond Queneau. L'Album eût été en quelque sorte leur affranchissement[208]. »

Lorsqu'il évoque l'écho de l'« œuvre majeure de Flaubert » dans la littérature contemporaine, Queneau cite *A rebours* de Huysmans, *Ulysse* de Joyce et « le roman de l'un de nos contemporains où l'on voit un proviseur collectionner les œuvres des "fous littéraires" pour en constituer une Encyclopédie qui fait figure de raisonnable ». Sans les nommer, il inscrit donc *Les Enfants du Limon* dans la filiation flaubertienne ; ce roman est aux fous littéraires ce que *La Tentation de saint Antoine* fut à la religion, *Bouvard et Pécuchet* à la science.

« Comme toute recherche sceptique qui ne se termine pas par le silence [*Bouvard et Pécuchet*] propose à l'homme un but esthétique, et paisible à la fois. Et ici, la conclusion est à la mesure des héros ; n'étant pas des créatifs, ils seront des copistes ; mais étant des sceptiques, ils seront des copistes critiques. » Durant les années 40, sceptique, la sagesse quenienne dessine des fins esthétiques et silencieuses en réponse à l'angoisse de Bouvard : « Oh, le doute, le doute, j'aimerais mieux le néant. » Parodiant L'Ecclésiaste (I, 18), Flaubert écrit qu'« ayant plus d'idées ils eurent plus de souffrance ».

Dressant le bilan des différentes classifications des sciences disponibles, constatant qu'une « bonne classification non seulement ne peut englober tout ce qui est, mais encore n'a pas de place pour accueillir ce qui sera », Queneau lance un pari d'« ouvertures sur l'avenir ». « Loin d'être un bilan, cette encyclopédie doit être aussi une initiation, une préparation, un point de départ. [...] Nulle part, dans cette entreprise, ne seront celées les ampleurs de nos incertitudes et les immensités de notre non-savoir. Le lecteur apprendra à ignorer, à douter. C'est aussi une entreprise critique. Le principal fruit de la méthode scientifique est la lucidité. C'est aussi la possibilité de l'invention. » On ne saurait être plus explicite. La sagesse sceptique de Bouvard et Pécuchet se traduit en un pari d'active lucidité proposé au lecteur.

De par ses propres limites, l'objectif encyclopédique est donc clairement établi, reste le rôle de la méthode qui doit amener le lecteur « brut » – à devenir (s'il ne l'est déjà !) un lecteur « éclairé ». C'est-à-dire, à lui « apprendre à apprendre ». En d'autres termes, « apprendre à apprendre, c'est savoir ignorer, ne pas refuser la nouveauté, ne pas s'opposer à la recherche ». Pari optimiste, voire euphorique. La conviction militante des années 1920-1930 retrouve toute sa vigueur. Les temps ont *nrf*

Le directeur de l'Encyclopédie de la Pléiade

Vu l'article 3 de la loi du 17 Prairial an V,
Vu les articles 75, 76 et 2011 du Code Civil et Militaire
Vu les coutumes en usage dans le septième arrondissement
de la commune de Paris (Seine),
Vu la décision de M. Raymond Gallimard, éditeur, en
date du 17 janvier 1961,
Vu les pouvoirs qui nous sont conférés,

    décrète :

1 - L'Éminent Encyclopédiste Lambert (Jean-Marc) est
chargé de la recherche d'une Artiste Dactylographe apte
à taper encyclopédiquement ;

2 - la dite découverte (mais décemment vêtue), sera
conduite par l'E.E. Lambert (Jean-Marc) devant
l'Éminent Comptable Thuguenin, afin qu'elle soit
dûment rémunérée et socialement assurée ;

3 - ceci fait, la dite sera poliment mais fermement conviée
à taper dactylographiquement tous textes destinés
à l'Éminente Encyclopédie de la Pléiade.

        Paris, 18 janvier 1961

        Queneau

    membre de diverses sociétés savantes

Paris, 17, rue de l'Université — 5, rue Sébastien-Bottin (VIIᵉ)

*Lettre à Jean-Marc Lambert,
alors collaborateur de Queneau et qui devait
lui succéder à la direction de l'Encyclopédie de la Pléiade
(18 janvier 1961).*

changé, l'objectif aussi. La démarche est pédagogique, politique. Pour une entreprise si vaste, Queneau joue cartes sur table et évoque la « liberté de choix », la « démocratie scientifique », la « multiplicité de points de vue » qu'exprime Oppenheimer[209]. Le pari de l'Encyclopédie de la Pléiade est celui d'un humanisme scientifique. Queneau, qui s'efface du militantisme politique depuis la Libération, a donc trouvé un nouveau champ d'application. En homme de lettres, il s'adresse à son lecteur ; sa tâche principale est de livrer des outils fiables afin que le lecteur puisse devenir un citoyen libre et critique dans une démocratie éclairée.

Il accorde de ce fait une importance déterminante aux « méthodes (en soulignant le primat absolu des mathématiques pour la science constituée) – importance donc donnée aux disciplines "interscientifiques" et à toutes les formes d'étude de la condition humaine – modifications des perspectives historiques en tenant compte de l'importance des cultures extra-européennes en général et du monde asiatique en particulier ». Mais en homme rompu au sérieux, avec humour, il garde un joker : « Une de nos armes secrètes et qui aura pour thème l'Illusion, l'Erreur et le Mensonge, scientifiquement traités à partir de la prestidigitation et de la sophistique, (invention grecque laquelle, comme on le sait, avait pour but de faire passer le vrai pour le faux et le faux pour le vrai, art qui n'a pas été sans quelque influence sur l'éloquence juridique en particulier et la rhétorique en général). »

« *Écrire, c'est traduire* »

Ce pari exprimé en 1956 dans la présentation de l'Encyclopédie, Queneau l'a en réalité tenu tout au long de son œuvre. On peut le résumer à la fonction de *traducteur* dévolue à l'écrivain. Sur un brouillon, il note cette citation de Proust : « Le devoir et la tâche d'un écrivain sont ceux d'un traducteur »

(CIDRE, D. 54). Traducteur de l'oral à l'écrit (le néo-français), traducteur du discours philosophique en fiction (le *Discours de la méthode* de Descartes, les *Méditations cartésiennes* de Husserl ou le *Parménide* dans *Le Chiendent*), traducteur du savoir scientifique en langage poétique (*Petite Cosmogonie portative*), romanesque (*Les Fleurs bleues*) ou filmique (*Le Chant du styrène, Arithmétique*), traducteur d'anglais[210] au sens propre du terme... Cette fonction de traduction s'applique tout naturellement à la poétique romanesque, qui absorbe l'encyclopédisme pour en faire un matériau nouveau.

Queneau joue sur tous les registres de la variation ; qu'il s'agisse d'une simple allusion au fil du texte ou de la réécriture à peine démarquée d'une œuvre qui détermine la structure ou la constitution même de l'ouvrage, comme l'*Ulysse* de Joyce dans *On est toujours trop bon avec les femmes*[211]. De la même manière, *Le Chiendent* est imprégné de philosophie ; les romans de la sagesse (*Pierrot..., Le Dimanche..., Loin de Rueil*) se font l'écho des cours de Kojève sur Hegel ; la *Petite Cosmogonie portative* brasse le discours scientifique des origines cosmiques aux machines réflexe ; le *Tao-tê-king* et le *Yi-King* président à l'élaboration de *Morale élémentaire*... Mis à part *Une histoire modèle* qui, *via* son prière d'insérer, renvoie expressément à Volterra, Vico, Brück, Flinders Petric et Spengler, ce travail de traduction n'est pas souvent dénoté ; il se contente de marquer le texte en profondeur. Du reste, il importe peu que le lecteur non averti ne puisse le décoder, l'œuvre lui est un oignon qu'il doit pouvoir découvrir à sa convenance : « Que tout ne soit pas compréhensible par tous – il n'y a là après tout, rien que de normal. » Parlant de Gertrude Stein, Queneau ajoute « que ce qu'un auteur conçoit et ce que comprend le public sont deux phénomènes radicalement différents[212] ».

En revanche, lorsqu'il s'agit d'allusions ou de références passagères, le discours est didactique ;

Queneau se plaît alors à exposer avec humour thèses philosophiques ou scientifiques, événements historiques ou faits divers marquants. Tous les champs du savoir sont convoqués ; le ton employé singe l'encyclopédisme et crée ainsi une rupture humoristique. Voici, par exemple, comment le narrateur du *Dimanche de la vie* expose les raisons de la faillite du petit commerce de cadres pour miniatures du prédécesseur de Valentin : « La décadence de cet art, la miniature, la décadence commencée avec la découverte de l'imprimerie dont on ne peut fixer la date avec exactitude, du moins en Occident, mais qui est certainement antérieure à la seconde moitié du quinzième siècle, et achevée avec la découverte de la photographie qui remonte à l'année mil huit cent trente-neuf, avait limité singulièrement la clientèle de meussieu Chignole » (p. 116-117). Tout aussi cuistre la description de chiffres arabes dessinés par Julie : « ses doigts traçaient avec une application analphabète des signes que l'Occident doit aux inventeurs de la gomme » (p. 19). Pour ce travail encyclopédique, aucune source de savoir n'est dédaignée, du traité théorique au magazine qui, comme *Marie-Claire,* est la principale source d'information de Valentin (*Le Dimanche de la vie*). Pourtant, si le savoir étonne toujours, il est parfois suspect :

> — Je ne savais pas que j'avais un ancêtre qui avait combattu à Iéna, le 14 octobre 1806.
> — Comment sais-tu que c'était ce jour-là ?
> — Je l'ai lu sur un calendrier à feuilles détachables, répondit-il prudemment (p. 123),

et plus généralement valorisant, bien qu'accessible à tous :

> Valentin hoche la tête, sourit, répète une phrase qu'il a lue dans le journal et qu'on apprécie en général tout particulièrement, ce qui surprend toujours Valentin, puisque les autres le lisent aussi, le journal (p. 131).

La leçon de Valentin est *aussi* celle d'un lecteur.

De gauche à droite : Roger Pillaudin, Raymond Queneau,
Janine Queneau et Jean Vilar au cours d'une répétition
au TNP, pour l'adaptation de Loin de Rueil
par Roger Pillaudin, 1961.

« Il en avait de l'idée, ce Pillaudin. Parce que moi, jamais
je n'aurais pu faire ce qu'il a fait. Si jamais j'avais
traduit Loin de Rueil *en langage dramatique, ça n'aurait*
rien valu » (Préface à Loin de Rueil, *comédie musicale*
de Roger Pillaudin, d'après le roman de Raymond
Queneau, musique de Maurice Jarre, Gallimard, 1962).

La fonction de traducteur est liée à celle d'éditeur et renvoie au « donner à lire » exprimé dans la présentation de l'Encyclopédie ; en dernière instance, il y a le lecteur à qui s'adresse le travail de chaque jour. Ainsi l'édition de *L'Anthologie des jeunes auteurs* (JAR, 1957) s'inscrit dans la logique du métier de lecteur. Dans un hommage appuyé à Marguerite Duras, Queneau évoque ce métier, qui présente parfois des aspects ennuyeux, mais qui « est aussi la source de grandes joies et de vives satisfactions » (*Cahiers Renaud-Barrault*, déc. 65). Le métier d'éditeur et de lecteur pour *Les Écrivains célèbres* (Mazenod, 1951-1953) ou plus durablement pour l'Encyclopédie de la Pléiade, a influencé l'œuvre de Queneau au point d'infléchir la productivité romanesque de façon notable[213]. Aussi nous faut-il considérer l'Encyclopédie comme une des pierres majeures de son œuvre (*cf.* Jacques Bens, *AVB*, n° 18).

Jean Poirier a rendu hommage à ce travail quotidien que la critique a négligé. Raymond Queneau faisait montre d'une « attention sans défaillance apportée jusqu'aux plus petits détails à la tâche de l'éditeur ». On connaît (un peu) les multiples activités qu'il entreprit, mais, selon Jean Poirier, « on sait moins avec quel soin il s'est donné à son travail administratif [...] : il lisait ligne à ligne les manuscrits de tous les auteurs et, de temps en temps, exprimait une observation quant à la forme ou à la composition, remarque toujours pertinente – toujours hasardée avec un mi-sourire sur un mode interrogatif ou conditionnel. / [...] Ses collaborateurs peuvent témoigner de l'extrême conscience professionnelle dont il a toujours fait preuve ; il avait l'amour du travail bien fait et il ne reculait jamais devant l'effort ; pour sa collection, il a été à la fois le maître d'œuvre, celui qui assure la rigueur de la réalisation. [...] Le travail que Raymond Queneau a effectué au long des jours, au long des ans, à l'Ency-

De gauche à droite : Marcel Mouloudji, Gaston Gallimard et Raymond Queneau à la sortie du premier prix de la Pléiade attribué à Mouloudji, 1944.

clopédie de la Pléiade, peut éclairer d'une lumière nouvelle sa complexe et séduisante personnalité[214] ». Il éclaire également le rapport que la critique devra entretenir avec son *Œuvre* encyclopédique.

L'Encyclopédie impossible

En 1973, Queneau reprend dans *Le Voyage en Grèce* un article paru dans *Volontés* en 1938 dans lequel il écrivait qu'« une Encyclopédie *vraie* est actuellement une absurdité » (*LVG*, p. 97-103). Ce jugement tient au fait qu'une « telle Encyclopédie manquera toujours de lien qui pourrait en faire l'unité, ce lien ne pouvant exister de par la nature même de la science actuelle qui amasse des matériaux mais ne possède aucun principe pour édifier ». En effet, « la science actuelle est un disparate, un amas incoordonnable et voilà pourquoi sa richesse est un dénuement ». En d'autres termes, une telle Encyclopédie ne peut être que « le résultat d'un désordre » et ne serait donc « d'aucun *usage* » pour la culture réelle de l'homme, « ni pour son bonheur », car elle ne lui serait « d'aucune *utilité* pour l'aider à découvrir sa propre vérité ».

En 1938, Queneau traverse une crise spirituelle aiguë ; lorsqu'il évoque la « découverte de sa propre vérité », c'est à lui-même qu'il songe, faisant expressément référence à ses propres recherches[215]. Pour lui, la solution réside dans le « renoncement », « c'est la seule vie de l'esprit, le désencombrement, l'activité possible, la liberté ». La démarche spirituelle postule alors un « renoncement » à tout savoir qui n'est pas tourné vers la quête du Soi. Quant à la démarche « idéologique », elle fait également les frais de cette crise. Le jugement est fort sévère ; à quoi bon, dit-il, « des millions de fiches accumulées si l'on ne trouve que des imbéciles pour s'en servir » ; qu'importe un tel ouvrage, si ce n'est en réalité qu'une « forme déguisée de l'ignorance » ?

Lorsqu'il rédige la préface du *Voyage en Grèce*

trente-cinq années plus tard, Queneau joue avec son lecteur : « On s'étonnera peut-être aussi de me voir qualifier d'absurde l'établissement de nos jours d'une Encyclopédie, alors que je dirige celle de la Pléiade ; je répondrai : à cœur vaillant rien d'impossible. » Manière élégante d'éviter toute explication ; la contradiction demeure et l'auteur n'évoque ni l'évolution intellectuelle ni la rupture qui distingue les deux périodes spirituelles. On est effectivement en droit de s'étonner face à cette remise en cause de l'Encyclopédie ; de s'étonner et de s'interroger. Les articles de *Volontés* et la préface du recueil qui les rassemble appartiennent respectivement aux périodes « spirituelles » de 1935-1941 et 1968-1976 ; les débuts de sa collaboration à l'Encyclopédie datent de la période intermédiaire, dite « rationaliste ». L'aspect « idéologique » peut s'expliquer par le passage d'une période spirituelle, où l'élitisme guénonien est très prégnant, à une période dominée par la raison et les sentiments « républicains » maintes fois évoqués. En 1938, l'auteur juge son lecteur « imbécile », alors qu'en 1963 il cherche à l'amener d'un état de lecteur « brut » à celui de lecteur « éclairé ». En revanche, qu'il y ait un tel clivage entre les deux périodes « reliées » par la préface et par la réédition des articles n'est explicable que par un profond changement d'attitude au sein même de la démarche spirituelle. La formule « A cœur vaillant rien d'impossible » n'explique rien, mais trahit une évolution dans la perception de l'éditeur, de l'encyclopédiste face à son lecteur. Par là même, c'est tout le rapport de Queneau à la science qui pose problème. Quoi qu'il en soit, il semble que la quête spirituelle des dernières années se soit accommodée des principes *démocratiques* qui ont, en réalité, sous-tendu toute son activité sociale et desquels il ne s'était séparé que fort passagèrement.

En deçà de cette hypothèse, cette autre, plus triviale certes, mais qui dut sans doute jouer un rôle important. En 1973, affirmer qu'une « Encyclopédie

vraie est une absurdité » eût été pour le moins cava-
lier envers la Pléiade. N'oublions pas que Gallimard était l'employeur de Queneau...

Le paradoxe « traditionnel »
de l'archéologie oulipienne

> Rudes et longs les efforts pour devenir et pour être un
> poète (*LVG,* p. 129).

Avec *Odile* (1937) et *Volontés* (1938-1940), Queneau joue un « duo inspiré », mouvement alterné
qui va du roman à l'essai, d'*Odile* à *Volontés*[216]. Les
propos théoriques de Queneau répondent au discours romanesque de Roland. L'un et l'autre abordent les notions de travail et d'inspiration, évo-
quent la maîtrise et le caractère « discontinu » de
cette dernière, s'insurgent contre « l'équivalence
que l'on établit entre inspiration, exploration du
subconscient et libération, entre hasard, automatisme et liberté », se dressent contre l'« erreur
moderne » qui a consisté à « avoir transposé dans le
domaine artistique et littéraire toutes les hérésies
concernant la grâce, et de n'avoir attribué de valeur
qu'à l'involontaire, à l'inconscient et à l'inspiration ». Bref, tous deux s'opposent aux surréalistes à
qui Queneau dira : « Lorsque vous aurez renoncé à
ce laisser-aller [...] lorsque vous aurez maîtrisé
cette prétendue inspiration – alors, et alors seulement, vous serez *libres* et vous pourrez avancer
vainqueurs vers les puissances créatrices » (*LVG,*
p. 129). Avant que Roland Travy n'ajoute : « le vrai
poète n'est jamais "inspiré" : il se situe précisément
au-dessus de ce plus et de ce moins, identiques pour
lui, que sont la technique et l'inspiration, identiques car il les possède suréminemment toutes
deux. Le véritable inspiré n'est jamais inspiré : il
l'est toujours ; il ne cherche pas l'inspiration et ne
s'irrite contre aucune technique » (*Odile,* p. 159).

Les racines historiques
de l'Oulipo

Le duo d'*Odile* et *Volontés*, marque l'importance qu'accorde Queneau aux thèses défendues par Roland. Paradoxalement, ces « valeurs » seront à la base de la démarche oulipienne. Le paradoxe réside, non pas dans la reprise par l'Oulipo – à partir de 1960 – des valeurs littéraires défendues par Queneau dans les années 1930, mais bien dans les racines « traditionnelles » qui étaient à la base de la démarche quenienne et auxquelles les oulipiens, finalement, ne devaient pas adhérer. Dès lors, l'écrit quenien ne s'appartient plus ; passé dans les sphères sociales de la littérature, dans celles de l'histoire littéraire, il doit compter avec le cénacle oulipien, avec cet Autre pour qui le Même n'est peut-être pas identique.

Dans *Variétés*, Valéry explique en quoi Baudelaire fut un *classique*. « Classique est l'écrivain qui porte un critique en soi-même, et qui l'associe intimement à ses travaux[217]. » Si Baudelaire découvrit son tuteur critique dans la figure d'Edgar Poe, Queneau sut choisir celui qui lui convenait le mieux, Flaubert, bien sûr. Mais cela vaut pour la période rationaliste, car il devait *également* s'inscrire dans une autre tradition, héritée de Guénon celle-là. Valéry postule que « tout classicisme suppose un romantisme antérieur », précisant que « tous les avantages que l'on attribue, toutes les objections que l'on fait à un art "classique" sont relatifs à cet axiome. *L'essence du classicisme est de venir après.* *L'ordre* suppose un certain désordre qu'il vient réduire. La *composition*, qui est artifice, succède à quelque chaos primitif d'intuitions et de développements naturels ».

Lorsque, en 1960, Queneau fonde l'Oulipo en compagnie de François Le Lionnais, il le fait en « classique » et s'oppose au « romantisme » surréa-

Photo prise par Doisneau,
rue Bonaparte, dans le VIᵉ arr. de Paris.

liste à lui antérieur. Et c'est le *désordre* surréaliste que l'*ordre* oulipien vient réduire. De la même manière, le surréalisme supposait un dadaïsme à lui antérieur, comme l'a fort bien expliqué Maurice Nadeau[218]. Il est d'ailleurs symptomatique que l'une des premières exigences morales des oulipiens ait été de fustiger toute pratique d'exclusion. Chez les fondateurs de l'Oulipo qui, comme Queneau avaient traversé la période surréaliste, une telle exigence prenait clairement le contre-pied des « scissions, exclusions, excommunications » évoquées dans l'hommage à Prévert (*BCL,* p. 251).

Les conditions historiques, littéraires, éthiques, morales... étaient toutes réunies pour que l'Ouvroir de littérature potentielle s'oppose au surréalisme. L'héritage quenien n'y était certes pas étranger. Non plus d'ailleurs, le fait que l'auteur ait eu une double compétence d'écrivain et de mathématicien, d'« ingénieur » de la langue, pour reprendre l'expression de Valéry. L'apport littéraire et théorique de Queneau fut à ce point essentiel que certains ont vu dans l'Oulipo l'une de ses œuvres dernières. Lorsque les oulipiens affirment qu'« il n'y a de littérature que volontaire », ils se placent sous les auspices d'une phrase quenienne[219]. Cet héritage de plusieurs décennies de travail et de réflexion a sans doute ancré l'histoire oulipienne en deçà de sa date officielle de naissance, 1960.

L'Oulipo est fondamentalement redevable de l'œuvre quenienne, il y puise ses racines. De plus, il a été créé au cours de la période rationaliste traversée par l'auteur. Voyez l'exposé sur les origines et les principes de l'Ouvroir de littérature potentielle que fit Queneau au séminaire de linguistique quantitative de M. J. Favard en juillet 1964 : « *Ouvroir* parce qu'il entend œuvrer / *Littérature* parce qu'il s'agit de littérature / *Potentielle* – le mot doit être pris dans différentes acceptions [...]. / Quel est le but de nos travaux ? Proposer aux écrivains de nouvelles "structures", de nature mathématique ou bien encore inventer de nouveaux procédés artificiels ou mécaniques, contribuant à l'activité littéraire : des soutiens de l'inspiration, pour ainsi dire, ou bien encore, en quelque sorte, une aide à la créativité. » A la suite de quoi, Queneau pose les axiomes liminaires : « 1° Ce n'est pas un mouvement ou une école littéraire. Nous nous plaçons en deçà de la valeur esthétique, ce qui ne veut pas dire que nous en fassions fi [220]. / 2° Ce n'est pas non plus un séminaire scientifique [...]. / 3° Il ne s'agit pas de littérature expérimentale ou aléatoire [...]. » Cela précisé, l'auteur passe à la phase affirmative. « Nos recherches sont : /1° *Naïves* : [...] Nous essayons de prouver le mouvement en marchant. [...] 2° *Artisanales* – mais ceci n'est pas essentiel », comme l'a montré plus tard l'Alamo – Atelier de littérature assistée par les mathématiques et l'ordinateur –, fils de l'Oulipo. De plus, selon Queneau, ces recherches sont : « 3° *Amusantes*. » Et l'auteur ne se prive pas de souligner, une fois de plus, le sérieux de l'*amusement* : « Rappelons-nous que la topologie ou la théorie des nombres sont nées en partie de ce qu'on appelait autrefois les "mathématiques amusantes", les "récréations mathématiques" » (*BCL*, p. 321-323). Le conférencier ajoute enfin que l'une des parties des activités de l'Oulipo est historique, l'autre étant exploratoire.

Oulipo et métaphysique

Les *Cent Mille Milliards de poèmes* s'ouvrent sur une citation de Turing (« Seule une machine peut apprécier un sonnet écrit par une autre machine ») et une de Lautréamont : « La poésie doit être faite par tous, non par un. » En 1961, nous sommes aux antipodes des valeurs et de l'élitisme guénoniens évoqué au cours de la crise de 1938. Quelques années plus tard, Queneau se tourne à nouveau vers Guénon et la métaphysique. Ce qui ne l'empêche d'ailleurs pas de rester attaché à l'Oulipo, dont il est l'un des membres les plus assidus alors même qu'il a, depuis longtemps, quitté toute activité au sein de la collectivité littéraire, hormis son travail quotidien chez Gallimard consacré à l'Encyclopédie.

Une première question s'impose : le parcours personnel d'un auteur peut-il être figé dans les préceptes d'un groupe auquel il participa activement ? Qu'il y ait un échange dialogique, pour reprendre l'expression de Bakhtine, cela ne fait aucun doute, mais réduire la démarche de Queneau à l'unique activité *formelle* de l'Oulipo est oublier un élément essentiel qui répond à la seconde question : la coexistence de la métaphysique et de l'Oulipo est-elle contradictoire ? Le parti pris rhétorique quenien, dont les principes oulipiens sont issus, s'inscrit dans toute la démarche « classique » que revendiqua l'auteur. Or, cette dernière, sans contradiction aucune, est non seulement conforme à l'« éthique traditionnelle », mais s'y inscrit pleinement.

D'une part, « Queneau a abrité sa conception traditionnelle derrière la référence au classicisme » et d'autre part, comme l'écrit Calame, « la rhétorique la plus complexe n'est pas exclusive de la métaphysique la plus rigoureuse, autrement dit que la conscience littéraire n'est pas l'apanage de l'athéisme [...]. La poétique traditionnelle n'est pas un accident de parcours, dans la trajectoire quenienne vers la mathématisation de la littérature, où se parachèveraient sa pensée et son activité. Elle est l'archétype, la matrice, d'où est sortie l'*autre* poétique, qui n'en sera jamais que la copie, l'image, la *restriction* (au sens mathématique). C'est nimbée de "lumière universelle" qu'apparaît chez Queneau la structure » (*LRQ,* n° 2, p. 122-123).

Il est donc essentiel de bien comprendre que la rhétorique remise au goût du jour par l'Oulipo, dans la plus pure tradition des grands rhétoriqueurs, que les critiques du XIXᵉ siècle reléguèrent à tort dans les tiroirs aux amusements littéraires, n'est en rien contradictoire avec la démarche métaphysique poursuivie par Queneau. Les sceptiques contemporains restent déconcertés face à cette dualité, mais Brochard a expliqué, dans un ouvrage essentiel pour Queneau[221], que le scepticisme de Pyrrhon n'excluait pas la piété. Pour autant, les choix personnels de Queneau ne sauraient engager l'ensemble des membres de l'Oulipo. L'erreur critique a simplement consisté à amalgamer une éthique collective, définie publiquement, et les linéaments d'une pensée qui s'est refusée au monolithisme et qui a toujours revendiqué à la fois sa spécificité et son historicité. Qu'il s'agisse de l'aspect fondamental de sa démarche métaphysique ou des données philosophiques, politiques et personnelles de sa poétique, Queneau, par sa très grande discrétion, brouilla constamment les pistes, ce qui devait singulièrement compliquer le travail de la critique.

> ... Quant à moi, j'ai confiance.
> Confiance absolue.
> En ce que j'aime.
> Amour, Connaissance.
> Être.
> Au-delà. Le transcendant
> (*Journal*, p. 39).

Une poétique de la Délivrance

L'ultime recueil poétique de Queneau, placé sous le signe du voyage, de la navigation, renoue avec l'antiopée initiale des temps heureux (*cf.* chap. 1). Le poème liminaire de *Morale élémentaire* ouvre les voies d'une dernière navigation qui s'est définitivement affranchie du « crocodile » surréaliste :

> Un bateau
> sur l'eau
> seulabre
> suit le courant

> Un crocodile
> mord la quille
> en vain
> (*Pléiade* I, p. 611).

Au final, le poète peut donc constater avec satisfaction le « parcours accompli » (p. 699). Mais le chemin n'a pas été sans embûches : « Le quêteur tré-
buche dans les marais. [...]. Il faut reprendre le
cours des choses. [...] Le trajet reprend bientôt aussi
rude. Il faut s'obstiner. C'est la vie. Et même au-delà
de la vie » (p. 662). La limpidité du texte cèle l'étonnante richesse du recueil. Queneau est à l'apogée de
son art ; cet ultime voyage est celui d'un homme en
mutation, d'un homme qui s'apprête à aborder les
rives situées « au-delà de la vie ». Mais ce ne sont
pas les rives de la mort, sinon celles d'un autre *état*
de la vie. La dualité Oulipo-métaphysique s'éclaire
à nouveau pour prendre tout son sens, avec une
particularité propre à l'œuvre de Queneau,
puisqu'elle s'inscrit, à son tour, dans une trame
autobiographique.

L'oulipisme de « Morale élémentaire »

Avec *Morale élémentaire*, Queneau invente une
nouvelle forme poétique qu'il nomme « lipolepse » ; il
note dans son *Journal* : « Tout en continuant à écrire
des poèmes de cet ordre, je découvre alors que je
peux utiliser cette nouvelle structure pour faire de
l'oulipisme. » L'invention d'une forme fixe n'est pas
chose courante dans l'histoire de la poésie ; seul
l'avenir nous dira si elle fera école[222]. Quoi qu'il en
soit, l'auteur expose cette structure dans un numéro
de la *NRF* en 1974[223] :

> A B C
> D
> E F G
> H
> (5 ou 6 vers pentasyllabiques au plus)
> A' B' C'   I J K
> D'   ou   L

« Les lettres désignent un bimot (Substantif + Adjectif épithète). A à H doit être ponctué de coups de gong ou de grosse caisse. Puis vient une ritournelle. La fin reprend en général avec variantes des éléments de A à H ou bien poursuit de I à L toujours avec coups de gong ou de grosse caisse. »

La concision, la densité du texte lui donnent un éclat musical particulier, qui s'apparente aux traductions littérales des poèmes chinois[224]. Michèle Métail a d'ailleurs montré la parenté de l'invention quenienne avec le *lüshi*, principale forme fixe chinoise fort prisée par le poète Li Po qui vivait au VIIIᵉ siècle[225]. Mais cela concerne la première partie de l'œuvre. Les deux suivantes sont construites, comme l'a magistralement démontré Brunella Erulli, à partir du *Yi-King-Le Livre des transformations* de la tradition chinoise. Or ce livre repose sur une combinatoire mathématique : « Les soixante-quatre hexagrammes groupant deux à deux les huit trigrammes obtenus en combinant de toutes les manières possibles les deux énergies primordiales constituent une image complète du monde. » En effet, selon Perrot, « le monde ne nous révèle que le jeu des deux forces polaires [*yin* et *yang*], le mâle et la femelle, le plus et le moins, leurs épousailles et les dix mille êtres qui en sont les fruits. Le génial créateur des hexagrammes a su ramener cette variété sans limites à un schème mathématique enserrant la création comme un réseau, ou plutôt formant la trame qui la supporte et l'anime[226] ». Comment Queneau pouvait-il résister à ce jeu de transformations aléatoires qui avait déjà fasciné Leibniz ? Après avoir inventé une nouvelle forme fixe et construit les deux dernières parties de son recueil sur le *Yi-King*, Queneau ne pouvait que placer *Morale élémentaire* sous les auspices de l'Oulipo ou, du moins, sous les auspices de la conception qu'il pouvait alors se faire de l'Oulipo, qui n'était pas nécessairement celle partagée par les oulipiens. Car *Le Livre des transformations* est indissociable

Dessins de Raymond Queneau,
encre de chine, 15,5 x 24 cm, 1949.

de « la Loi secrète mais souveraine du Principe non-manifesté, le Tao, "la Voie"[227] » et qu'il ne peut, de ce fait, être réduit à de seules spéculations formelles ou combinatoires. Or, c'est bien la Voie que suit le « quêteur des marais » de *Morale élémentaire* ; cette voie déjà signalée par l'auteur dans les « Lettres du cellier » en 1939 : « Mais tant de louanges pour moi... Mon amour, que suis-je ? Un pauvre homme allez, comme les autres, et qui fait des efforts vers *qque chose* à travers des chemins parfois bien caillouteux – je suis quelqu'un qui se cache, aussi, hélas – mais je suis aussi celui qui vous aime et qui espère en vous[228]. »

Un parcours élémentaire

Morale élémentaire offre la quintessence de la poétique et de la thématique queniennes. Dans leur antagonisme, la marque autobiographique et le principe d'effacement sont arrivés à leur plus parfait équilibre. Claude Debon a esquissé le « déchiffrement biographique » des textes de la première partie[229], mais cette inscription, difficile d'accès pour le néophyte, est équilibrée par l'effacement des principales instances d'énonciation et plus particulièrement du *je* (*cf.* chap. 4). Mieux encore, lorsque le *Yi-King* fait allusion au chiendent, Queneau l'efface. Cette graminée omniprésente dans son œuvre et qui représente l'« herbe de malheur » et « naît sur le marasme[230] » a tout simplement disparu. Comme a disparu l'Histoire, qui naît du « malheur des hommes » (*Une histoire modèle*). Aussi n'y a-t-il plus qu'un présent a-temporel dans *Morale élémentaire* ; le temps est enfin dépassé, assumé ou plutôt subsumé. De la même manière, les deux pôles de l'identité éclatée *chêne* et *chien* sont enfin réconciliés sous la marque du 13e *kouà* du *Yi-King* qui préconise l'« accord entre les hommes » ; pour la première fois, « le chêne approuve le chien truffier, distinct et net dans ce paysage un peu noir[231] ». Si la mise en abyme de l'écriture, la dénotation de l'objet poétique[232] et l'esprit critique demeurent, en revanche, il y a un grand absent, le néo-français. Il est vrai, les préoccupations de l'instant ne sont plus d'ordre politique.

Le voyage et la navigation mènent la quête d'un savoir enfin réconcilié avec la tradition ; dès lors, le tournesol détrône le chiendent : « Le tournesol par sa symbolique solaire et son "rayonnement" rattache à la réalisation de l'homme universel. Puisqu'il est un élément *yin* et *yang* à la fois, et qu'il s'avère symbole de prière et d'extase autant que de vérification scientifique [le papier tournesol], il se trouve placé au centre des seize textes de la deuxième section de *Morale élémentaire*, comme pour souligner que les deux pôles apparemment opposés se retrouvent étroitement mêlés dans toutes les manifestations de la vie[233]. » La quête du savoir encyclopédique et de la Voie s'expriment sans contradiction, car « le *Yi-King* vise moins à classer les événements qu'à percevoir le sens de leur évolution ». L'accumulation des *faits* dénoncée dans *Volontés* trouve ici un sens, son sens. C'est la réhabilitation du savoir par la tradition. Par ailleurs, la mathématique omniprésente dans le recueil « apparaît comme un exercice spirituel, qui a cessé d'être une fin en soi ». Selon A. Calame, « mathématique et littérature fusionnent, dans *Morale élémentaire* et *Les Fondements [de la littérature d'après David Hilbert]*, et peuvent fusionner, parce que subordonnées l'une et l'autre à une instance supérieure : le "véritable but" », celui de la Délivrance[234] .

« Pour en arriver là, il aura fallu
remuer ciel et terre »

Nous savons l'attrait que représenta la culture chinoise pour Queneau : « Pyrrhon, les Chinois –

Gouache de Raymond Queneau,
31 x 23,5 cm, 1948.

« L'art n'est pas l'imitation de la vie, mais la vie
est l'imitation d'un principe supérieur avec lequel l'art
nous remet en communication » (Antonin Artaud).

voilà certes ceux que je comprends le mieux, qui m'ont le plus éclairé, qui me sont les plus voisins. Naturellement je n'oublie pas que sans Guénon... » (*Journal*, p. 73-74). En 1940, il est bouleversé par un texte de Tchang-Tseu qui expose la voie pour trouver le *Tao* :

> Quand il se fut détourné de sa propre existence, il se trouva soulagé. Quand il se trouva soulagé, il fut capable d'acquérir la vision de l'Un. Quand il eut acquis la vision de l'Un, il fut capable de transcender la distinction du passé et du présent. Quand il eut transcendé la distinction du passé et du présent, il fut capable d'entrer dans le domaine où la vie et la mort ne sont plus. Alors pour lui la destruction de la vie ne signifiait plus la mort, ni la prolongation de la vie une addition à la durée de son existence. Il était prêt à suivre toute chose, il était prêt à recevoir toute chose. Pour lui, toute chose était en destruction, toute chose était en construction. C'est cela qu'on appelle la tranquillité dans le désordre. La tranquillité dans le désordre signifie la perfection[235].

« Je me sens toujours tellement voisin des Sages Chinois », écrit-il à la suite de cette lecture (*Journal*, p. 160). A y regarder de plus près, tous les termes de la poétique quenienne développés dans *Morale élémentaire* sont présents dans cette lecture ; l'effacement de soi, l'absorption du temps par le présent qui domine l'œuvre, la rétrospection qui accompagne toute prospection, typique de la quête spirituelle[236], la sagesse enfin de celui qui s'inscrit dans la *tranquillité* du texte malgré les désordres de l'âme et de l'Histoire. Comment dès lors s'étonner que le *Yi-King* ait été le point de rencontre optimal des aspirations queniennes, le point de fusion de l'art poétique, de l'oulipisme, de la mathématique... portés par la métaphysique et la quête du *Tao* ?

Construit comme un voyage, en écho final à l'amphionie littéraire des premières années parisiennes, ce recueil passe en revue les divers stades de la vie personnelle, publique et spirituelle de l'auteur. Mais le moi s'efface devant le Soi, l'Individuel *passe* à l'Universel. « Ce que le lecteur tend à considérer comme la sage formulation d'une acceptation de la mort est au contraire plénitude, immortalité véritable et liberté : non du point de vue religieux du salut, mais de celui, métaphysique de la Délivrance, ou de l'Identité suprême[237]. »

Certes, comme Queneau l'écrit, « on peut alors regarder avec satisfaction le parcours accompli ». Reste que, « pour en arriver là, il aura fallu remuer ciel et terre[238] ».

Eau-forte de Gabriel Paris.

Notes

1. *Sur Racine*, Éd du Seuil, 1963, p. 166.
2. R. Barthes, *Le Bruissement de la langue*, Éd. du Seuil, 1984, p. 66.
3. Voir en annexe la bibliographie des principaux ouvrages consacrés à Queneau.
4. « Psychologies anglo-saxonnes », *NRF,* n° 309, 1939.
5. *Cf.* « Notes », *Tm,* n° 45-46, 1990.
6. *Réalités*, n° 216, 1964, p. 74.
7. *Queneau's fiction*, Cambridge University Press, Londres, 1985, p. 1.
8. *Cf.* E. Souchier, « Raymond Queneau / Regards sur Paris », *CRQ,* n° 6 et 8-9, Sarah Mirante, *Le Pari(s) de Queneau*, Maîtrise, Université Paris-VII, 1987 ; « Raymond Queneau et la ville », *CRQ,* n° 17-19.
9. Voir *Archives du surréalisme*, t. I et II. En date du 24 octobre 1924, on relève : « Visite de M. Queneau » (t. I, p. 31). A la suite de cette première visite, Queneau s'agrège au mouvement naissant, puis participe aux principales réunions du comité, avant d'être nommé membre de la Commission de la documentation avec Barsalou et Leiris, Aragon étant le « délégué du comité » (t. II, p. 132).
10. « Nous n'avons rien à voir avec la littérature. Mais nous sommes très capables, au besoin, de nous en servir comme tout le monde. / Le surréalisme [...] est un moyen de libération totale de l'esprit et de tout ce qui lui ressemble. / [...] L'idée d'une révolution surréaliste [...] vise à créer avant tout un mysticisme d'un nouveau genre... » (*Nadeau* I, p. 67-69).
11. « ... nous approuvons pleinement et contresignons le manifeste lancé par le Comité d'action contre la guerre du Maroc [...]. / Nous sommes la révolte de l'esprit ; nous considérons la Révolution sanglante comme la vengeance inéluctable de l'esprit humilié par vos œuvres. Nous ne sommes pas des utopistes : cette Révolution nous ne la concevons que sous sa forme sociale... » (*La RS,* n° 5, 15 oct. 1925).
12. Texte défendant Charlie Chaplin attaqué par les ligues féminines puritaines aux États-Unis, paru dans *La RS,* n° 9-10, 1er oct. 1927.
13. Tract rédigé en octobre 1927 contre la municipalité de Charleville et les « représentants des Ardennes » à propos de l'érection d'un monument à la mémoire de Rimbaud où Queneau rappelle certaines opinions de l'auteur : *« Ma ville natale est supérieurement idiote entre les petites villes de province »*

(*Nadeau* II, p. 79 *sq.*). On attribue généralement la rédaction de ce texte à Breton et Queneau (*cf. Pléiade* I, p. LIII et *Europe*, p. 134), mais, dans la version inédite de *Philosophes et Voyous*, Queneau écrit : « Baudelaire n'est pas voyou : Rimbaud le sera, en qui s'unissent la révolte romantique et la bohème mürgénienne (et bourgeoise) et il sera bien le grand patron du surréalisme (voir le manifeste de 1927 – dont je fus d'ailleurs le rédacteur, et qui souligne bien cet aspect de Rimbaud » (CIDRE, D28, dactyl., f° 23). Nadeau attribue également ce texte à Queneau (*Nadeau* I, p. 105). Au cours d'un entretien (4 nov. 1970), Queneau précisa à C. Rameil que Breton en avait assez de rédiger tracts et manifestes et qu'il fallait laisser la « place aux jeunes pour ce travail ». Queneau ne rédigea intégralement que celui-ci (*cf. AVB*, n° 23, p. 29).

14. « – Il faudrait lui montrer notre tract, dit Vachol. / Quelqu'un me le tendit. Je le relus attentivement : il n'y avait peut-être pas une seule erreur mais tout y était présenté mensongèrement. / – Tiens, j'ai signé, remarquai-je. / [...] / Ils n'avaient pas l'air contents que je m'étonne de voir ma signature au bas de quelque chose que je n'avais pas lu » (*Odile*, p. 154). Voir la note du 23 octobre 1925 du Bureau de recherches surréalistes : « Je prie le Comité de ne plus mettre ma signature au bas des manifestes* à partir du 1er novembre* en raison de mon départ pour le service militaire. Raymond Queneau » (*Archives 2*, p. 68).

15. Les toiles récentes de Chirico ne permettent plus de « chercher le merveilleux là où il fut pendant si longtemps et d'où il est définitivement parti », écrit Queneau en qualifiant le peintre de « copiste » (p. 24).

16. Voir les témoignages de Leiris et Prévert *in Queneau*, Jacques Bens, Gallimard, 1962.

17. *Cf.* Claude Debon, *Pléiade* I, p. 1599-1600.

18. *Le Surréalisme et le Rêve*, Gallimard, 1974, p. 423-426.

19. A l'occasion de l'exposition du numéro 1000 de la « Série noire » (Librairie La Pochade, 1966), Queneau écrit : « Je ne sais pas ce que c'est que la Série noire, mais je connais un certain Marcel Duhamel, écrivain polymorphe aux multiples pseudonymes, auteur de mille romans et créateur d'une nouvelle langue, intermédiaire entre le franslang et l'amerargot. » Voir R. Queneau, *Front national*, n° 339 (1945) ; M. Duhamel, *Raconte pas ta vie* (Mercure de France, 1972) ; André Thirion, *Révolutionnaires sans révolution* (Laffont, 1972, p. 91-102) et A. Breton, *Entretiens* (Gallimard, coll. « Idées », n° 284, 1969, p. 146).

20. *Tm*, n° 50. *Cf. L'Événement*, p. 24 : « *D'Astier* : – Quand vous en avez fini avec le surréalisme ou que le surréalisme en a eu fini avec vous, c'était le vide ? / *Queneau* : – Oui. J'ai alors fait ce que je trouvais à faire, et singulièrement des pictogrammes, des poèmes dessinés ».

21. « J'ai publié ce petit livre [*Chêne et chien*] en 1937, je m'étais mis de nouveau à écrire des poèmes depuis un an ou deux, j'avais cessé d'en écrire après avoir quitté le groupe surréaliste » (*BCL*, p. 43, 1950).

22. En déc. 1939, note sur son *Journal* : « Et ma littérature –

si elle correspond à ce que je veux faire, elle n'éveille pas l'écho que je désire » (p. 101). Les ouvrages parus pendant la décennie ne connaissent qu'une très faible audience. *Cf.* Paul Fournel, « Queneau en quelques chiffres », *Qa*, p. 255 *sq.*

23. En 1931, sur le conseil de G. Bataille, il postule à un poste à la Bibliothèque nationale.

24. 1947, cité par C. Shorley, *Queneau's fiction*, p. 161.

25. Voir sur ce sujet l'article d'Alain Calame paru dans *LRQ*, n° 2 (p. 111-128) et *L'Esprit farouche* (*PBQ*, n° 2). Sur l'aspect politique, voir les articles de Noël Arnaud, « Un Queneau honteux ? » (*Europe*, p. 122-130), « Politique et polémique dans les romans de R. Queneau » (*Qa*, p. 113-157) et « Étranges Volontés » (*Tm*, n° 150+33/36, p. 297-381) ; pour ce qui a trait à l'asthme, voir François-Bernard Michel, *Le Souffle coupé, Respirer et écrire*, (Gallimard, 1984, p. 27- 40). Sur Hegel et le séminaire de Koyré et Kojève, voir Dominique Auffret, *Alexandre Kojève* (Grasset, 1990). Les principales chronologies de Queneau sont celles d'André Blavier (*Europe*, p. 130-148) et Claude Debon (*Pléiade* I, p. XLI-LXXX). En ce qui concerne la bibliographie, on se reportera aux différents travaux de Claude Rameil (*L'Herne*, p. 355-392 ; *Europe*, p. 148-151 ; *Pléiade* I, p. 1623-1643) ; l'outil à ce jour le plus complet étant l'essai bibliographique paru dans *AVB*, n° 23 (1983). Du même auteur, voir également la « Chronologie » du *Magazine littéraire* (n° 228, mars 1986).

26. *Archives* I, p. 114-115. *Cf.* Michel Leiris, *in* Jacques Bens, *Queneau*, p. 11.

27. Le dernier article des statuts du CCD donne : « Les défaillances et déviations des organismes actuels du prolétariat et leur impuissance à traduire les intérêts historiques des masses donnent au *Cercle communiste démocratique* sa raison d'être : représenter la rupture nécessaire avec les pratiques dites socialistes ou communistes du présent, en sauvegardant l'héritage doctrinal et les résultats de l'expérience du passé, et rechercher activement les germes du renouvellement de la pensée et de l'action révolutionnaires » (*La Critique sociale,* n° 6, p. 257-258).

28. C. Limousin, « Petit dictionnaire... », Catalogue d'exposition, *Georges Bataille et Raymond Queneau*, Billom, 1982, p. 15.

29. *En quête de la Gnose*, t. I, Gallimard, 1978, p. XXX.

30. *Cf.* C. Debon, « Note sur Queneau et ses psychanalystes », *AVB*, n° 22, p. 42.

31. *Cf.* J. Duchateau, *La Colonne d'air*, Ramsay, 1987, p. 227. Sur ce point, voir *LRQ*, n° 2, p. 125 et *CRQ*, n° 4-5. On retiendra juste cette chronique de *Front national*, véritable réquisitoire contre Pétain : « L'ignorance dans laquelle les Français ont été tenus pendant quatre ans par les propagandes allemande et vichyssoise exige dès maintenant quelques mises au point nécessaires. » Et Queneau d'ajouter un peu plus loin qu'« on commence à apercevoir la vraie figure de Pétain, l'escroc de Verdun, l'ami de Franco, l'idéal de Gustave Hervé dès 1934, l'homme à qui la IIIe République confia (hélas !) les postes les plus importants en matière de défense nationale et

qui trouvait que les divisions cuirassées, "ça n'était pas sérieux", l'homme qui dès l'autre guerre pensait qu'"avec un régime pareil, la France ne peut pas vaincre" » (n° 138, 1945). Voir également H. R. Lottman, *La Rive gauche*, Éd. du Seuil, coll. « Points »,1981, p. 372.

32. *Cf.* E. Souchier, *Qa*, p. 179-203 et N. Arnaud, *Europe*, p. 129. *Front national* : « Organe du Comité directeur du Front national de lutte pour la libération de la France.» Ce quotidien de tendance communiste dirigé par Pierre Vilon avait une assez large audience. A la Libération, Queneau collabore à trois autres journaux d'obédience communiste : *Action*, *Ce Soir* et *Les Lettres françaises*.

33. N. Arnaud, « Des goûts d'un Satrape en couleurs », dossier 20 du Collège de 'Pataphysique, 1962, p. 49. Voir *Tm* n° 150+5 (Queneau-Élie Lascaux); *AVB*, n° 24/25 (Queneau-Jean Hélion); n° 26 (Queneau-Enrico Baj); n° 28-29 (Queneau-Mario Prassinos); n° 32-33 (Queneau-Élie Lascaux); *CRQ*, n° 2-3 (Queneau-Biancheri-Halpern-Hugnet-Labisse-Arnal) et Inez Hedges, « Petite peinturologie de Raymond Queneau », *Raymond Queneau encyclopédiste ?,*1990. Voir également Guy Loudmer, *Quevert et Pauneau…*, catalogue, Hôtel Drouot, Paris, 17 juin 1991.

34. *Cf.* « Raymond Queneau et le cinéma », *AVB*, n° 10-11 et Pierre David, « Encycloquenie amour de cinéma… », *Raymond Queneau encyclopédiste ?*, 1990.

35. *Cf. BCL*, p. 206-208 et 185-186. *Cf. supra,* chap. 5.

36. *BCL*, p. 153-154 et 243-250. Voir les biographies citées ainsi que Guillaume Hanoteau, *L'Âge d'or de Saint-Germain-des-Prés*, Denoël, 1965 ; Boris Vian, *Manuel de Saint-Germain-des-Prés*, Chêne, 1974 ; Juliette Gréco, *Jujube*, Stock, 1982 ; photos, p. 130-131.

37. *Cf.* A. Calame, « La place des mathématiques dans *Morale élémentaire*», *LRQ,* n° 1, p. 93-117.

38. Guénon récuse le terme de « syncrétisme », lui préférant celui de « synthèse » ; *cf. Le Symbolisme de la Croix*, Éd. Véga, 1984, p. 10 *sq*.

39. *L'Événement*, p. 24. L'auteur « a été catholique pratiquant jusqu'à l'âge de quinze ou seize ans, catholicisme personnel, non imposé par l'éducation ("bien que mes chers parents fussent bien peu chrétiens...", dit *Chêne et chien*), dont le détournera une lecture d'abord enthousiaste de Léon Bloy, ce qui, comme le remarque A. Calame, dénote une maturité certaine » (*LRQ,* n° 2, p. 112). Dans un récit de rêve daté de « Londres 27 août 1922 », Queneau note : « Je me suis réveillé alors, étreint par l'angoisse et n'ai pu m'empêcher de pleurer. Après j'ai songé à la métaphysique hindoue, puis je me suis rendormi et à Léon Bloy » (CIDRE, « Papiers de jeunesse », D28). Voir également *Les Derniers Jours*, poème d'adolescence qui figure dans *L'Herne*, 1975. Le choix de ce texte d'inspiration apocalyptique traduit à sa manière le retour au « cycle spirituel » qui marque la fin de sa vie.

40. Texte traduit en 1937, Payot, réédition 1983.

41. *LRQ,* n° 2, p. 114. Brunton écrit qu'« à l'encontre des prêtres [Shri Shankara] enseignait que tout être humain, sans

distinction de caste ni de couleur, pouvait participer à la grâce divine et à la connaissance des plus sublimes vérités » (p. 125).

42. *Queneau analphabète*, Répertoire de ses lectures de 1917 à 1976 ; mémoire de bibliothécaire documentaliste gradué, IESSE, Bruxelles, 1986-1987. Voici les onze premiers ouvrages dont la date de première lecture est suivie du nombre de lectures effectuées par Queneau au cours de sa vie : *Le Théosophisme, Histoire d'une pseudo-religion*, 1922, 12 fois ; *Introduction générale à l'Étude des Doctrines hindoues*, 1922, 10 fois ; *L'Erreur spirite*, 1923, 17 fois ; *L'Ésotérisme de Dante*, 1925, 10 fois ; *L'Homme et son Devenir...*, 1925, 9 fois ; *Orient Occident*, 1925, 6 fois ; *La Crise du Monde moderne*, 1929, 4 fois ; *Autorité spirituelle et Pouvoir temporel,* 1929, 5 fois ; *Le Symbolisme de la Croix*, 1932, 6 fois ; *Les États multiples de l'être*, 1932, 10 fois ; *Le Roi du Monde*, 1933, 10 fois.

43. Ainsi la datation de « l'exclusion fracassante d'Aragon – qui est de 1932, et fait suite à son adoption des thèses du congrès de Karkhov – s'inscrit dans *Odile* en 1927 ».

44. Les personnages de Vincent N. et Roland Travy étant probablement les deux faces d'un même personnage, Raymond Queneau lui-même, qui prend les traits de Vincent Tuquedenne dans *Les Derniers Jours*. Arnaud évoque « en tiers-part, une hypostase de Queneau, dus deux autres tiers représentant l'un Naville, l'autre Leiris » (*Qa*, p. 124). Sarane Alexandrian propose un « condensé » de certains personnages : « Édouard Salton, l'ennemi d'Anglarès, est un composé de Cocteau et de Tzara, le peintre Vladislav représente à la fois Chirico et Picasso, etc. » (*Le Surréalisme et le rêve*, p. 430).

45. Clément Huart dit que « c'est une obligation requise par le Dieu de merci et de compassion que tu sois chaque fois lavé de la souillure laissée par les chemins d'erreur et de rebellion où tu as marché ». Cité par Chevalier et Gheerbrant, *Dictionnaire des symboles,* Laffont-Jupiter, 1962, p. 750.

46. « Le "passage du pont" (qui peut être aussi celui d'un gué) se retrouve dans presque toutes les traditions, et aussi, plus spécialement, dans certains rituels initiatiques [...]. La rivière qu'il s'agit de traverser ainsi est plus spécialement la "rivière de la mort" ; la rive dont on part est le monde soumis au changement, c'est-à-dire le domaine de l'existence manifestée (considérée le plus souvent en particulier dans son état humain et corporel, puisque c'est de celui-ci qu'actuellement nous devons partir en fait), et l'"autre rive" est le *Nirvâna*, l'état de l'être qui est définitivement affranchi de la mort », R. Guénon, *Symboles fondamentaux...*, Gallimard, 1962, p. 344-345.

47. On relira l'ensemble de l'œuvre à l'aune de cette double articulation, car les romans queniens participent à la fois de *L'Iliade* et de *L'Odyssée*.

48. « Je n'en menais pas moins l'apparence d'une vie libre et spirituelle » (*Odile*, p. 180).

49. *Cf.* Brunton, p. 270, 295, 309, 311.

50. R. Guénon, « Taoïsme et Confucianisme », *Le Voile d'Isis*, n° 152-153 ; numéro spécial sur la Chine, août-sept. 1932, p. 487. Voir également *La Grande Triade*, Gallimard, 1957, p. 122 : « Le centre est le "lieu" normal de l'homme, ce qui revient

à dire que l'"homme véritable" est identifié à ce centre même ; c'est donc en lui et par lui que s'effectue, pour cet état, l'union du Ciel et de la Terre » ; ainsi que *Le Symbolisme de la Croix*, Éd. Véga, 1984. Sur les Centres du Monde, voir plus particulièrement *Symboles fondamentaux...*, Gallimard, 1962, p. 83-137.

51. Dans la tradition, l'« homme véritable » n'est lui-même que le « reflet en sens inverse dans le "miroir des eaux" » de l'image divine, de l'« homme transcendant », raison pour laquelle dans le récit « L'eau reflète le ciel » (*Odile*, p. 175).

52. Guénon, *La Grande Triade*, p. 83-84 et n. 1, p. 113.

53. S. Hutin, *Les Gnostiques*, PUF, 1959, p. 30.

54. « Il a plu [...] et je patauge dans la route. Les nuages filent où le vent les pousse. Il y a un Arabe qui est seul et qui regarde ce que je ne sais pas voir. L'eau reflète le ciel » (p. 175, *cf.* p. 7).

55. Du « Centre du Monde », Guénon dit que « par son irradiation, toutes choses sont produites [...] ; le point central, c'est le Principe, c'est l'Être pur ; et l'espace qu'il emplit de son rayonnement, et qui n'est que par ce rayonnement même (le *Fiat Lux* de la Genèse), [...] c'est le Monde au sens le plus étendu de ce mot, l'ensemble de tous les êtres et de tous les états qui constituent la manifestation universelle » (p. 84). Le centre « est le lieu où s'unifient tous les contraires, où se résolvent toutes les oppositions. L'idée qui s'exprime plus particulièrement ici, c'est donc l'idée d'équilibre, et cette idée ne fait qu'un avec celle d'harmonie » (p. 88). « Le Centre est à la fois le principe et la fin de toutes choses ; il est [...] l'*alpha* et l'*omega*. [...] ; il est par excellence un symbole du Verbe, qui est réellement le véritable "Centre du Monde" » (*Symboles fondamentaux...*, p. 93). Dans *La Grande Triade,* Guénon ajoute que « du point limite entre les deux domaines exotérique et ésotérique où [le Sage] se trouve placé, tout ce qui est au-dessus de lui se confond en quelque sorte, dans sa "perspective", avec le ciel lui-même » (p. 155). On relira également, avec profit, ce passage d'*Odile* – référence implicite à *L'Origine de la tragédie* de Nietzsche –, à la lumière des « Harmonies grecques » du *Voyage en Grèce* à propos desquelles Queneau évoque la symbolique du « centre de l'Univers » et les mystères d'Éleusis (p. 58-59).

56. « Le Centre du Monde est d'abord un point de départ, il est aussi point d'aboutissement » (*Symboles fondamentaux...*, p. 92).

57. L'expression « bien ordonné » fait sens en mathématique et désigne un ensemble tel que toute partie non vide a un plus petit élément. Cet ensemble est, *ipso facto*, un ensemble totalement ordonné (précision fournie par A. Calame).

58. Paris qui, selon Pierre Roux, « est un soleil, car il y a un demi-million de diables, qui s'ébattent sur cinquante mille et plus de fosses d'aisances... » (*Les Enfants...*, p. 153). Or pour Chambernac, qui nous présente Pierre Roux, « c'est là le point central de [s]on exposé ». « Centre » à nouveau, unique lieu où les oppositions se résolvent. « Le soleil dit Chambernac, le soleil ce sera le point central. C'est le centre du système. Excrémentiel, satanique... » (p. 156). *Cf. infra,* chap. 1, « De Bébé Toutout à Dédé Breton ».

59. Outre « son affiliation au soufisme non exclusive d'autres affiliations, au taoïsme, à la maçonnerie... » – sur ce dernier point, Calame précise qu'on reconnaîtra l'influence de Guénon « *surtout* dans le désir que manifeste Queneau, vers 1938-1939, d'adhérer à la Franc-Maçonnerie » (*LRQ*, n° 2, p. 124 et 125).

60. Gramigni, dans *Les Enfants du Limon*, présente un point de convergence avec Agrostis, qui, dans *Odile*, invite Roland et Vincent à venir en Grèce (p. 175). Queneau fit en effet remarquer à Simonnet que ces deux personnages ont, avec Miss Weeds dans *Un rude hiver*, un nom qui signifie « chiendent » en différentes langues.

61. « Papa et son fils vont en Grèce » (CIDRE, Dossier « Proses inédites »).

62. « Mais je suis décidé à rester désormais étranger à toute polémique humaine, et plus décidé que jamais à poursuivre le rêve supérieur de l'application de la métaphysique au roman. [...] Le roman est un art plus utile et plus beau que les autres » (citation relevée par Queneau, CIDRE, Notes de lecture, D 54, sd).

63. Je reprendrai quelques éléments significatifs du « dossier » de la partie inédite de ce texte (J.-C. Chabanne, *Tm*, n° 150+33/36, p. 53 *sq*.) en priant le lecteur de s'y reporter, sans omettre, bien entendu, d'aller également au texte publié (réédité à la suite du *Journal*, 1986). Cette précision n'a rien de superfétatoire, les déclarations queniennes pouvant parfois surprendre, elles méritent par là une lecture attentive.

64. CIDRE, D28, dactyl., f° 15. « Dès 1924, écrit André Thirion, le surréalisme se fit une réputation par l'usage de la violence physique et les actions de commandos » (*Révolutionnaires sans révolution*, p. 208).

65. Contre lesquelles Queneau s'élèvera violemment dans le poème *Munich* et auxquelles il fera allusion dans la première édition des *Exercices de style*.

66. Sur le manuscrit de la première séance de recherche sur la sexualité publié dans *La RS*, Breton a un intéressant repentir, il biffe les noms de Max Jacob et J. Cocteau tout d'abord cités comme exemples de pédérastes notoires. Queneau, qui vouait une grande admiration à Max Jacob, ne resta sans doute pas insensible à l'exemple donné par Breton au cours de cette séance (*Archives...*, t. IV, Gallimard, 1990, n. 7, p. 39).

67. 27 et 31 janvier 1928, *La RS,* n° 11, mars 1928, p. 32 *sq.* Voir E. Souchier, « Queneau et l'homosexualité ou la faille surréaliste », *Tm,* n° 150+33/36, p. 262-278. Voir également la publication de l'ensemble des séances de recherche sur la sexualité dans *Archives...*, t. IV.

68. Voir l'analyse de Calame sur *Odile* qui « prolonge, romanesquement, les œuvres *anti-sectes* de Guénon » et le « jugement très grave, tout au moins pour un guénonien » qu'*Odile* porte sur le surréalisme : jugement de « contre-initiation » (*LRQ,* n° 2, p. 119). Du même auteur voir également « *Chêne et chien* & *La Divine Comédie* », *Tm,* n° 150+25/28, p. 15-26.

69. *Cf.* A. Calame, « *Les Enfants du Limon* et la constellation du Chien », *Europe,* p. 65-76 et E. Souchier, « Queneau et l'homosexualité ou la faille surréaliste », *op. cit.*

70. *Cf. Pléiade* I, p. 1111 *sq.*

71. *Essais de psychanalyse appliquée*, Gallimard, 1933 ; paru dans *Imago* en 1923.

72. *Vlaminck ou le vertige de la matière*, Skira, 1949, np.

73. « Essai sur le don. Forme et raison de l'échange dans les sociétés archaïques », *L'Année sociologique*, deuxième série, I, 1923-1924. Voir également *Le Collège de sociologie* où Denis Hollier signale, pour la première partie de *Saint-Glinglin*, l'emprunt probable de Queneau aux travaux scientifiques d'Edith S. Bowen parus en 1931 (Gallimard, 1979, n. 1, p. 199).

74. A. Calame, « L'ethnologie dans le cycle de *Saint-Glinglin* de Raymond Queneau », *Écrits d'ailleurs, Georges Bataille et les ethnologues*, Éd. de la Maison des sciences de l'homme, Paris, 1987, p. 154.

75. *Cf.* H.-C. Puech, *En quête de la Gnose*, t. I, p. 198 : « Le temps, qui est en soi insuffisance, est né d'un désastre, d'une "déficience", de l'effondrement et de la dispersion dans le vide, dans le *kénôma*, d'une réalité qui existait auparavant, une et intégrale, au sein du *Plérôma*, de la "plénitude", ou de l'*Aïôn*, de l'Éternité. »

76. Qui fait référence, via Flaubert – le Dumouchel de *Bouvard et Pécuchet* – à l'hypotexte sur le don de Mauss et à *Totem et Tabou* de Freud. *Cf.* également *BCL*, p. 53 (Brachet et Dussouchet) et p. 113 (Bouvart et Ratinet).

77. Donna Clare Tyman, « La fausse science dans *Saint-Glinglin* », *Les Lettres nouvelles*, Denoël, juin-juillet 1973, p. 117-127.

78. E. Souchier, *Tm*, n° 150+33/36, p. 274.

79. Malgré le recul théorique, Queneau marque des phases de « résistance » au cours de son analyse qui ont notamment trait à l'homosexualité (*cf. Pléiade* I, p. 1111) : « Les cigarettes. Je ne fume pas. Le sens de "fumer" dans le journal du pasteur des *Faux Monnayeurs*. Ici, déchiquetées, vides. N'intéressent pas les autres jeunes gens. Homosexualité. / Sens homosexuel des gaines. Dernière partie de mon analyse. Mais je n'y *crois* pas ! / Faudra-t-il reprendre les séances ? » (*Journal*, p. 20).

80. « La perte de concours et d'amitiés comme en particulier ceux de Prévert et de Queneau vient de m'être très sensible », dira Breton après la rupture du *Cadavre* (*Entretiens*, p. 155).

81. *Tm,* n° 150+25/28, p. 24 et *Europe*, p. 71.

82. *La Force de l'âge*, Gallimard, coll. « Folio », 1960, p. 655.

83. Dans une note, Alain Calame me précise que, sur les brouillons de la préface au *Voyage en Grèce*, on constate que « juvénile » a été substitué à « surréaliste » ; Queneau parlait alors d'« insolence toute surréaliste ». Ce qui revient à dire qu'à la fin de sa vie il identifiait toujours le surréalisme à la jeunesse ; la connotation demeurant négative.

84. S. Hutin, *Les Gnostiques*, p. 9. Voir également Brunton, qui rapporte l'une de ses conversations avec le Maharichi en ces termes : « Quand un homme perçoit pour la première fois son véritable moi, quelque chose surgit des profondeurs de son être et prend possession de lui. Ce quelque chose est éternel, infini, divin en un mot ; on l'appelle tantôt le royaume des cieux, tantôt l'âme, tantôt le Nirvanâ, nous autres Hindous l'appelons Délivrance » (*L'Inde secrète*, p. 163).

85. « Ses premiers vers furent mallarméens » (*Pour une bibliothèque idéale*, p. 68).

86. *Œuvres complètes*, Pléiade, Gallimard, 1945, p. 366.

87. *Manifestes du surréalisme*, Gallimard, coll. « Idées », 1972, p. 51.

88. « Note sur *Les Enfants du Limon*», *L'Herne*, 1975, p. 194.

89. A. Calame, « L'Esprit farouche », *PBQ*, n° 2, 1989, p. 3-4.

90. *L'Événement*, n° 27, avril 1968, p. 25.

91. *Les Sceptiques grecs*, Vrin, 1986, p. 71 et 75. Il s'agit d'une « Nouvelle édition conforme à la deuxième » que Queneau a lue. « Pyrrhon. Un des livres les plus importants pour moi : *Les Sceptiques grecs* de Brochard. Sagesse tout orientale de Pyrrhon. "Anecdotes" taoïstes sur Pyrrhon » (*Journal*, p. 50).

92. *Tao-tê-king*, Éd. du Rocher, 1990, p. 27. Il s'agit d'une reprise de la traduction de Léon Wieger fréquentée par Queneau. Pour la « formule de l'action transcendante », le *Tao* dit entre autres : « En fait d'amour du peuple et de sollicitude pour l'état, se borner à ne pas agir. / [...] Tout savoir, être informé de tout ; et pourtant rester indifférent comme si on ne savait rien. / Produire, élever, sans faire sien ce qu'on a produit, sans exiger de retour pour son action, sans s'imposer à ceux qu'on gouverne » (p. 41). Voir également Etiemble, « Quelques mots sur Queneau et le taoïsme », *Essais de littérature (vraiment) générale*, Gallimard, 1975, p. 311-317.

93. *BCL*, p. 33. L'emploi des capitales a un sens précis chez Guénon, ainsi « nous avons pris l'habitude, dit-il, d'écrire "salut" avec une minuscule et "Délivrance" avec une majuscule, c'est tout comme lorsque nous écrivons "moi" et "Soi", pour marquer nettement que l'un est d'ordre individuel et l'autre d'ordre transcendant » (*Initiation et réalisation spirituelle*, Éd. Traditionnelles, 1990, n. 2 78.

94. *Cf.* Alain Calame, *L'Esprit farouche, op. cit.*, p. 10 *sq.* Sur la distinction entre l'Individuel et l'Universel, voir Guénon, *L'Homme et son Devenir...*, 1986, p. 34-36.

95. « L'Esprit farouche », *PBQ*, n° 2, 1989. La pagination utilisée dans le chapitre, sauf mention contraire, renvoie à la plaquette de Calame.

96. Sur l'image poétique du « cercle », voir Calame, p. 8-9 et *LVG*, p. 93.

97. André Masson, *Les Années surréalistes*, Correspondance 1916-1942 ; édition établie, présentée et annotée par Françoise Levaillant, La Manufacture, 1990. Voir en particulier p. 249, 259-262, 264-265.

98. Voir *Odile* et Guénon, *L'Homme et son Devenir...*, p. 21.

99. *Le Règne de la quantité...*, Gallimard, coll. « Idées », 1945, p. 303-313.

100. *LVG*, p. 12. Voir en outre le rapprochement que Calame fait entre les textes de Queneau et Guénon, concernant la raison et l'anti-raison ou « déraison » (*Tm*, n° 150+25 à 28, 1985, p. 24) : « Voici en effet ce qu'écrit Queneau dans *Volontés*, en février 1939, n° 14, à propos de la raison et de l'anti-raison : "la première, limitée [il s'agit de la raison] vaut ce qu'elle vaut et prépare à de plus hautes valeurs ; l'autre ne participe qu'à l'illimité de l'informe. Il n'y a pas d'antipathie entre la raison et ce

qui la dépasse, alors que l'anti-raison ne guérit la myopie que par l'énucléation et les maux de tête que par la guillotine"» (p. 152). / Ces phrases, déjà explicites si l'on consent à y réfléchir un tant soit peu, s'illuminent si on les rapproche de celles-ci, de Guénon : «Faisons remarquer, à ce propos, que "suprarationnel" n'est aucunement synonyme d'"irrationnel". Ce qui est au-dessus de la raison ne lui est point contradictoire, mais lui échappe purement et simplement» (*Aperçus sur l'Initiation*, Éd. Traditionnelles, 1980, p. 131). On comparera ce texte à l'attitude d'Anglarès dans *Odile* ; ce dernier faisant preuve d'une profonde «antipathie» à l'égard de la raison. Voir, par exemple, p. 49 : «Voici donc la raison de nouveau vaincue ; sur tous les terrains l'inconscient vaincra.» Rappelons que Guénon fustige la «confusion du supérieur avec l'inférieur», l'inconscient freudien relevant des «niveaux inférieurs», contrairement au «superconscient» de la métaphysique (*Le Règne de la quantité…*, p. 305).

101. *EC*, 3, p. 228. J. Jouet relève fort justement l'«allusion ironique au dégoût romanesque de Valéry relayé par Breton» dans un des vers des *Cent Mille Milliards de poèmes* : «C'était à cinq o'clock que sortait la marquise», vers pastichant la formule de Valéry (*Raymond Queneau*, La Manufacture, 1988, p. 43).

102. *Op. cit.*, p. 11.

103. Cependant une certaine prudence est nécessaire, car James évoque dans ses *Carnets* «le mystère sacré de la structure». Le rapport à la technique n'est donc pas exclusivement profane (précision fournie par A. Calame).

104. *Cf.* J. Carbou, « Queneau et la philosophie ou Queneau philosophe », *Tm,* n° 15+33-36, p. 38-39.

105. *Cf.* D. Delbreil, *Tm,* n° 150+41-44, p. 48.

106. 1937, CIDRE, Essai inédit, ms., f° 79.

107. *BCL*, p. 54-55.

108. *Sur Racine*, Éd. du Seuil, 1960, p. 166-167.

109. *Œuvres complètes* de Pierre Mac Orlan, t. I, p. VIII-IX.

110. Pour les surréalistes, écrit Sartre, « il s'agit d'anéantir, d'abord, les distinctions reçues entre vie consciente et inconsciente, entre rêve et veille. Cela signifie qu'on dissout la subjectivité. Il y a subjectif, en effet, lorsque nous reconnaissons que nos pensées, nos émotions, nos volontés viennent de nous, dans le moment qu'elles apparaissent et lorsque nous jugeons à la fois qu'il est certain qu'elles nous appartiennent et seulement probable que le monde extérieur se règle sur elles. Le surréalisme a pris en haine cette humble certitude sur quoi le stoïcien fondait sa morale. Elle lui déplaît à la fois par les limites qu'elle nous assigne et les responsabilités qu'elle nous confère. Tous les moyens lui sont bons pour échapper à la conscience de soi et, par conséquent, de sa situation dans le monde. Il adopte la psychanalyse parce qu'elle représente la conscience comme envahie d'excroissances parasitaires dont l'origine est ailleurs ; il repousse l'"idée bourgeoise" du travail parce que le travail implique conjectures, hypothèses et projets, donc perpétuel retour au subjectif ; l'écriture automatique est avant tout la destruction de la subjectivité » (« Situation de l'écrivain en 1947 », *Situations II*, Gallimard, 1948, p. 215).

111. Guénon, *Mélanges*, Gallimard, 1976, p. 72.

112. « L'initiation et les métiers » et « Les arts et leur conception traditionnelle » parus en 1934 et 1935, repris dans *Mélanges*.

113. *Cahiers Renaud-Barrault,* n° 52, décembre 1965.

114. *La Machine littérature*, Éd. du Seuil, 1984, p. 33.

115. On pourra en rechercher la signification du côté de Guénon lorsque celui-ci aborde la problématique du « Temps changé en espace », *Le Règne de la quantité...,* p. 214-220. La réintégration de l'« état primordial », proche de l'«âge d'or » d'*Une histoire modèle*, fait que « tout ce qui existe ne peut être qu'en parfaite simultanéité ; la succession se trouve donc en quelque sorte transmuée en simultanéité, ce que l'on peut exprimer en disant que « le temps s'est changé en espace » (p. 215). Le temps se change en espace « au centre du monde », dans l'«état primordial » où « toutes choses y apparaissent en parfaite simultanéité dans un immuable présent » (p. 220). Cet « immuable présent » qui sera la caractéristique temporelle du dernier recueil poétique de Queneau, *Morale élémentaire*.

116. *BCL*, p. 30. Voir le tableau dressé par Simonnet, *in Qd,* p. 165 *sq.*

117. *Cf.* E. Souchier, *Qa*, p. 179 *sq.* et *Histoire et énonciation dans les* Exercices de style *de Raymond Queneau à partir de l'établissement d'une édition critique*, thèse de doctorat ; Université Paris-VII, 1986, vol. 3, p. 493-600.

118. Voir E. Souchier, « Histoire en partie double ou la fleur de rhétorique d'*Un rude hiver* de Raymond Queneau (*Tm,* 150+41/44, p. 119 *sq.*). L'argumentation de ce chapitre est en grande partie extraite de cet article ; on s'y reportera pour toute référence non précisée dans le corps du texte. L'ensemble du recueil consacré à *Un rude hiver* offre une excellente approche critique du roman. Voir également M. Décaudin, « Ne passez pas *Un rude hiver* », (*Tm,* n° 150+20/21, p. 127 *sq.*). Sur le principe de la « rime romanesque », voir A. Calame, « *Les Fleurs bleues*, rime et concordance. » (*Tm,* n° 150+17/19, p. 77 *sq.*) ainsi que H. Desoubeaux, « Notes sur le jeu des citations chez Raymond Queneau » (*CRQ,* n° 16) et Jean-Yves Guérin, « Queneau poète de roman face au Nouveau roman » (*Roman 20-50,* n° 4, déc. 1987, p. 73-83. Numéro consacré aux *Fleurs bleues*). Sur la « rime poétique », on se reportera à l'ouvrage de J. Roubaud, *La Vieillesse d'Alexandre*, Ramsay, 1988. Voir aussi l'ensemble du recueil « Raymond Queneau Poète » (*Tm,* n° 150+25/28) et plus particulièrement M. Décaudin, « Du sonnet quenien », p. 265 *sq.* Sur l'ensemble de l'œuvre poétique, on se reportera au travail de C. Debon, *Pléiade* I, 1989. Voir enfin l'article de P.-F. David, « Consubstantialité & quintessence d'une fiction dérivée » (*Cahiers du Collège de 'Pataphysique*, Dossier n° 20, p. 15-20) où l'auteur relève les parallèles fort précis qui existent entre l'*Ulysse* de Joyce et *On est toujours trop bon avec les femmes*.

119. Scepticisme influencé par l'ouvrage de Brochard sur *Les Sceptiques grecs*.

120. Voir C. Simonnet, *Qd,* n. 1, p. 33-34 ; N. Arnaud, « Politique et polémique... », *Qa,* p. 113-157 ; J. Birnberg, « La politique, la mieux partagée des sciences inexactes... », *Tm,* n° 150 + 33/36, p. 124-141.

121. Dans le jeu autobiographique, le duc d'Auge est l'une des multiples facettes de la personnalité kaléidoscopique de Queneau, attendu que son « inversion » phonétique donne le « cul d'ego » ou « Q d'ego », initiale du nom de l'auteur. Queneau avait lui-même signalé à Calame le jeu Auge-Ego. Sur les initiales, *cf.* chap. 4.

122. On notera au passage la graphie « en partie double » d'*Annette*: 2 *n*, 2 e, 2 *t*.

123. Etiemble, Postface de *La Chine*, Mazenod, coll. « Les écrivains célèbres », direction littéraire R. Queneau et P. Josserrand, 1970, p. 189.

124. *Cf.* E. Souchier, *Tm,* n° 150+41/44, p. 133 *sq.*

125. R. Guénon, *Mélanges*, p. 106-108 et *Symboles fondamentaux...*, p. 75-79.

126. *Mesures,* n° 2, 15 avril 1938, p. 85. Queneau participa à cette livraison et devait, en outre, citer longuement l'article de Daumal dans *Volontés – LVG*, p. 127-128.

127. *Sêmeiôtikè*, Éd. du Seuil, 1969, p. 146.

128. *La Seconde Main*, Éd. du Seuil, 1979, p. 34.

129. *Essais critiques*, Éd. du Seuil, 1964, p. 125.

130. « La réécriture dans *Les Fleurs bleues* », *Roman 20-50,* n° 4, déc. 1987, p. 5-14. Le texte du *Dimanche de la vie* auquel il est fait référence se situe en p. 167-168 de l'édition Folio. C. Debon rassemble dans son article tout un ensemble de « collages » réalisés par Queneau dans *Les Fleurs bleues* auquel on se reportera avec profit. Voir également J.-M. Poncin, *La Citation chez R. Queneau : une systématique de la réénonciation – la déception du discours*, mémoire de licence, Liège, 1979-1980 et T. Aron, « Le roman comme représentation de langages », *Europe*, p. 46-57. *Cf.* note 140.

131. *En quête de la gnose*, t. I, p. 3.

132. *Le Mythe de l'éternel retour*, Gallimard, 1969, p. 48-49.

133. *L'Entretien infini*, cité par Compagnon, p. 7.

134. « *Aitareya Brâhamana*, VI, 27 ; *cf.* Platon, *Lois*, 667-669 ; *Politique*, 306 *d*, etc. » ; Eliade, *op. cit.*, p. 46.

135. *Journal. Cf.* Guénon, *Symboles fondamentaux...*, p. 77.

136. Cité par J. Bens, *Queneau*, p. 222.

137. *Cf.* H.-L. Moritz, « Répertoire des personnages des romans de Monsieuye Raymond Queneau », *Calis*, dactyl., sd, np, 26 Chemin des Essartis, Magézy, F., 17100 Saintes.

138. *Odile*, p. 158-159 et *Le Voyage en Grèce*, p. 94 et 125-132.

139. A. Calame, *Tm,* 150+1, p. 36.

140. Sur la réécriture dans *Les Fleurs bleues*, voir la liste dressée par J. Bens (*L'Arc*, p. 50), liste entée par A. Calame (*Tm*, 150+1, p. 29-37) et complétée par C. Debon (*Roman 20-50*, p. 7-10). *Cf.* note 130.

141. D'après, la croyance de certains hindous, le son était « la première manifestation d'activité de l'Être suprême au commencement du monde », ainsi que l'explique Brunton (*L'Inde secrète*, p. 248).

142. À ceci près que « la volonté de 1938 n'a rien à voir avec la volonté de 1962. C'est la "volonté" du Ciel de Matgioi, reprise par Guénon dans, entre autres, *Le Symbolisme de la Croix* » (précision d'A. Calame).

143. Voir Wilhelm Reich qui introduisait *La Révolution sexuelle* en ces termes : « L'amour, le travail et la connaissance sont les véritables sources de notre vie. Aussi devraient-ils les gouverner » (10/18, n° 481, UGE, 1968, p. 11).

144. « Dubuffet le magnifique », *L'Œil,* n° 221-222, déc. 73, janv. 1974.

145. R. Guénon, *Initiation et réalisation spirituelle*, Éd. Traditionnelles, 1990, p. 91-92.

146. « J'ai même écrit un roman en vers (*Chêne et chien*) et j'ai choisi pour cela un sujet qui passe généralement pour ne pas être spécialement poétique, la psychanalyse... » (*BCL,* p. 43).

147. Voir l'essai d'A.-M. Schmidt, ami de Queneau et membre de l'Oulipo, *La Poésie scientifique du XVIe siècle*, Éditions Rencontre, 1970.

148. *LVG,* p. 209. Dans son hommage à Olivier Larronde, il écrit qu'il « aurait pu être de ceux, trop rares, qui ne voient point d'abîme entre poésie et mathématiques » (Éd. L'Arbalète, réédition 1990, p. 154).

149. Francisation du mot latin *carmen*, qui signifie *chant* ; *Pléiade* I, p. 1249.

150. Louis-Philippe des Cigales est comme Queneau : « Moi les sciences naturelles je ne les ai jamais potassées. C'est un tort d'ailleurs car il me semble maintenant qu'il pourrait bien en émaner quelque poésie d'une saveur toute particulière » (*Loin de Rueil*, p. 204). Au cours d'un entretien, M. Jean-Marc Lambert, successeur de Queneau à la tête de l'Encyclopédie de la Pléiade, nous a confirmé que les « sciences naturelles » étaient un des domaines les moins prisés par Queneau.

151. « L'art n'a pas à rivaliser avec la science : il a mieux à faire. [...] Il n'a pas à faire d'expériences : il doit savoir avant d'œuvrer. Il n'a pas à être partisan : il ne saurait être partiel » (*LVG,* p. 95).

152. *Le Centenaire d'Émile Verhaeren*, Bruxelles, 1956, p. 26.

153. Les *Douze Petits Écrits* datent de 26, le *Parti pris des choses* de 1942.

154. *Les Temps modernes*, fév. 1947, p. 942.

155. Où l'on retrouve l'esprit de classification propre à l'encyclopédiste : la littérature est classée en Iliades et en Odyssées ; l'histoire contemporaine d'après trois faits divers précis ; viendront ensuite la classification des sciences et celle des travaux de l'Oulipo. *Cf.* chap. 5.

156 Mallarmé, « Crise du vers », *Œuvres complètes*, Pléiade, p. 366.

157. C. Simonnet, *Qd*, p. 125.

158. « Lorsqu'ils furent assis, car Narcense offrit une chaise à Étienne, ce dernier, tout en invitant [...] ce dernier, dis-je, révèle... » (*Le Chiendent*, p. 149-150).

159. *Rabelais* : « – O (s'escria Panurge) le gentil Nazdecabre ! » ; « Vous (dist Panurge) tousjours... » (*Le Tiers Livre,* § XX) ; « Va, vieux fol (dist frère Jehan), au diable ! » (*Le Cinquième Livre*, § XLVI). Queneau : « – Je, dit Chambernac, me mis donc... » ou encore : « – Ce, dit Chambernac, qui est remarquable... » (*Les Enfants du Limon*, p. 223 et 231).

160. *Cf.* S. Fertig, « Raymond Queneau ou l'art de la défamiliarisation », *Tm*, n° 150+17/19, p. 43 *sq.*

161. Voir la célèbre description de la montre dans *Gestes et Opinions du Docteur Faustroll* (livre II, chapitre VIII) et l'explication que Faulkner donna du point de vue de Benjy dans *Le Bruit et la Fureur*, *cf. BCL*, p. 127-129.

162. *Poésie 44*, n° 21, nov. 1944, p. 44-47.

163. Voir l'introduction aux *Exercices de style* dans l'édition Massin-Carelman, Gallimard, 1963.

164. *Cf.* C. Simonnet, *Qd*, p. 168 *sq.*

165. *Ibid.* p. 83, *Situations I*, p. 252-253.

166. *Penser / Classer*, Hachette, 1985, p. 11.

167. Dans un entretien radiophonique, Queneau évoque Christophe et Cervantès parmi les auteurs qui le faisaient rire (12 mai 1977, « Du côté de chez Queneau »). Voir également la préface qu'il consacra au *Christophe* de François Caradec (Pierre Horay, 1981, nouvelle édition).

168. « C'est en juillet 1942 que j'ai commencé d'écrire ce que je voulais intituler, en m'inspirant de Desargues : *Brouillon projet d'une atteinte à une science absolue de l'histoire*; au mois d'octobre, j'abandonnais ce travail, n'en ayant rédigé que les XCVI premiers chapitres. On en identifiera facilement les sources : d'une part, les *Leçons sur la théorie mathématique de la Lutte pour la vie* de Vito Volterra ; de l'autre Vico, Brück, William Finders Petrie, Spengler, auteurs qui ont cru pouvoir discerner des rythmes ou des cycles en histoire [...]. / Si je publie aujourd'hui ce texte bien qu'inachevé (et dont je n'ai changé que le titre), c'est, d'une part, parce qu'il me semble fournir un supplément d'information aux personnes qui ont bien voulu s'intéresser aux *Fleurs bleues*, de l'autre, parce que, même si l'on estime nulle sa contribution à l'histoire quantitative, on pourra toujours le considérer au moins, comme un journal intime. »

169. Albin Michel, Bernard Grasset, Stock, Plon, Denoël, Gallimard, Éd. du Seuil, *LDR*, p. 60 et 66. Voir R. Baligand, *Les Poèmes de Raymond Queneau*, Éd. Didier, 1972.

170. *Cf.* par exemple le *Catalogue centenaire Alphonse Allais*, Honfleur, 1954 : « Alphonse Allais a su donner à la mauvaise plaisanterie une forme si virulente qu'elle dégoûta aussi bien les friands d'esprit fin que les amateurs d'épaisse rigolade. Après un tel exploit, on comprend qu'il demeure un auteur toujours un peu maudit. »

171. « L'humour et ses victimes », n° 2, 20 janvier 1938, *LVG*, p. 80 *sq.*

172. A propos de l'*Anthologie de l'humour noir* d'André Breton, 16 juin 1945, *BCL*, p. 192 *sq.*

173. C. Debon, *Tm*, n° 150+10, p. 8 *sq.*; A. Calame, « Le chien des mythes à la structure », *Qa*, p. 46 ; R. Baligand, *Les Poèmes de Raymond Queneau*, p. 94. *Cf.* E. Souchier, « Notule ou comment concilier l'*RQ* sans en avoir l'r », *AVB*, n° 32-33, p. 61 *sq.*

174. Voir C. Rameil, « Raymond Queneau au Havre », *CRQ*, n° 14-15.

175. A. Calame, *Qa*, p. 33.

176. *Cf.* P. Gayot et Philippe Van den Broeck, « Des déchets (et surtout des colombins) chez Queneau », *Tm*, n° 150+8, p. 43-49.

177. A. Calame, « Raymond Queneau poète et balayeur », *Les Lettres nouvelles*, n° 5, 1972, p. 150-155.

178. *Le Dimanche de la vie* ; mais que cela ne nous interdise pas de relire la mémorable description du balayage d'Ast dans *Les Enfants du Limon*.

179. *Pléiade* I, p. 444. A noter que le titre du poème fait allusion au roman de Raymond Fauchet, *Sur un petit air de flûte*, que Queneau pensait publier dans la collection « La Plume au vent » en 1946 chez Gallimard. *Cf. CRQ*, n° 12-13, p. 28.

180. *Cf.* Horace, *L'Épître aux Pisons*, III, 5, 438-444.

181. *Cf.* en particulier la préface des *Œuvres complètes de Sally Mara*, où le comique plonge en abyme dans les inextricables relations qu'entretiennent l'auteur, l'écrivain, la préfacière, le personnage écrivant, l'éditeur, le lecteur… *Cf.* « Études sur *Les Œuvres complètes de ~~Raymond Queneau~~ Sally Mara* », textes réunis par E. Van der Starre, CRIN, n° 10, 1984 ; Instituut voor Romaanse Talen, Grote Kruisstraat 2-1, 9712 TS Groningen, Pays-Bas. Voir également, dans *Tm*, n° 150+20/21, les articles de L. Mc Murray, « Le même et l'autre dans *Les Œuvres complètes de Sally Mara* » et E. Van der Starre, « Sally Mara romancière ? Exercices de style ? ».

182. *L'Amant*, 1984, p. 14.

183. L'ensemble des exemples tirés des *Exercices de style* sont extraits de E. Souchier, *Thèse*, vol. I, 1986. Sur l'effacement voir également Yves Jeanneret, *Conversations racontées*, Quintette, 1990, p. 49 *sq.*

184. *Ensembliste*, *Définitionnel*, *Tanka*, *Translation*, *Lipogramme* et *Géométrique*. En outre, huit titres sont changés. On retrouvera le détail de ces transformations dans E. Souchier, *Qa*, p. 186 *sq.*

185. *Le Chiendent*, p. 311. « J'accompagne les races usées vers leur dissolution fatale » (p. 315). « Autrefois les bûchers flambaient et mes ancêtres avec […] Comme nous-mêmes, nous nous effaçons » (p. 314).

186. « Lettre de Janine : vous m'apparaissez parfois comme un saint » (*Journal*, 1er nov. 1939, p. 76).

187. R. Guénon, « Salut et Délivrance », *Initiation et réalisation spirituelle*, p. 77.

188. « L'éloignement de l'auteur (avec Brecht, on pourrait parler ici d'un véritable "distancement", l'Auteur diminuant comme une figurine tout au bout de la scène littéraire) n'est pas seulement un fait historique ou un acte d'écriture : il transforme de fond en comble le texte moderne (ou – ce qui revient à la même chose – le texte est désormais fait et lu de telle sorte qu'en lui, à tous ses niveaux, l'auteur s'absente) » (*Le Bruissement de la langue*, Éd. du Seuil, 1984, p. 64).

189. R. Guénon, « Salut et Délivrance », *Initiation et réalisation…*, p. 77 *sq.*

190. R. Guénon, « L'initiation et les métiers », *Mélanges*, Gallimard, 1976, p. 76.

191. « Le complexe de Prométhée est le complexe d'Œdipe de la vie intellectuelle », *La Psychanalyse du feu*, Gallimard, coll. « Idées », n° 73, 1949, p. 26-27. Voir également A. Clancier, « Queneau épistémophile », *Raymond Queneau encyclopédiste ?*

192. Gustave Le Bon le séduisit également par sa philosophie, son indépendance d'esprit et son ampleur de vues, comme le note C. Debon dans « Raymond Queneau, *Gustave Le Bon* », *PBQ,* n° 4, Sixtus Éditions, 1990, p. III. En introduction à *Les Opinions et les Croyances*, qui, aux yeux de Queneau est l'ouvrage majeur de Le Bon, on peut lire : « Trois ordres de vérités nous guident. Les vérités affectives, les vérités mystiques, les vérités rationnelles. Issues de logiques différentes elles n'ont pas de commune mesure », Flammarion, 1911.

193. « La vertu qui m'attire le plus est l'universalité ; le génie avec lequel je sympathise le plus est Leibniz » (1923 ; *cf.* aussi *Pléiade* I, p.XLIX).

194. *L'Inde secrète, op. cit.*, p. 34. *Crouïa*, en arabe signifie *frère*. Crouïa-Bey, c'est donc le frère du chef, du *bey*, et c'est précisément ce qu'est Crouïa-Bey : le frère de Voussois (précision d'A. Calame).

195. *Cf.* C. Simonnet, « Réflexions de Raymond Queneau l'auteur », *AVB,* n° 16-17, p. 43-44 et *AVB,* n° 32-33, p. 18.

196. Lettre adressée à André Billy et publiée dans *Le Figaro,* 14 mars 1940.

197. *L'Événement,* avril 1968, p. 25.

198. Sauf mention spécifique, l'ensemble des citations reprises dans ce chapitre sont extraites des recueils *BCL* et *LVG. Cf. supra,* chap. 2.

199. « J'admire que le *Manifeste du surréalisme* ait été écrit dans la langue de Fénelon et je ne m'étonne pas qu'*Arcane 17* ait provoqué les bégaiements d'admiration du plus réactionnaire (littérairement) des critiques actuels, A. Hoog [...]. Écrire un manifeste d'ultra-gauche littéraire dans la langue de la *Prière sur l'Acropole* ; c'est évidemment médiocre paradoxe ou constatation » (CIDRE, Dossier *BCL,* « Langage académique », ms).

200. « C'est dans une "langue parlée" qu'est écrit *Aurélien* de même que *Le Voyageur de l'impériale* » (*Fn,* 1er déc. 1944 et 9 juin 1945).

201. Extrait du *Journal d'humeur* de Tristan Maya repris dans *CRQ,* n° 12-13, p. 80 : « De retour d'un voyage en Grèce, Raymond Queneau écrit *Le Chiendent* alors que Louis-Ferdinand Céline s'apprête à publier le *Voyage au bout de la nuit.* Il confie alors à Georges Bataille "qu'il est perdu, grillé par Céline qui lui vole sa gloire future en lui prenant quelque peu ses idées !" »

202. D. Auffret, *Alexandre Kojève,* p. 367. Voir également I. Calvino, *AVB,* n° 15. Note d'A. Calame : « La question de la grossièreté et de la vulgarité est elle aussi passible d'une interprétation traditionnelle. » *Cf.* R. Guénon, *Initiation et réalisation spirituelle,* § 27 et 28.

203. *Essais critiques,* Éd. du Seuil, 1964, p. 248-249.

204. « Je pense que tout dut commencer avec des journaux comme *L'Épatant* avec leurs Pieds Nickelés. Et puis il s'est trouvé que j'ai lu très jeune Henri Monnier et Jehan Rictus. C'est par là que j'ai commencé à connaître le langage populaire. Si l'on s'écrie livresque ! livresque ! je n'y contredirai pas » (*BCL,* p. 11). Voir également p. 55.

205. *Cf.* F. Géhéniau, *Queneau analphabète.*

206. *Cf.* A. Blavier, « Queneau encyclopédiste ou encyclopédique ? », *Raymond Queneau encyclopédiste ?*

207. Les références renvoient à *Fontaine,* n° 31, 1943 et *BCL,* p. 97 *sq.*

208. A noter l'un des multiples aspects de l'influence de Flaubert chez Queneau. *Les foutaises* jouent pour Sally Mara un rôle d'affranchissement analogue à ce qu'aurait dû être *L'Album* pour Bouvard et Pécuchet ; « Sally plus intime » en reprend d'ailleurs les caractéristiques formelles.

209. « Il y a toujours eu beaucoup plus de choses à connaître qu'un homme pouvait en connaître ; il y a toujours eu des façons de sentir qui ne pouvaient pas toutes émouvoir le même cœur ; il y a toujours eu des croyances profondément enracinées, qui ne pouvaient s'unir pour former une synthèse. Cependant, jamais jusqu'à notre époque la diversité, la complexité, l'abondance n'avaient si clairement défié tout ordre hiérarchique et toute simplification ; jamais les hommes ne s'étaient trouvés dans l'obligation de comprendre des façons de vivre complémentaires et incompatibles et de reconnaître que le choix entre ces façons constituait le seul parti de la liberté. » Cité par Queneau dans la plaquette de présentation de l'*Encyclopédie, cf. Bords,* p. 85 *sq.*

210. *Cf.* bibliographie en annexe.

211. *Cf.* P. David, « Consubstantialité & quintessence d'une fiction dérivée », *Dossier* n° 20 du Collège de 'Pataphysique. Les références suivantes donnent : C. Simonnet, *Qd* ; A. Kojève, « Les Romans de la Sagesse », *Critique,* n° 60, mai 1952 ; P. Macherey, « Raymond la sagesse-Queneau et les philosophes », *Qa* ; C. Debon, *Pléiade* I ; B. Eruli « Pour une morale élémentaire, Queneau et le *Yi-King*», *LRQ,* n° 1.

212. *LVG,* p. 168 et *EC,* 3, p. 254. « The reader is not obliged to embrace the text in its full complexity, or to extract meaning from any given element within it ; he is free to concentrate on the elements of his own choice » (Christopher Shorley, *Queneau's fiction, op. cit.,* p. 7).

213. Pour ce qui est des ouvrages principaux, entre 1933 et 1951 (dix-huit années) il écrit douze romans, six recueils de poésie et traduit quatre romans. Entre 1951 et 1976 (vingt-cinq années), il écrit cinq romans, neuf recueils et traduit un roman.

214. « Ethnologie régionale », *Encyclopédie de la Pléiade,* 1978, vol. 2, p. VII-VIII.

215. « A notre époque, la plupart des gens "instruits" sont en réalité des ignorants ; ils ne savent plus le latin ni le grec (naturellement) quoiqu'ils s'intéressent au déchiffrement du hittite ; et ils ignorent ce qui est fondamental : l'arithmétique, la géométrie, et les leçons de choses » (p. 103). Il est dit dans *Chêne et chien* : « Tu veux déchiffrer le hittite, / mon fils, tu n'es qu'un cornichon » (*Pléiade* I, p. 20) ; sur les mathématiques voir *Odile* (*cf.* chap. 1) et sur les sciences naturelles (*cf.* chap. 4).

216. On comparera avec profit « Qu'est-ce que l'art ? » et « Le plus et le moins » du *Voyage en Grèce* (p. 89-104 et 122-129) au discours de Roland dans *Odile* (p. 157-159).

217. « Situations de Baudelaire », 1929, *Pléiade* I, p. 598 *sq.* Voir également *Adonis,* p. 476 *sq.*

218. « ... deux états d'esprit différents, deux "systèmes" qui vont devenir opposés, dont l'un avait historiquement besoin de l'autre pour naître, mais qu'il avait non moins besoin d'abandonner pour vivre » (*Nadeau* I, p. 31),

219. J. Bens, *Oulipo*, C. Bourgois Éd., 1980, p. 36.

220. Notons au passage que cette dernière précision se situe à contrecourant des affirmations que tenait Breton dans le premier *Manifeste*.

221. *Cf. Journal*, p. 50 et Brochard, *Les Sceptiques grecs*, p. 18 : la constante préoccupation des pyrrhoniens « sera de ne pas toucher aux croyances populaires, et, comme ils diront, de ne pas bouleverser la vie ; Pyrrhon sera grand prêtre ».

222. *Cf.* P. Fournel, *Atlas de littérature potentielle*, Gallimard, coll. « Idées », n° 439, 1981, p. 249 *sq* et 347 *sq.* et J. Queval, *La Bibliothèque oulipienne*, Ramsay, 1987, vol. I, p. 72.

223. Janvier, n° 253. *Cf. Pléiade* I, p. 1451 *sq.*

224. *Cf.* François Cheng, *L'Écriture poétique chinoise*, Éd. du Seuil, 1977.

225. *LRQ,* n° 1, Université de Limoges, 1975. L'ensemble du recueil est consacré à *Morale élémentaire*. Voir en particulier les articles de M. Métail (« Une petite musique chinoise »), B. Eruli (« Pour une morale élémentaire : Queneau et le *Yi-King*») et A. Calame (« La place des mathématiques dans *Morale élémentaire* »).

226. *Yi-King*, version de Wilhem, traduction de Perrot, Librairie Médicis, 1973, p. XI.

227. *Ibid.*, p. XXX.

228. Lettre à Janine Queneau, *AVB,* n° 27, p. 22.

229. « Les deux premiers poèmes sont constitués par l'image de la mère (Isis sombre) confondue avec celle de Janine [sa femme] disparue [en 1972], et par celle du père (le soleil roux). L'enfant paraît et sa main malhabile dessine les premiers bâtons, les premières lettres. Sans refaire tout le parcours on identifie successivement la Normandie (7e poème), la boxe (15e) la période surréaliste (16e), Saint-Léonard-de-Noblat (21e), le bombardement du Havre (23e), la guerre (33e), la vieillesse (42e), la proximité de la mort (43e) » (*Pléiade* I, p. 1456). Les poèmes signalés sont p. 617, 625, 626, 631, 633, 643, 652, 653.

230. *Cf.* B. Eruli, *LRQ,* n° 1, p. 50-52 et C. Simonnet, *Europe*, p. 44-46.

231. *Cf.* B. Eruli, *ibid.*, p. 54 et *Pléiade* I, p. 675.

232. Le texte se fait l'écho des *lignes* mobiles *yin* et *yang* qui président à toute transformation dans le *Yi-King* : « Pourquoi ces lignes changent-elles ? » (p. 663).

233. B. Eruli, *ibid.*, p. 47.

234. *LRQ,* n° 1, p. 113.

235. Tchang-Tseu, *NRF,* 1er mai 1940, p. 678-679. Cité par B. Eruli.

236. *Cf.* A. Calame, *LRQ,* n° 1, p. 105.

237. *Ibid.*, p. 95. Voir aussi R. Guénon, « Salut et Délivrance », *Initiation...*, p. 77 *sq.*

238. *Pléiade* I, p. 699.

Bibliographie sélective

Œuvres de Raymond Queneau

Éditions de référence précédées des initiales utilisées comme abréviations. Les dates entre parenthèses vont aux éditions originales. Sauf mention contraire, tous les ouvrages sont publiés chez Gallimard. Les références des textes poétiques cités renvoient à l'édition de la Pléiade.

- *Le Chiendent*, roman, coll. « Folio », n° 588, 1974 (1933).
- *Gueule de pierre*, roman (1934).
- *Les Derniers jours*, roman, 1977 (1936).
- *Odile*, roman, 1969 (1937).
- *Chêne et chien*, « roman en vers » (1937).

Les Enfants... • *Les Enfants du Limon*, roman (1938).
- *Un rude hiver*, roman (1939).
- *Les Temps mêlés (Gueule de pierre II)*, roman (1941).
- *Pierrot mon ami*, roman, coll. « Folio », n° 226, 1972 (1942).
- *Les Ziaux*, poèmes (1943).
- *Foutaises*, pensées, HC, sn, sd (Paris, 1944).
- *En passant*, drame, HC, Barbezat Éd., Lyon (1944).
- *Loin de Rueil*, roman, 1966 (1944).
- *L'Instant fatal*, poèmes (1946-1948).
- *Pictogrammes,* « poèmes en prose », Messages Éd. (1946).
- *Exercices de style* (1947, 1963).
- *A la limite de la forêt*, nouvelle, Fontaine Éd. (1947).
- *Une trouille verte (Dino, Panique),* nouvelles, Éd. de Minuit (1947).

OETTBALF • *On est toujours trop bon avec les femmes*, roman (pseudonyme : Sally Mara, 1947).
- *Bucoliques*, poèmes (1947).

299

- *Saint-Glinglin*, roman, coll. « L'imaginaire », n° 78, 1981 (1948).
- *Monuments*, poèmes, Éd. du Moustier (1948).
- *Le Cheval troyen*, nouvelle, G. Visat Éd. (Paris, 1948).
- *L'Instant fatal*, poèmes (1948).
- *Petite cosmogonie portative*, poème en six chants (1950).

BCL
- *Bâtons, chiffres et lettres*, articles, coll. « Idées », n° 70, 1973 (1950-1965).
- *Journal intime*, roman, Éd. du Scorpion (pseudonyme : Sally Mara, 1950).
- *Si tu t'imagines*, poèmes (1952).
- *Le Dimanche de la vie*, roman, coll. « Folio », n° 442, 1973 (1952).
- *Lorsque l'esprit*, Éd. du Collège de 'Pataphysique (1955).
- *Sonnets*, poèmes, Éd. Hautefeuille (1958).
- *Zazie dans le métro*, roman, coll. « Folio », n° 103, 1975 (1959).
- *Cent Mille Milliards de poèmes*, (1961).
- *Texticules*, Éd. Temps mêlés (1961).
- *Les Œuvres complètes de Sally Mara*, roman, coll. « L'imaginaire », n° 43, 1981 (1962).

Entretiens...
- *Entretiens avec Georges Charbonnier*, entretiens radio (1962).
- *Zoneilles*, scénario, avec M. Arnaud & B. Vian, Éd. du Collège de 'Pataphysique (1962).
- *Album 19*, Miró, Maeght Éd. (1962).
- *Bords*, articles, Hermann Éd., 1978 (1963).
- *Les Fleurs bleues*, roman (1965).
- *Le Chien à la mandoline*, poèmes (1965).

UHM
- *Une histoire modèle*, essai, 1966.
- *Meccano ou l'analyse matricielle du langage*, Baj, S. Tosi Éd. (Milan, 1966).
- *Courir les rues*, poèmes (1967).
- *Le vol d'Icare*, roman (1968).
- *Battre la campagne*, poèmes (1968).
- *Fendre les flots*, poèmes (1969).
- *De quelques langages animaux et notamment du langage chien dans Sylvie et Bruno*, Éd. de l'Herne (1971).

LVG
- *Le voyage en Grèce*, articles (1973).

- *La littérature potentielle,* collectif, Oulipo, coll. « Idées », n° 289 (1973).
- *Morale élémentaire,* poèmes (1975).
- *Les Fondements de la littérature d'après David Hilbert* ; Bibliothèque Oulipienne, n° 3 (Paris, 1971-1976).
- *Atlas de littérature potentielle*, collectif, Oulipo, coll. « Idées », n° 439 (1981).
- *Contes et Propos* (1981).

Journal
- *Journal 1939-1940* suivi de *Philosophes et Voyous* (1986).

Pléiade I
- *Œuvres complètes*, t. I, Poésies, Bibliothèque de la Pléiade (1989).
- *Gustave Le Bon, Petite Bibliothèque quenienne*, n° 4, article, Sixtus-CIDRE Éd. (Limoges, 1990).
- *Traité des vertus démocratiques,* essai, à paraître.
- *Œuvres complètes,* t. II & III, romans, Pléiade, en préparation.

Textes divers

- José Roman, *Mes souvenirs de chasseur de chez Maxim's*, roman réécrit par Queneau, Éd. Littéraires de France (Paris, 1937).

Fn
- Chroniques parues dans le quotidien *Front national* (1944-1945).
- Alexandre Kojève, *Introduction à la lecture de Hegel*, cours publiés par Raymond Queneau, coll. « Tel », n° 45, 1979 (1947).

EC
- *Les Écrivains célèbres*, Mazenod Éd., 3 vol. (1951-1953).
- *Encyclopédie de la Pléiade*, présentation et « Histoire des littératures », 3 vol., 1956 (1956-1958).
- *Pour une bibliothèque idéale*, enquête (1956).
- *Anthologie des jeunes auteurs*, J. A. R. Éd. (1957).
- *Regards sur Paris*, collectif, Grasset (1968).

PMO
- *Œuvres complètes* de Pierre Mac Orlan, « Préface » ; Cercle du bibliophile (Genève, 1969). Voir la préface à P. M. Orlan, *Le Chant de l'équipage*, coll. « Folio », n° 1083, 1979.

Textes traduits
par Raymond Queneau

- Edgar Wallace, *Le Mystère du train d'or*, traduit sous le nom de Jean Raymond (Janine et Raymond Queneau), Hachette (1934).
- Maurice O'Sullivan, *Vingt ans de jeunesse* (1936).
- Sinclair Lewis, *Impossible ici* (1937).
- William Saroyan, *L'Homme dont le cœur était resté dans les montagnes*, Mesures, n° 2 (1938).
- *Mesures* n° 3, « Littérature américaine », neuf textes traduits par Queneau : Hart Cane, Wallace Stevens, etc. (1939).
- William Saroyan, *Le Zeppelin du dimanche*, *NRF,* n° 318 (1940).
- George Du Maurier, *Peter Ibbetson* (1946).
- Amos Tutuola, *L'Ivrogne dans la brousse* (1953).

Principaux ouvrages consacrés
à Raymond Queneau

- Jean Queval, *Raymond Queneau*, Seghers (1960) 1971.

Qd
- Claude Simonnet, *Queneau déchiffré*, coll. « Lettres Nouvelles », Julliard, 1962, réédition Slatkine, 1981.
- Jacques Bens, *Queneau*, coll. « La bibliothèque idéale », Gallimard, 1962.
- Andrée Bergens, *Raymond Queneau*, Droz, Genève, 1963.
- Paul Gayot, *Queneau*, coll. « Classiques du XXᵉ siècle », Éd. Universitaires, 1967.
- Jacques Bens, *Raymond Queneau en verve*, Pierre Horay, 1970.
- Renée Baligand, *Les Poèmes de Raymond Queneau, étude phonostylistique*, Didier Éd., 1972.
- Wolfgang Hitten, *Raymond Queneau, Bibliographie des études sur l'homme et son œuvre,* Éd. Gemini, Köln, 1981
- Jean Queval et André Blavier, *Album Queneau*, Henri Veyrier Éd., 1984.

Qa

• Collectif, *Queneau aujourd'hui* ; Actes du colloque Raymond Queneau, Université de Limoges, 1984 ; Éd. Clancier-Guénaud, 1985.
• Christopher Shorley, *Queneau's Fiction*, Cambridge University Press, Londres, 1985.
• Jacques Duchateau, *La Colonne d'air*, Ramsay, 1987.
• Jacques Jouet, *Raymond Queneau, qui êtes-vous ?* La Manufacture, Lyon, 1988.
• André Blavier / Raymond Queneau, *Lettres croisées 1949-1976,* Éd. Labor, Bruxelles, 1988.
• Jane Alison Hale, *The Lyric Encyclopedia of Raymond Queneau*, The University of Michigan Press, É.-U., 1989.
• Michał Mrozowicki, *Raymond Queneau, du surréalisme à la littérature potentielle*, Uniwersytet Slaskiego, Katowice, Pologne, 1990.
• Collectif, *Raymond Queneau encyclopédiste ?*, Actes du 2e colloque Université de Limoges, 1987, Éditions du Limon, 1990.
• Jean-Yves Pouilloux, *Les Fleurs bleues de Raymond Queneau,* coll. « Foliothèque », n° 5, Gallimard, 1991.

Principales revues consacrées à Raymond Queneau

L'Arc

• *L'Arc,* n° 28, 1966. Réédition Duponchelle, 1990.

L'Événement

• *L'Événement,* n° 27, avril 1968.
• *Le Magazine littéraire,* n° 94, nov. 1974 & n° 228, mars 1986.

L'Herne

• *Les cahiers de l'Herne,* 1975.

Europe

• *Europe*, n° 650-651, juin-juillet 1983.
• « Études sur les œuvres complètes de (Raymond Queneau) Sally Mara », *CRIN,* n° 10, Instituut voor Romaanse Talen, Grote Kruisstraat 2-1, 9712 TS Groningen, Pays-Bas.
• *Trousse-Livres,* n° 55, décembre 1984.

LRQ n° 1

• *Lectures de Raymond Queneau,* n° 1 : *Morale élémentaire*, Trames, Univ. de Limoges, 1987.
• « Queneau / *Les Fleurs bleues* », *Roman 20-50,* n° 4, Université de Lille-III, 1987.

LRQ n° 2 • *Lectures de Raymond Queneau*, n° 2 : *Pierrot mon ami*, Trames, Univ. de Limoges, 1989.

Trois revues exclusivement consacrées à Raymond Queneau

Tm • *Temps mêlés*, 23, place du Général-Jacques, 4800 Verviers, Belgique.

AVB • Cahiers des *Amis de Valentin Brû*, 56, rue Carnot, 92300, Levallois-Perret, devenus :

CRQ *Cahiers Raymond Queneau.*

PBQ • *Petite Bibliothèque quenienne*, Sixtus Éditions et CIDRE, 5, rue Labordère, 87000, Limoges.

Deux centres de recherche et une association consacrés à Raymond Queneau

AVB • *Les Amis de Valentin Brû*, 56, rue Carnot, 92300, Levallois-Perret.

CDRQ • *Centre de documentation Raymond-Queneau*, Bibliothèque communale centrale, place du Marché, 48000, Verviers, Belgique.

CIDRE • *Centre international de documentation de recherche et d'édition Raymond-Queneau*, Bibliothèque universitaire, 39c, rue Camille-Guérin, 87031, Limoges cedex.

Abréviations utilisées pour les principaux ouvrages cités
Le lecteur trouvera en note
la bibliographie complémentaire.

Archives 1 Coll. « *Archives du surréalisme* », t I, Gallimard, 1988.

Archives 2 Coll. « *Archives du surréalisme* », t II, Gallimard, 1988.

Nadeau 1 Maurice Nadeau, *Histoire du surréalisme*, t. I, Éd. du Seuil, coll. « Points », n° 1, 1964.

Nadeau 2 Maurice Nadeau, *Documents surréalistes*, t. II, Éd. du Seuil, 1948.

La RS « *La Révolution surréaliste* », Jean-Michel Place Éd., 1975.

REMERCIEMENTS

Un amical merci à Suzanne Bagoly, Mary-Lise Billot, Corinne Brédard, Marc Bruimaud, Alain Calame, Nicole Caligaris, Martine Descouens, Claude Hénard-Simion, Yves Jeanneret, Jean-Marc Lambert, Agnès Mathieu, Didier Mathieu, Gabriel Paris, Bernard Pierre, Jean-Marie Queneau, Claude Rameil, Denis Roche, Liliane Rodde et Claude Simonnet.

Note bio-bibliographique[*]

[*] En 1960, Queneau rédige une « Note bio-bibliographique » à l'intention de Jean Queval qui prépare son *Essai sur Raymond Queneau* (Seghers). Les informations extraites de cette note apparaissent entre guillemets (*cf. CRQ.* n° 11, p. 79-81). Les œuvres, en *italique*, sont classées sous cinq rubriques :

	Poèmes	Romans et autres textes de fiction	Essais et autres textes théoriques	Traductions	Cinéma, chansons et théâtre
1903-1920 Du Havre à Paris					
1903	« Né le 21 février au Havre. »				
1908-1920	« Études au lycée du Havre. »				
1920-1925	« Licence de philosophie en Sorbonne. Habite Épinay-sur-Orge. »				
1921	Premières lectures de René Guénon.				
1924-1935 Une période marxiste sur fond d'« études traditionnelles »					
1924	« Fin 1924. Fréquente la Centrale surréaliste et collabore à *La Révolution surréaliste.* »				

	Poèmes	Romans et autres textes de fiction	Essais et autres textes théoriques	Traductions	Cinéma, chansons et théâtre
1925-1927	« Service militaire au 3e zouaves (Batna, Rif) puis au 2e (Fez). »				
1927	« Employé au Comptoir national d'escompte. Participe au mouvement surréaliste. Amitié avec la Rue du Château (Prévert, Tanguy, Marcel Duhamel). »				
1928	« Mariage » avec Janine Kahn, belle-sœur d'André Breton.				
1928-1930	Première période picturale (aquarelles) et		Pictogrammes.		
1929	« Rupture avec André Breton. Août-sept. 1929 séjour à Azenhas do Mar (Portugal) (lecture de Joyce). »				
1930	« Commence un travail sur les fous littéraires qui ne trouvera pas d'éditeur et sera intégré aux *Enfants du Limon.* »				
1931-1933	« Amitié avec G. Bataille. » « Collabore à		*La Critique sociale,* de Boris Souvarine » (Cercle communiste démocratique).		
1932	« Juillet-novembre 1932. Séjour en Grèce. Y écrit la majeure partie du *Chiendent.* »				
1933-1941 Hegel et la gnose sur fond d'asthme et de psychanalyse					
1932-1938	Première période d'asthme.				

	Poèmes	Romans et autres textes de fiction	Essais et autres textes théoriques	Traductions	Cinéma, chansons et théâtre
1933		*Le Chiendent* (prix des Deux-Magots).		*Le Mystère du train d'or,* d'Edgar Wallace.	
1933-1939			« Psychanalyse (interrompue en 1939). Suit les cours de H.-Ch. Puech et de Kojève à l'École des hautes études (section des Sciences religieuses) (également jusqu'en 1939). »		
1934		*Gueule de pierre.*	21 mars, « naissance d'un fils [Jean-Marie]. Rupture avec Georges Bataille. »		

1935-1941 Une crise spirituelle sur fond d'interrogations sociopolitiques

	Poèmes	Romans et autres textes de fiction	Essais et autres textes théoriques	Traductions	Cinéma, chansons et théâtre
1935			"Conversion" (lecture de Brunton), lectures de Guénon, crise spirituelle.		
1936		*Les Derniers Jours.*	« Séjour avec Michel Leiris à Ibiza (séjour interrompu par le soulèvement franquiste). »	*Vingt ans de jeunesse,* de Maurice O'Sullivan.	
1936-1938			« Rédige pour *L'Intransigeant* une chronique quotidienne : *Connaissez-vous Paris ?* »		
1937	*Chêne et chien* (« roman en vers »). *Odile.*	*Mes souvenirs...,* de José Roman.		*Impossible ici,* de Sinclair Lewis.	

	Poèmes	Romans et autres textes de fiction	Essais et autres textes théoriques	Traductions	Cinéma, chansons et théâtre
1938	« Entre au comité de lecture des Éditions Gallimard. Fonde *Volontés*, avec G. Pelorson, Henry Miller, etc. » « Une voix au Goncourt (J.-H. Rosny aîné) pour *Les Enfants du Limon*. »				
1939	Fin de la première période d'asthme. « Mobilisé » ; fin de l'analyse. *Un rude hiver.* *Panique* (nouvelle).			*L'homme...*, de William Saroyan.	
1940	« Démobilisé. »			*Littérature américaine*, collectif. *Le Zeppelin...*, de William Saroyan.	

1941-1947 Une rupture spirituelle sur fond d'engagement politique

	Poèmes	Romans et autres textes de fiction	Essais et autres textes théoriques	Traductions	Cinéma, chansons et théâtre
1941	"Déconversion métaphysique", retour à la "raison". « Secrétaire général des Éditions Gallimard. »				
1942	*Les Temps mêlés.* *Pierrot mon ami.* *Dino* (nouvelle).				
1942-1944	Seconde période d'asthme.				
1943	*Les Ziaux.*				

	Poèmes	Romans et autres textes de fiction	Essais et autres textes théoriques	Traductions	Cinéma, chansons et théâtre
1944	Fin de la seconde période d'asthme.	*Loin de Rueil.* *Foutaises.*			*En passant* (théâtre).
1944-1945	« Membre du comité directeur du CNE, sous-directeur des services littéraires de la Radio, organisateur (avec J.-L. Barrault et R. Kemp) des Matinées poétiques de la Comédie-Française, chroniqueur littéraire à *Front national*, etc. »				
1946				*Peter Ibbetson,* de George Du Maurier.	
1946-1947	« Se démet ou est démis de ces différentes fonctions. »				
1946-1948	Seconde période picturale (gouaches).				

1947-1968 Création et mondanités sur fond de "raison dominatrice"

	Poèmes	Romans et autres textes de fiction	Essais et autres textes théoriques	Traductions	Cinéma, chansons et théâtre
1947	Période de Saint-Germain-des-Prés. « Travaille à un scénario avec René Clément : Publie	*On est toujours trop bon avec les femmes.* sous le pseudonyme de Sally Mara.'' *Exercices de style.*			*Candide 47.*

	Poèmes	Romans et autres textes de fiction	Essais et autres textes théoriques	Traductions	Cinéma, chansons et théâtre
1947	Publie	*Une trouille verte* (nouvelle). *A la limite de la forêt* (nouvelle).	les cours de Kojève sur Hegel.		
1948	*Bucoliques.* Fin de la seconde période picturale. *L'Instant fatal.*	*Saint-Glinglin.* *Le Cheval troyen* (nouvelle).			
1949	*Monuments.* « Exposition de gouaches et d'aquarelles à la galerie Art et Artisans. » Gréco chante		*Joan Miró ou le poète préhistorique.* *Vlaminck ou le vertige de la matière.*	mis en scène par Yves Robert à la Rose rouge.	*Exercices de style,* *Si tu t'imagines.* *Saint-Germain-des-Prés* (court-métrage avec Pagliero). » *Rendez-vous de juillet,* en collab. avec J. Queval (Chavanne).

	Poèmes	Romans et autres textes de fiction	Essais et autres textes théoriques	Traductions	Cinéma, chansons et théâtre
1950	« Voyage aux USA. »				« La Croqueuse
		de diamants (chansons pour Zizi Jeanmaire).			
	Publie le	*Journal intime de Sally Mara.*			*Le Lendemain.* »
	Court métrage (en 16 mm)				
	Petite Cosmogonie portative.				
1951	Entre au Collège de 'Pataphysique. Élu à l'« Académie Goncourt.		*Bâtons, chiffres et lettres.*		*Arithmétique*
					(court-métrage avec P. Kast) ».
	Nommé à la direction de		l'*Encyclopédie de la Pléiade.*		
	Dirige		*Les Écrivains célèbres* (Mazenod) (t. I et II, 1951; t. III, 1952).		
1952	« Croisière en Grèce. Festival de Cannes (membre du jury). Chansons d'écrivains à la radio. »				
	Si tu t'imagines.	*Le Dimanche de la vie.*			
1953	« Dialogues de			*L'Ivrogne dans la brousse,* d'Amos Tutuola.	*Monsieur Ripois* (de René Clément). »

	Poèmes	Romans et autres textes de fiction	Essais et autres textes théoriques	Traductions	Cinéma, chansons et théâtre
1954					« Champs-Élysées » (commentaire du court-métrage).
1955	« Chansons pour				Gervaise (de Clément, Aurenche et Bost). »
1956	« Voyage au Mexique (dialogues pour		Lorsque l'esprit (Collège de 'Pataphysique).		La Mort en ce jardin, de Buñuel).
	Parution du premier volume de	Voyage en URSS (Moscou, Leningrad, Tachkent, Samarcande). »	l'Encyclopédie de la Pléiade. Histoire des littératures, dans l'Encyclopédie de la Pléiade (t. I et t. II, 1951, t. III 1958). Pour une bibliothèque idéale. Anthologie des jeunes auteurs.		
1957	Le Chien à la mandoline.				
1958	Le Chant du styrène. Sonnets.				
1959		Zazie dans le métro (prix de l'humour noir).			
1960	Décade de Cerisy. Création de l'Oulipo.				Un couple, de Mocky (adaptation et dialogues).

	Poèmes	Romans et autres textes de fiction	Essais et autres textes théoriques	Traductions	Cinéma, chansons et théâtre
1961	*Cent Mille Milliards de poèmes.* *Texticules.*				*Loin de Rueil* au TNP.
1962		*Les Œuvres complètes de Sally Mara.*	*Entretiens avec Georges Charbonnier.* *Album 19* (Miró).		*Zoneilles* (scénario avec M. Arnaud et B. Vian).
1963			*Bords.*		
1965					*Le Dimanche de la vie,* de Herman (dialogues du film).
1966	*Le Chien à la mandoline.*	*Les Fleurs bleues.*	*Une histoire modèle.* *Meccano ou l'analyse matricielle du langage.*		
1967	*Courir les rues.*	*Un conte à votre façon.*			*L'Emploi du temps* (court-métrage).

	Poèmes	Romans et autres textes de fiction	Essais et autres textes théoriques	Traductions	Cinéma, chansons et théâtre
1968-1976 La quête métaphysique et l'"Instant fatal"					
1968	Reprise des lectures de Guénon. *Battre la campagne.*	*Le Vol d'Icare.*	*Regards sur Paris.*		
1969	*Fendre les flots.*				
1971			*De quelques langages animaux…* *Classification des travaux de l'Oulipo.* *Les Fondements de la littérature…*		
1972		18 juillet, mort de sa femme, Janine.			
1973		*Récits de rêves à foison.*	*Le Voyage en Grèce.* *La Littérature potentielle* (Oulipo).		
1975	*Morale élémentaire.*				
1976		25 octobre, mort de Raymond Queneau.			
1981		*Contes et propos.*			
1986			*Journal 1939-1940.*		
1988			*Comprendre la folie.*		
1989	*Œuvres complètes,* vol. I, Pléiade.		*Gustave Le Bon.*		
1990		*Œuvres complètes,*	*Traité des vertus démocratiques,* inédit, à paraître.		
…			*Œuvres complètes,* vol. II et III, en préparation.		
…					

Table

Illustrations

RÉALISATION : ATELIER PAO ÉDITIONS DU SEUIL
IMPRESSION : MAME IMPRIMEURS, À TOURS
DÉPÔT LÉGAL : OCTOBRE 1991. N° 12159 (27115)